O SEGREDO DA DINAMARCA

DESCUBRA COMO
VIVEM AS PESSOAS
MAIS FELIZES
DO MUNDO

Helen Russell

O SEGREDO DA DINAMARCA

Tradução
Izabel Aleixo e Léa Viveiros de Castro

LeYa

Título original: The year of living danishly

Revisão
ANA KRONEMBERGER

Capa
VICTOR BURTON

Diagramação
ABREU'S SYSTEM

Dados Internacionais de Catalogação na Publicação (CIP)
Angélica Ilacqua CRB-8/7057

Russell, Helen
O segredo da Dinamarca / Helen Russell; tradução de Izabel Aleixo e Léa Viveiros de Castro. – São Paulo : LeYa, 2016.
368 p.

ISBN: 978-85-441-0472-9
Título original: The year of living danishly

1. Dinamarca – Descrição de viagens 2. Dinamarca – Usos e costumes 3. Russell, Helen, 1980- Residências e lugares habituais I. Título II. Aleixo, Izabel III. Castro, Léa Viveiros de

16-0959 CDD 948.9

Índices para catálogo sistemático:

1. Dinamarca – Descrição de viagens
2. Dinamarca – Usos e costumes

LeYa é um selo editorial da empresa Casa dos Mundos.

CASA DOS MUNDOS PRODUÇÃO
EDITORIAL E GAMES LTDA.
Rua Avanhandava, 133 | Cj. 21 – Bela Vista
01306-001 – São Paulo – SP
www.leya.com.br

Para o Pequeno Ruivo, Lego Man
e a mulher que usa calças e jaqueta de esqui e boina.

SUMÁRIO

PRÓLOGO

Mudando de vida: o projeto Felicidade

Tudo começou de maneira muito simples. Depois de alguns dias de folga, meu marido e eu estávamos sofrendo de uma melancolia pós-feriado e lutávamos para voltar ao nosso ritmo de vida normal. Uma chuvinha fraca, que deixava tudo ainda mais cinza, caiu sobre Londres, e a cidade parecia suja e cansada – assim como eu. "A vida tem que ser mais do que isso..." era a ideia que passava pela minha cabeça, como um deboche, quando eu pegava o metrô para o escritório todos os dias e quando voltava para casa pelas ruas estreitas e apinhadas de gente doze horas depois, nos dias em que ficava até mais tarde no trabalho ou ia a algum evento profissional depois do expediente. Eu sou jornalista e trabalhava na época numa revista de moda, comportamento, beleza e bem-estar, e me sentia uma fraude. Passava os dias escrevendo sobre como as leitoras podiam "ter tudo": um equilíbrio saudável entre a vida pessoal e profissional, sucesso, paz de espírito, saúde, harmonia – tudo isso usando as últimas tendências da moda e com um brilho radiante no rosto. Na realidade, eu ainda estava pagando o empréstimo que havia feito para custear a faculdade, contava com quantidades industriais de cafeína para atravessar o dia e me automedicava com uma taça de Sauvignon Blanc todas as noites para conseguir dormir.

As noites de domingo tinham ficado marcadas por um já velho conhecido aperto no peito com a perspectiva da semana pela frente e estava ficando cada vez mais e mais difícil não ficar acionando a função soneca do despertador várias vezes todas as manhãs. Por mais de uma década, eu tinha dado um duro danado para conseguir aquele emprego. Mas assim que consegui o cargo pelo qual tanto lutei, percebi que não tinha ficado mais feliz – só mais ocupada. O que eu desejava se tornou um alvo em movimento. Cada vez que eu alcançava algo com que tinha sonhado, sempre havia alguma coisa mais de que eu sentia falta ou estava precisando. A lista das coisas que eu pensava que queria, ou precisava, ou devia estar fazendo, era inesgotável. E eu estava permanentemente exausta. A vida parecia confusa e fragmentada. Eu estava sempre tentando fazer muitas coisas ao mesmo tempo e sempre sentia como se estivesse ficando para trás.

Eu tinha 33 anos – a mesma idade de Jesus quando supostamente começou a andar sobre as águas, curar leprosos e ressuscitar os mortos. Pelo menos ele inspirou alguns seguidores, amaldiçoou uma figueira e fez alguma coisa bem estranha com a água num casamento. E eu? Eu tinha um emprego. E um apartamento. E um marido e bons amigos. E um cachorro – um vira-lata de linhagem indeterminada que nós esperávamos que trouxesse um equilíbrio bucólico para nossas vidas urbanas frenéticas. Portanto, a vida era... boa. Bem, fora as dores de cabeça, a insônia intermitente, as crises de amigdalite que iam e vinham e que não melhoravam apesar de eu tomar antibiótico por meses a fio, e todos os resfriados que me derrubavam semana sim, semana não. Mas isso era normal, certo?

Antes eu tinha ficado muito entusiasmada com a adrenalina da vida na cidade e com a equipe brilhante e animada com que eu trabalhava. Isso significava que não havia nunca momentos de tédio. Eu tinha uma agenda cheia e uma rede de amigos que me apoiavam e que eu amava muito, e morava numa das cidades mais interessantes do mundo. Mas, depois de doze anos em Londres sem tirar o pé do acelerador, de repente me senti sem forças, abatida.

Havia algo mais também. Durante dois anos, eu tinha sido futucada, cutucada e furada com as agulhas das injeções de hormônio que tomava diariamente, apenas para ficar com o coração partido todos os meses. Estávamos tentando ter um bebê, mas as coisas não estavam dando muito certo. Agora sinto um aperto na boca do estômago toda vez que fazemos uma vaquinha para comprar um presente e um cartão para uma colega que está saindo de licença-maternidade. Aquelas roupinhas de bebê lindas da GAP eram tudo que eu mais quis nos últimos anos – e foi para poder comprá-las que eu ia duas ou três vezes por semana ao hospital. As pessoas começaram a brincar que eu devia "me apressar", que eu já não era "mais *tão* jovem assim" e que eu não ia gostar de "ficar para trás". Eu sorria tanto que meu maxilar ficava doendo, enquanto tentava controlar o impulso urgente de dar um soco na cara delas e gritar "Me deixem em paz!". Já tinha me resignado a ter que fazer uma FIV no futuro, marcada de acordo com a nossa agenda de trabalho, e depois trabalhar ainda *mais* entre uma consulta de pré-natal e outra. Eu tinha que continuar indo em frente, parar de ficar pensando muito e dar duro para manter o estilo de vida que eu pensava que queria. Que eu pensava que precisava. Minha cara-metade também estava sentindo a pressão e na maioria das noites chegava em casa muito estressado, reclamando dos maus motoristas e do tráfego da hora do rush que teve que aguentar indo para o trabalho e voltando dele. Depois se jogava no sofá e ficava assistindo a um bando de bobagens até a hora de ir para a cama.

Meu marido é um cara sério, de cabelos louros, que parece um pouco um professor de física. Quando criança, ele participou de um concurso para ser o Garoto Milky Bar. Como na casa dele não tinha tevê, ele não sabia lá muito bem o que era um Milky Bar, mas seus pais viram um anúncio no jornal e acharam que devia ser uma campanha para algo saudável. Um outro garoto esquelético e quase albino acabou levando o título no fim, mas ele se lembra daquele dia basicamente por ter sido a primeira vez que brincou com um Nintendo portátil que outro candidato tinha trazido. Ele também pôde comer quanto chocolate quisesse – algo que normalmente não lhe era permitido. Os pais evitavam que ele comesse um monte de porcarias, preferindo proporcionar ao filho uma infância embalada a música clássica, visitas a museus e caminhadas longas e estimulantes. Posso imaginar o desapontamento deles quando, aos 8 anos, meu marido anunciou que seu livro favorito era o catálogo da loja de departamentos Argos, um tomo pesado que ele folheava, sentado, por horas a fio, fazendo um círculo em volta de todos os aparelhos eletrônicos e caixas de Lego que queria. Esse deve ter sido o primeiro sinal do que estava por vir.

Ele chegou na minha vida numa época em que eu estava quase perdendo as esperanças. Em 2008, para ser mais exata. Meu ex-namorado tinha me traído num casamento (é sério!) e o último encontro que eu tinha tido fora com um homem que me convidou para jantar na casa dele, mas ficou assistindo ao futebol na frente da tevê e se esqueceu de fazer a comida. Ele disse que ia pedir uma pizza Dominos. E eu disse a ele que não precisava se incomodar. Então quando conheci o cara que viria a ser meu marido e ele me convidou para jantar na casa dele, eu não estava esperando muita coisa. Mas o jantar estava delicioso. Ele era inteligente e engraçado e gentil, e me serviu a sobremesa em ramequins canelados. Minha mãe, quando contei a ela sobre isso, ficou impressionada.

– Ele deve ser um rapaz muito bem-educado – me disse ela – para ter um conjunto de ramequins e, ainda por cima, saber o que fazer com eles!

Eu me casei com esse homem três anos depois. Basicamente porque ele me fazia rir, gostava de experimentar novos pratos e não reclamava quando eu vasculhava a casa dele atrás de guloseimas. Ele também podia ser inacreditavelmente irritante, perdendo as chaves, a carteira e o celular o tempo todo, e tem uma aparente incapacidade de chegar a qualquer lugar na hora, e o hábito enfurecedor de passar meia hora no banheiro ("você está *redecorando* o banheiro, querido?"). Mas éramos felizes um com o outro. Tínhamos uma vida juntos. E, apesar das visitas ao hospital e de algum nível, pequeno que seja, de desespero/exaustão/viroses/preocupações financeiras no fim de cada mês (devido ao fato de gastarmos demais no *começo* do mês), nós nos amávamos.

Tinha imaginado uma vida para nós em que provavelmente nos mudaríamos de Londres em algum momento, trabalharíamos, sairíamos com os amigos, tiraríamos férias e depois nos aposentaríamos. Eu me via daqui a alguns anos, sentada à minha escrivaninha, com uma xícara de chá na mão, igual a uma versão inglesa de Jessica Fletcher, a personagem de Angela Lansbury na série de tevê *Murder, She Wrote*, que escreve romances policiais e acaba colaborando com a polícia na resolução de alguns casos reais, sempre com um desfecho de rolar de rir. Minha fantasia de aposentadoria era de arrasar quarteirão, não era, não? Mas quando a dividi com meu marido, ele não me pareceu muito entusiasmado.

– É só isso? – foi o que ele me disse. – Todo mundo planeja isso.

– Você não *ouviu* – tentei novamente – a parte sobre Jessica Fletcher?

Ele começou a argumentar que *Murder, She Wrote* era uma obra de ficção, e bufei e disse que daqui a pouco ele iria me dizer que os unicórnios não existem. E então ele interrompeu as minhas divagações para anunciar que queria morar fora do país algum dia.

– Fora do país? – chequei para ver se eu tinha entendido direito. – Você quer dizer, fora *deste* país? Longe da Inglaterra?

– É.

– Uau!

Não sou uma pessoa que gosta de aventuras, e tinha tido mais do que precisava durante a infância e no início da minha vida adulta. Hoje em dia imploro por um pouco de estabilidade. Quando a perspectiva de fazer alguma coisa ousada está bem na minha frente, tenho a tendência a não sair da minha zona de conforto. Nem gosto de escolher um prato novo apenas pelo nome num restaurante. Mas, ao que parecia, meu marido queria mais. Isso me assustava, porque me fazia achar que talvez eu não fosse a mulher certa para ele. A semente da dúvida tinha sido plantada. Então, numa quarta-feira à noite, ele regou aquela sementinha, me contando que tinha sido sondado para um novo emprego. Num outro país.

– O quê? Quando foi isso? – perguntei, suspeitando que ele estava se candidatando a empregos às escondidas.

– Essa manhã – disse ele, me mostrando um e-mail que tinha vindo do nada, mais cedo naquele mesmo dia, perguntando se ele tinha interesse numa recolocação... na Dinamarca. O país dos doces, do bacon, das mulheres fortes da ficção e do brinquedo favorito do meu marido. E era justamente o fabricante daquelas pequenas peças de plástico que estava em busca dos serviços dele.

– A *Lego*? – perguntei, sem acreditar enquanto lia o e-mail. – Você quer que a gente se mude para a Dinamarca para você poder trabalhar na Lego?

Ele só podia estar brincando! Será que fazíamos parte de uma continuação desastrosa daquele filme com o Tom Hanks em que os adultos concretizam seus sonhos de infância? E o que viria depois disso? Eu teria um encontro marcado com a rainha da floresta dos bonequinhos das Sylvanian Families? E Meu Pequeno Pônei me mandaria um WhatsApp me convidando para ser a soberana dos equinos?

– Como foi que isso aconteceu? Um gênio da lâmpada apareceu para realizar os seus desejos, ou foi que nem no filme, num brinquedo quebrado num parque de diversões?

Meu marido balançou a cabeça que não e me disse que ele não sabia nada sobre isso até aquele dia – quando um consultor de recrutamento que tinha entrado em contato com ele há décadas lhe encaminhou essa mensagem.

Ele não tinha procurado ativamente por aquilo, mas já que estava bem ali debaixo do nosso nariz, esperava que pudéssemos, pelo menos, pensar no assunto.

– Por favor – implorou ele. – Por mim. Eu faria isso por você. E podemos nos mudar por causa do seu trabalho da próxima vez – prometeu ele.

Eu não achava que isso era uma troca inteiramente justa. Ele sabia muito bem que eu ficaria feliz de ir para uma linda cidadezinha bem longe da agitação de Londres para colocar em prática o projeto Jessica Fletcher. Só que a Dinamarca nunca tinha feito parte dos meus planos. Mas parecia que aquilo era algo que ele realmente queria. E esse se tornou o nosso único tema de conversa, fora o trabalho, durante toda a semana seguinte, e quanto mais falávamos no assunto, mais eu entendia o que isso significava para ele e o quanto era importante. Se eu lhe negasse essa chance naquele momento, com um ano de casados, o que isso representaria no futuro? Será que eu realmente ia querer que aquilo fosse uma daquelas coisas das quais nos arrependeríamos? Ou pior, pelas quais ele me culpava? Eu o amava. Então aceitei pensar no assunto.

Fomos para a Dinamarca num fim de semana prolongado para visitar a Legolândia. Rimos de como as pessoas dirigiam devagar e praguejamos contra o preço de um simples sanduíche. Mas havia algumas coisas muito atraentes: o lugar era limpo, os doces dinamarqueses superaram todas as nossas expectativas e a paisagem, embora não chegasse nem perto dos dramáticos fiordes noruegueses, era extasiante.

Enquanto estávamos lá, uma sensação de novas possibilidades começou a tomar conta de nós. Vislumbramos um maneira de viver diferente e observamos que as pessoas que encontramos nas ruas não eram como as que conhecíamos na Inglaterra. Tirando o fato de que elas eram todas robustas como os vikings, pairando bem acima dos meus 1,60m e dos 1,80m, num dia bom, do meu marido, os dinamarqueses que encontramos não se *pareciam* conosco. Eles pareciam mais relaxados. Andavam mais devagar. Levavam o tempo deles, paravam para prestar atenção ao que estava em volta, ou simplesmente para respirar.

Então voltamos para casa, de volta para o trabalho do dia a dia. E, apesar de todos os meus esforços, não consegui tirar aquela ideia da cabeça, como se ela fosse o enredo de um bom romance policial que se revelasse a cada nova pista.

A ideia de que poderíamos mudar a maneira que vivíamos fervilhava inquieta na minha cabeça, onde antes havia apenas uma aceitação estoica. O projeto Jessica Fletcher parecia, de repente, muito distante, e eu não tinha certeza de que poderia continuar naquele mesmo ritmo por mais trinta anos. Também me ocorreu que desperdiçar metade da nossa vida na expectativa da aposentadoria (embora uma muito boa) beirava ao absurdo e era algo ultrapassado. Eu não era uma serva medieval, arando a terra até cair de exaustão. Eu trabalhava na Londres do século XXI. A vida deveria ser boa. Agradável. Fácil, até. Então, o fato de que eu estava sonhando com a aposentadoria aos 33 anos já era um sinal de que alguma coisa tinha que mudar.

Eu não conseguia me lembrar da última vez em que tinha me sentido relaxada. Relaxada de verdade, sem ajuda das pílulas que ficavam em cima da mesinha de cabeceira ou do álcool. *Se nós nos mudarmos para a Dinamarca*, eu ficava sonhando acordada, *talvez consigamos melhorar nessa coisa de não ser "tão estressado o tempo todo"... Podemos morar na beira do mar. E levar o cão para passear na praia todos os dias. Não precisaríamos mais pegar o metrô. Nem tem metrô para onde estamos indo.*

Depois do fim de semana vislumbrando a possibilidade de uma outra vida, estávamos diante de uma escolha. Poderíamos nos agarrar ao que já conhecíamos ou poderíamos agir, antes que a vida fizesse rugas em nossas testas. Se íamos tentar levar uma existência mais completa e realizada, tínhamos que começar a fazer as coisas de um jeito diferente. Agora.

Meu marido era um tremendo escandinavófilo, já estava completamente deslumbrado com a Dinamarca. Como eu era mais precavida por natureza, ainda precisava de tempo para pensar. Como jornalista, tinha que apurar fatos.

Além dos suéteres da detetive Sarah Lund e do coque da candidata a primeira-ministra Birgitte Nyborg, duas personagens de séries de tevê dinamarquesas, e da habilidade de Adam Price, roteirista de uma delas, de tornar as alianças políticas um assunto atraente para o horário nobre na Inglaterra, eu conhecia muito pouco sobre a Dinamarca. A série *Nordic Noir* a que eu tinha assistido me ensinou duas coisas: que o país vivia encharcado por uma chuva perpétua e que as pessoas eram assassinadas à beça. Mas aparentemente era também um destino turístico bastante popular, e os números oficiais do Visit Denmark indicavam uma taxa de 26%. Aprendi também que as minúsculas terras escandinavas têm um desempenho comercial extraordinário, com exportações que incluem produtos de empresas como a Carlsberg (provavelmente a melhor fabricante de cerveja lager do mundo), a Arla (a sétima maior empresa de laticínios do mundo, fabricante da Lurpark), a Danish Crown (de onde vem a maior parte do bacon que se come no Reino Unido) e, claro, a Lego, a maior fabricante de brinquedos do mundo. Nada mal para um país de 5,5 milhões de habitantes (do tamanho da região sul de Londres).

– Cinco milhões e meio! – disse, soltando uma gargalhada, quando li essa parte. Eu estava sozinha no apartamento só com o cão, mas ele fazia o melhor que podia para acompanhar a nossa conversa, e resfolegava incrédulo. Ou aquilo tinha sido um espirro?! – Com cinco milhões e meio de habitantes eles já podem ser classificados como um *país*? – perguntei ao cão. – Não são apenas... uma cidade grande? Será que eles precisam realmente de uma língua própria?

O cão se levantou e saiu dali, como se aquela pergunta estivesse muito além dele, mas continuei impassível.

Descobri que a Dinamarca tinha sido apontada como o país mais caro para se viver da União Europeia pelo Escritório Central de Estatísticas da Irlanda, e que seus habitantes pagam impostos exorbitantes. Isso significava que iríamos pagá-los também. *Ah, que ótimo! Vamos ficar ainda mais apertados no fim do mês...* Mas a coroa dinamarquesa, descobri, oferece a seus súditos um sistema de seguridade social, assistência médica gratuita, educação gratuita (incluindo a universidade), programas de creche e pré-escola subsidiados e um seguro-desemprego que garante a todos 80% do salário durante dois anos, em caso de demissão. A Dinamarca, me informei, tem também a menor diferença entre os que são muito pobres e os que são muito ricos. E embora nenhum país no mundo tenha alcançado uma verdadeira igualdade de gêneros, a Dinamarca parece estar bem perto disso, graças ao fato de ter uma mulher no cargo de primeira-ministra e um monte de mulheres fortes em cargos de liderança. Diferentemente dos Estados Unidos e do Reino Unido, onde as mulheres, já muito estressadas e recebendo salários menores, são encorajadas a aguentar firme e fazer ainda mais, parece que na Dinamarca você pode se dedicar a tudo com o que sonha e, ainda assim, tudo fica bem. Ah... E as mulheres não entregam chicotes umas às outras para que elas se autoflagelem se não têm tudo o que "podem ter". Isso, concluí, era um alento.

Enquanto nos Estados Unidos e na Inglaterra, as mulheres lutam por mais dinheiro, as escandinavas lutam por mais *tempo* – mais licenças para ficar junto com a família, para o lazer e para manter um equilíbrio saudável entre vida pessoal e trabalho. A Dinamarca é regularmente apontada como o país com a menor semana de trabalho para os empregados de empresas e instituições, e as mais recentes estatísticas mostram que os dinamarqueses só trabalham 34 horas por semana (de acordo com o Instituto Nacional de Estatística). Em comparação, os ingleses trabalham em média 42,7 horas por semana. Em vez de trabalhar mais horas e usar o dinheiro extra para terceirizar outras áreas da vida – como cozinhar, limpar a casa, cuidar do jardim e até mesmo encerar o chão –, os dinamarqueses parecem preferir o "Faça Você Mesmo".

Eles também possuem vários recordes mundiais – de melhor restaurante do mundo, o Noma em Copenhagen, de ser o povo que mais confia no mundo e que tem a mais baixa tolerância à hierarquia. Mas teve um recorde que me deixou especialmente fascinada e intrigada: o país onde provavelmente iríamos morar era oficialmente o mais feliz sobre a face da Terra. O Relatório das Nações Unidas sobre a Felicidade no Mundo mede esse índice levando em conta o valor do PIB per capita, a expectativa de vida, a ausência de corrupção, a percepção de poder contar com a seguridade social, a liberdade para fazer escolhas e o fato de se estar numa cultura de generosidade. Os país vizinhos da Dinamarca, a Noruega e a Suécia, estão ao lado dela no topo da lista das nações mais felizes, mas é a Dinamarca que está lá em primeiro lugar. O país também lidera a lista das nações mais felizes do Instituto Nacional de Estatística do Reino Unido e da Comissão Europeia de bem-estar e felicidade – uma posição que ela ocupa há quarenta anos consecutivos. Repentinamente as coisas começaram a ficar interessantes.

"Felicidade" é o Santo Graal de uma jornalista que cobre estilo de vida. Todas as matérias que já fiz estavam, de algum modo, ligadas à busca desse objetivo ilusório. E desde que escrevi com caneta, na mochila do exército que eu usava, a letra daquela canção do REM do início dos anos 1990, venho querendo ser uma dessas "*shiny happy people*" (tá bom, eu não percebi a crítica irônica à propaganda comunista, mas eu só tinha 12 anos na época).

Pessoas felizes, eu sabia, ganhavam mais, eram mais saudáveis, mantinham relacionamentos por mais tempo e até *cheiravam* melhor. Todo mundo quer ser feliz, não quer? Nós certamente gastamos muito tempo e dinheiro tentando ser. Na época da minha pesquisa, a indústria da autoajuda movimentava 11 bilhões de dólares nos Estados Unidos e tinha dado aos editores no Reino Unido um lucro de mais de 60 milhões de libras nos últimos cinco anos. As taxas de uso de antidepressivos aumentaram 400% nos últimos quinze anos, e hoje essas drogas são o terceiro tipo de medicamento mais prescrito em todo o mundo (depois dos remédios para o controle do colesterol e dos analgésicos). Mesmo aqueles poucos sortudos que nunca deram uma cafungada num ISRS (Inibidor Seletivo de Recaptação de Serotonina) nem compraram um livro que prometia melhorar o seu estado de espírito, provavelmente já usaram comida, birita, cafeína ou o cartão de crédito para dar uma levantada no astral.

Mas e se a felicidade não for uma coisa que se pode comprar? Posso até pressentir os deuses das revistas de bem-estar, saúde e beleza se preparando para me fulminar por eu ter ousado pensar numa coisa absurda dessas. *E se a felicidade for mais algo como um processo, ao qual temos que nos dedicar? Algo para o qual devemos treinar corpo e mente? Algo que os dinamarqueses já conquistaram?*

Uma das vantagens de ser jornalista é que sou paga para ser curiosa. Posso entrar em contato com todo tipo de gente interessante com o pretexto de estar fazendo uma "pesquisa", e com a desculpa perfeita para fazer um monte de perguntas. Então, quando me deparei com Christian Bjørnskov, um cara que se dizia um "economista da felicidade" na Dinamarca, fui logo conversar com ele.

Ele confirmou minhas suspeitas de que os nórdicos não são muito chegados a encontrar algum alívio para seus tormentos gastando dinheiro (o que acaba com 90% das minhas estratégias habituais para lidar com situações difíceis).

– Os dinamarqueses não acreditam que comprar mais coisas traga felicidade – disse Christian. – Um carro maior só faz você ter que pagar mais impostos. Uma casa maior só faz você levar mais tempo para acabar a faxina.

Parafraseando aquela máxima do genial Notorius B.I.G., quanto mais dinheiro, mais preocupações, ou como dizem os dinamarqueses, de acordo com o meu novo aplicativo favorito, o Google Tradutor: "*mere penge, mere problemer*" (tá, não é tão fácil de lembrar quanto a letra do rap).

Então o que faz os dinamarqueses felizes? E por que todos são tão felizes? Perguntei a Christian, de um jeito meio desconfiado, se o fato de os dinamarqueses alcançarem uma pontuação tão alta na escala de felicidade não seria apenas porque eles esperam menos da vida.

– De jeito nenhum – respondeu ele imediatamente. – Existe uma crença arraigada e disseminada de que os dinamarqueses são felizes porque têm expectativas mais baixas, mas quando se perguntou aos dinamarqueses, no último censo europeu, sobre suas expectativas, ficou provado que elas eram bem altas *e* alcançáveis.

Então os dinamarqueses não são felizes porque suas expectativas se realizam. Eles são felizes porque suas *altas* expectativas são também alcançáveis.

– Exatamente. Existe também um grande sentimento de liberdade pessoal na Dinamarca. O país é reconhecidamente progressista, foi o primeiro país do mundo a legalizar o casamento gay e o primeiro país europeu a permitir a mudança de sexo sem esterilização.

E continuou:

– Isso não é apenas uma característica dos países escandinavos. Na Suécia, por exemplo, muitas escolhas ainda são consideradas tabus, como ser gay ou decidir não ter filhos, se você é mulher. Mas na Dinamarca não há problema nenhum no fato de uma mulher com 30 e tantos anos decidir que não quer ter filhos. Ninguém vai olhar para você de cara feia. Não existe esse nível de conformidade social que encontramos em outros lugares.

Isso não quer dizer que o dinamarquês médio não esteja em conformidade de outras maneiras, me advertiu Christian.

– Todos nós tendemos a nos parecer uns com os outros – me disse ele. – Há uma espécie de uniforme, dependendo da sua idade e do sexo.

Parece que mulheres com menos de 40 só usam jeans *skinny*, camisetas largas e compridas, jaqueta de couro, uma echarpe enrolada no pescoço de um jeito descolado e um coque alto ou o cabelo louro solto, bem liso. Homens com menos de 30 vestem jeans *skinny*, tênis de cano alto, camisetas com frases ou de uma banda e jaqueta de aviador dos anos 1990, com um corte de cabelo meio militar. Homens e mulheres mais velhos preferem camisas polo, sapatos macios, calças de alfaiataria e casacos. E todo mundo usa óculos de aro preto, à moda da Escandinávia.

– Mas pergunte a um dinamarquês como ele está se sentindo e o que ele considera bom e agradável, e você vai receber respostas bem diferentes – disse Christian. – Não ter ideias próprias é algo muito estranho na Dinamarca.

Ele explicou como as diferenças sociais não são algo significativo na Dinamarca e usou como exemplo o clube de tênis do qual é sócio. Isso imediatamente fez surgir na minha cabeça a imagem de homens brancos e ricos, usando roupas de jogar tênis em mansões à beira-mar e tomando chá gelado, tipo num filme de Woody Allen, mas logo em seguida Christian me colocou na direção certa.

– Na Dinamarca, não há intenção de pertencer a um grupo social quando se frequenta um clube. Só queremos praticar um esporte. Muitas pessoas são sócias de clubes lá. Jogo tênis regularmente com um professor, um funcionário de supermercado, um marceneiro e um contador. Todos somos iguais. A hierarquia social não é importante.

O que realmente importa para os dinamarqueses, Christian me disse, é a confiança.

– Na Dinamarca, nós confiamos não apenas na família e nos amigos, mas também no homem ou na mulher que encontramos na rua, e isso faz uma enorme diferença nas nossas vidas e no nosso grau de felicidade. Os altos índices de confiança nas outras pessoas na Dinamarca surgem de tempos em tempos em pesquisas quando a seguinte pergunta é feita: "Você acha que a maioria das pessoas é confiável?" Mais de 70% dos dinamarqueses respondem "Sim, a maioria das pessoas é confiável". A média para o restante da Europa é de apenas 30%.

Isso me parece algo extraordinário (eu não confio em 70% da minha família inteira). E fiquei ainda mais chocada quando Christian me disse que os dinamarqueses acreditam tanto que seus filhos estão em segurança que deixam os carrinhos de bebê do lado de fora das casas, dos cafés e dos restaurantes. Parece que eles também não trancam as bicicletas nas ruas e deixam as janelas das casas abertas. Tudo isso porque a confiança nas outras pessoas, no governo e no sistema como um todo é muito alta.

A Dinamarca tem um orçamento para a defesa nacional minúsculo e, apesar do serviço militar ser obrigatório, todos acham que seria praticamente impossível se defender no caso de um ataque.

Mas como a Dinamarca tem boas relações com seus vizinhos, eles acreditam que não há razão para temê-los. Como Christian bem disse: "A vida é muito mais fácil se você puder confiar nas pessoas."

– E o sistema de seguridade social na Dinamarca ajuda nisso também, não ajuda? – perguntei.

– Ajuda, até certo ponto. Existem menos motivos para desconfiar das pessoas quando todo mundo é igual e o Estado cuida de todos.

Então o que aconteceria se um partido de direita chegasse ao poder ou o governo ficasse sem dinheiro? O que aconteceria com a lendária felicidade dinamarquesa se o Estado parasse de cuidar das pessoas?

– A felicidade na Dinamarca não depende do sistema de seguridade social, do fato de os social-democratas estarem no poder ou de como estamos – explicou Christian. – Os dinamarqueses querem que a Dinamarca seja reconhecida como uma sociedade tolerante, igualitária e feliz. A Dinamarca foi o primeiro país europeu a abolir a escravidão e tradicionalmente é uma nação progressista na questão da igualdade entre os gêneros, admitindo mulheres no Parlamento desde 1918. Sempre tivemos orgulho da nossa reputação e trabalhamos duro para mantê-la. A felicidade é um processo subconsciente na Dinamarca, inerente a todas as áreas da nossa cultura.

No fim da nossa conversa, a ideia de passar um ano na Dinamarca começou a soar (quase) atraente. Podia ser bom mesmo ser capaz de me ouvir pensar. De me ouvir viver. Só por um tempo. Quando meu marido voltou para casa, me peguei dizendo bem baixinho, aquela voz nem parecia estar saindo da minha boca, alguma coisa do tipo: "Hum... Tá bom. Vamos... para a Dinamarca. Acho..."

Lego Man, como ele será chamado de agora em diante, fez uma dancinha engraçada pela cozinha, parecia um robô, ao ouvir a minha decisão. Depois pegou o telefone para ligar para o consultor de recrutamento e eu o ouvi gritando "Uhuuul!...". No dia seguinte, ele chegou em casa com uma garrafa de champanhe e um chaveiro com um bonequinho Lego dourado, que me deu de presente todo cheio de cerimônia. Eu agradeci a ele com todo o entusiasmo que consegui demonstrar, e bebemos o champanhe e brindamos ao nosso futuro.

– À Dinamarca!

De uma ideia vaga que parecia absurda, ou pelo menos muito distante, a coisa toda começou a tomar forma. Preenchemos formulários aqui, conversamos com corretores lá, e começamos a contar às pessoas sobre nossa intenção de cair fora. E a reação delas era surpreendente. Algumas nos apoiavam. Várias me disseram que eu era muita corajosa (e eu não sou, *de jeito nenhum*). Um casal disse que gostaria de poder fazer a mesma coisa. Muitas pessoas pareciam confusas. Um amigo citou Samuel Johnson, dizendo que “se eu estava cansada de Londres, estava cansada da vida”. Outro nos aconselhou, muito seriamente, a dizer às pessoas que ficaríamos lá por apenas nove meses.

– Se vocês disserem que vão passar um ano lá, ninguém vai manter contato. Todos vão achar que vocês estão indo embora para sempre.

Que ótimo. Obrigada.

Quando pedi demissão do meu bom e de vez em quando glamouroso trabalho, enfrentei uma reação parecida. “Você está louca?”, “Você foi demitida?” e “Quer dizer que você vai viver de brisa daqui pra frente?” eram as três perguntas mais comuns. “Possivelmente”, “Não” e “De jeito nenhum” eram as minhas respostas. Expliquei aos colegas que eu planejava continuar trabalhando como freelancer, escrevendo sobre saúde, estilo de vida e felicidade e fazendo a cobertura da Escandinávia para os jornais do Reino Unido. Alguns poucos me confidenciaram que estavam pensando em se lançar nessa aventura de freelancer também. Outros não conseguiam captar aquela ideia. Um deles inclusive usou o termo “suicídio profissional”. Se antes eu não tinha ficado muito assustada, agora estava.

– O que foi que eu fiz da minha vida?! – gemia, várias vezes ao dia. – E se não der certo?

– Se não der certo, não deu certo – era resposta pragmática de Lego Man. – Ficamos um ano lá e se não gostarmos, voltamos.

Ele fazia tudo parecer muito simples. Como se fôssemos uns tolos se não nos déssemos essa chance.

Então, depois de me emocionar muito no meu último dia de trabalho, voltei para casa e embalei cuidadosamente todos os vestidos, blazers e sapatos de salto que foram meu uniforme por mais de uma década e os guardei. Não ia precisar deles onde iríamos morar.

Num sábado, seis homens da empresa de mudança chegaram ao nosso pequeno apartamento tipo casa e tivemos que servir vários cafezinhos. Empacotamos tudo o que tínhamos no mundo em 132 caixas antes de colocá-las dentro de um contêiner que seria transportado para a remota área rural da Dinamarca. Estava mesmo acontecendo. Estávamos nos mudando. E não para algum enclave de expatriados acolhedor em Copenhagen. Assim como Londres não é a Inglaterra, Copenhagen não é, me informaram com toda a segurança, a Dinamarca de verdade. Para onde estávamos indo, não precisaríamos de guia, de um cartão recarregável do metrô ou do cartão fidelidade da minha loja de sapatos favorita. Para onde estávamos indo, tudo de que eu precisava eram galochas e um agasalho térmico e impermeável. Estávamos indo para o oeste da Escandinávia, a zona rural da Jutlândia, a península da Dinamarca, no extremo norte da Alemanha. A minúscula cidade de Billund, ao sul dessa península, tinha uma população de apenas 6.100 habitantes. Conheço gente que tem mais amigos no Facebook do que isso. Era lá que ficava o escritório central da Lego e... bem, acho que é só isso, pelo que pude levantar.

– Você está indo para um lugar chamado Bilu? – foi uma das perguntas que familiares e amigos mais me fizeram.

– *Billund* – eu os corrigia. – A três horas de Copenhagen.

Se parecessem vagamente interessados, eu seguiria em frente e falaria sobre um carpinteiro chamado Ole Kirk Christiansen que vivia na cidade nos anos 1930. Explicaria que, bem ao estilo de um verdadeiro conto de fada de Hans Christian Andersen, ele era viúvo e tinha quatro filhos para alimentar, e começou a entalhar brinquedos de madeira com partes que se encaixavam umas nas outras, e depois a produzir peças de montar de plástico com o nome "Lego", que vem do dinamarquês *leg godt*, ou "brincar bem". E diria também que meu marido ia trabalhar nessa empresa. Os mais curiosos geralmente tinham um fã de Lego em casa. Os que não tinham filhos tendiam a perguntar sobre a possibilidade de fazermos algum típico esporte de inverno.

– Dinamarca, não é mesmo? É frio lá, não é?

– É, sim. Muito, *mesmo*.

– Então, hã..., vocês vão poder esquiar ou fazer *snowboard*?

– Poder, nós podemos, mas não na Dinamarca – respondia brincando.

E então explicava que o ponto mais alto do país inteiro ficava a apenas 171 metros acima do nível do mar e que teríamos que ir para a Suécia se quiséssemos esquiar.

– Bem, fica tudo na Escandinávia, certo? – era a resposta típica daqueles que estavam de olho num chalé de graça, para quem eu tinha que explicar que, infelizmente, o resort de esqui mais próximo ficava a 250 quilômetros de distância.

Muitos ficaram meio confusos, sem saber ao certo para qual dos países nórdicos estávamos indo, e nos mandavam cartões de despedida desejando "Boa sorte na Finlândia!". Minha mãe, por exemplo, vivia dizendo para todo mundo que estávamos indo para a Noruega. Em muitos aspectos, não havia muita diferença mesmo. Aquela "pisada no freio", saindo de Londres para uma área rural da Escandinávia, sempre era um choque para todo mundo.

Quando os homens da mudança foram embora, tudo que restou na nossa casa foram uma mala de roupas e as garrafas de bebida que tínhamos no armário, que não podíamos levar devido às leis alfandegárias. Por causa disso, combinamos de fazer uma "festa da esponja", mas acontece que beber uma garrafa de limoncello num copo de plástico, numa sala vazia e fria, numa noite de dia de semana, não é tão legal como pode parecer. Todo mundo tinha que ficar em pé ou sentar no chão, e as vozes ecoavam pela sala sem mobília. Aquilo não parecia ser um evento importante, não era nada parecido com os bota-fora épicos, cinematográficos que a gente vê nos filmes. Para a maior parte das pessoas, a vida ia continuar normalmente. O fato de estarmos indo embora não era lá grande coisa para ninguém, exceto talvez para alguns amigos mais chegados e para a nossa família. Alguns fizeram um esforço. Um amigo trouxe bolinhos e uma garrafa térmica com chá (já que não tínhamos mais chaleira nem saquinhos de chá àquela altura). Fiquei tão ridiculamente agradecida por isso que quase chorei. Pensando melhor, devo ter chorado mesmo. Outro amigo fez uma montagem com fotos nossas pela cidade. Outro nos emprestou um colchão inflável para que dormíssemos naquela última noite.

Um apartamento tipo casa, úmido, sem móveis, no inverno, no meio da madrugada era um lugar muito triste, na verdade. Ficamos deitados, desconfortavelmente, naquele colchão inflável que não era exatamente de casal e tentamos permanecer imóveis para não jogarmos o outro no chão. Dali a pouco, Lego Man começou a respirar mais profundamente e percebi que ele estava dormindo. Como eu não conseguia dormir, fiquei olhando para uma rachadura no teto que tinha a forma de um ponto de interrogação que dissemos, muito tempo atrás, que íamos consertar. Era como se tivéssemos perdido tudo, ou fôssemos dois sem-teto, ou como se tivéssemos acabado de nos divorciar, apesar do fato de estarmos deitados um ao lado do outro. Apenas por aquela noite, não tínhamos nada. Fiquei encarando aquele ponto de interrogação de massa corrida no teto durante horas, até que as luzes da rua se apagaram e o quarto ficou na escuridão total.

No dia seguinte, almoçamos com a família e um casal de amigos íntimos num café perto do nosso apartamento. Lá havia cadeiras! E pratos! Era o paraíso. Havia também lágrimas (as minhas, as da minha mãe e as de uma amiga de escola, cuja tolerância ao álcool tinha diminuído drasticamente com a chegada recente dos gêmeos), e também tinha cerveja, gim e presentes, a maioria caixas com produtos escandinavos para que a gente entrasse no clima. E então, algumas horas depois, um táxi chegou para nos levar ao aeroporto. De repente quis demorar mais um pouco a ir embora de Londres, para prestar atenção em todos os detalhes da cidade enquanto seguíamos no táxi pelas ruas no entardecer, para memorizar cada uma das luzes cintilantes à beira do rio, tentando guardar todas elas comigo até que voltássemos para fazer uma visita. Eu queria que a nossa partida fosse um momento especial, mas o motorista não era do tipo sentimental. Ligou o rádio num daqueles raps americanos obscenos e abriu um aromatizador de carro.

Ficamos em silêncio depois disso. E me concentrei em passar e repassar meu plano de ação. "Mantenha-se ocupada, porque assim você não vai ficar triste!" era o lema meio doido que eu tinha me dado nos últimos 33 anos. Meu plano era o seguinte: começar o mais rápido possível a minha tentativa de entender a Dinamarca e o que fazia os seus habitantes tão felizes nesse país. Até então, minhas típicas resoluções de Ano-Novo consistiam apenas em "fazer mais ioga", "ler Stephen Hawking", "perder uns três quilos". Mas esse ano seria só uma: viver como os dinamarqueses, ou "dinamarquesamente". É, eu sei, inventei essa palavra aí. Pelos próximos doze meses, eu investigaria todos os aspectos do que é viver como um dinamarquês. Consultaria vários especialistas e imploraria a eles, ou os ameaçaria ou subornaria, para que me revelassem o segredo da famosa felicidade dinamarquesa e demonstrassem como os dinamarqueses fazem as coisas de um jeito diferente.

Chequei como estava o tempo na Dinamarca mais ou menos a cada hora nos nossos últimos dias em Londres, formulando a minha primeira pergunta: *como os dinamarqueses continuam otimistas quando está fazendo -10ºC todos os dias?* As revelações sobre quanto dinheiro ficaria no nosso bolso descontados os impostos também eram de arregalar os olhos. *Um desconto de 50% de imposto é um absurdo, não é?* Lego Man permanecia estoico diante do fato de que possivelmente viveríamos na penúria, focando nos grandes designers escandinavos que continuavam sendo matéria nos suplementos de decoração no jornal de domingo. *Será que a tão celebrada estética dinamarquesa influencia o* ânimo *da nação?*, eu me perguntava. *Ou será que os níveis de dopamina deles são altos por causa de todos aqueles doces?*

Decidi que me planejaria para entender a chave da felicidade em todas as áreas da vida moderna, da educação ao meio ambiente, da genética às mesas ginecológicas (sério), e da família à comida (sem brincadeira, você já experimentou um doce de massa folhada da Dinamarca recém-saído do forno? São deliciosos! Como é que os dinamarqueses poderiam não estar satisfeitos com a vida?). Eu aprenderia uma coisa nova a cada mês e, como consequência, faria mudanças na minha própria vida. Eu estava embarcando numa busca pessoal e profissional para descobrir o que fazia os dinamarqueses se sentirem tão bem assim. E o resultado iria, eu esperava, ser um modelo para uma vida inteira de contentamento. O projeto Felicidade tinha começado.

Para me assegurar de que cada um dos meus entrevistados falaria a verdade, eu pediria a todos eles para dar uma nota a si mesmos, de zero a dez, numa escala de felicidade, sendo dez, extremamente feliz, e zero, extremamente infeliz, e os números mais para o meio sendo um "dá para o gasto". Antes desse ano vivendo como uma dinamarquesa, eu era alguém que normalmente se daria uma respeitável nota seis, então para mim isso seria um exercício interessante. Apesar de terem me elogiado pela minha alegria otimista, do tipo Julie Andrews, em todos os cartões de despedida no trabalho, logo aprendi que há uma grande diferença entre a síndrome da pessoa-simpática-doida-para-agradar e sentir-se genuinamente bem consigo mesma. Em nossa conversa por telefone, perguntei a Christian que nota ele daria a si mesmo, e ele admitiu que "mesmo sendo dinamarquês, nem tudo era perfeito", mas em seguida disse:

– Eu me daria um oito.

Nada mal. Então o que faria o professor de felicidade ainda mais feliz?

– Arranjar uma namorada – disse ele, sem hesitar.

Aquelas que estiverem interessadas em conhecer o professor universitário bom partido da Dinamarca podem entrar em contato com a editora para mais detalhes. Para todos os outros, eis aqui como ser feliz, no estilo dinamarquês.

1. JANEIRO

Ficar *hygge* & achar um lar

Alguma coisa fria e macia cai sobre nós enquanto estamos parados no meio da escuridão na pista do aeroporto, nos perguntando o que viria em seguida. Antes de embarcarmos no avião, tudo tinha ficado sufocante, ofuscante e barulhento. Fomos empurrados e espremidos pelos outros passageiros, enfiados dentro de um ônibus e levados até a aeronave pela equipe de terra. Em pleno ar, as aeromoças cuidaram de nós com seus uniformes azul-marinho e nos ofereceram garrafinhas em miniatura e pequenas latinhas de Schweppes. Mas agora estamos por nossa conta, ali parados naquela pista congelada no meio do nada. Há algumas pessoas ao redor, é claro, mas não conhecemos ninguém, e elas falam uma língua que não entendemos. A área inteira brilha como se fosse feita de cristais de soda cáustica, e o ar é tão frio e fino que para na minha garganta toda vez que tento encher os pulmões.

– E agora? – falo, mas o som da minha voz é abafado pela neve. Minhas orelhas doem por causa do frio, então tento cobri-las com meu próprio cabelo. Surpreendentemente isso dá certo, embora assim eu não consiga ouvir quase nada. Os lábios de Lego Man estão se mexendo, mas não ouço o que ele está dizendo. Então começamos a fazer sinais um para o outro.

– Para lá? – balbucia ele, apontando para um prédio branco à nossa frente. Levanto um polegar, bem no estilo dos filmes da década de 1980.

Uma mulher com uma mala de rodinhas surge por trás de nós e anda de maneira decisiva na direção de um retângulo de luz à frente, então nós a seguimos, pisando em montes de neve compacta. Não há ônibus para levar os passageiros até o terminal, nem um caminho coberto. Os vikings, ao que parece, não precisam disso.

Meu marido esfrega minha mão quase congelada e tento sorrir, mas como estou batendo os dentes, meu sorriso parece mais uma careta. Eu sabia que seria frio aqui, mas está muito, mas muito além de frio. Ficamos expostos ao ar gelado que vem do mar Báltico por noventa segundos, e a friagem corrói todos os meus ossos. Meu nariz ameaça escorrer, mas de repente a sensação de coceira para e perco toda a sensibilidade na ponta dele. *Ah, meu Deus, será que até o muco congela na Dinamarca?*, me pergunto. Fico aliviada ao chegar à área do controle de passaportes do lado de dentro. Meus dedos dos pés e das mãos ardem com o calor relativo que faz ali.

Passamos por um anúncio gigante da mais famosa cerveja do país. Nele se lê: “Bem-vindo à nação mais feliz do mundo!”

Tá..., penso, *vamos ver*.

Não conhecemos ninguém, não falamos dinamarquês e não temos onde morar. Aquela euforia de aventura, de “ano novo, vida nova” dá lugar a um sentimento de “Que merda! Agora é pra valer”. E a ressaca de dois dias da festa e do almoço de despedida também não está ajudando muito.

Saímos do terminal de desembarque para um nada gelado e completamente escuro lado de fora e procuramos o carro que alugamos. Isso não é nada fácil, já que todas as placas estão meio turvas por causa do gelo, como nas imagens dos telejornais. Quando conseguimos localizar a combinação correta de letras e números, entramos no carro e fomos, pelo lado errado da estrada, em direção à Legolândia. Depois de errar o caminho várias vezes por causa das placas de trânsito desconhecidas e parcialmente cobertas de neve, chegamos ao lugar que chamaríamos de casa pelos próximos dias.

– Bem-vindos ao Hotel da Legolândia – diz um recepcionista alto, largo e louro, sorrindo, enquanto fazíamos o check-in. O inglês dele é perfeito e me sinto mais tranquila. Christian tinha me assegurado de que a maioria dos dinamarqueses fala várias línguas muito bem, mas também nos avisaram para não esperar muito das áreas rurais, que é justamente onde estamos. Mas até então, tudo bem.

– Vocês vão ficar na Suíte da Princesa – continua o recepcionista.

– Suíte da Princesa?! – repete Lego Man, como se fosse um eco.

– É tipo uma suíte presidencial? – pergunto, cheia de esperança.

– Não, é uma suíte temática.

O recepcionista vira o monitor para nos mostrar um quarto em tons pastel com uma cama rosa cuja cabeceira tem torres de castelo.

– Está dando para ver?

– Uau! Está, sim. Estou vendo...

O recepcionista continua:

– Essa suíte foi feita com 11.960 peças de Lego...

– Certo. A questão é...

– ...e também tem uma cama beliche – acrescenta ele, orgulhoso.

– Isso é ótimo. Só que... A questão é que... Nós não temos filhos...

O recepcionista parece confuso, como se aquela informação não fizesse o menor sentido.

– As paredes são decoradas com borboletas...

Estou esperando que ele vá nos oferecer em seguida um cálice de lágrimas de unicórnio e então tento dissuadi-lo gentilmente.

– Nossa, parece realmente adorável, mas nós não precisamos de nada assim tão... extravagante. Você tem algum outro quarto disponível?

Ele franze a testa e digita no teclado do computador por alguns instantes e depois olha para nós com um sorriso largo no rosto.

– Também posso lhes oferecer a Suíte do Pirata.

Passamos nossa primeira noite no país dormindo sob uma bandeira de pirata gigante. Há um baú de fantasias e todos os tipos de papagaios e uma parafernália de moedas e pedras preciosas. De manhã, Lego Man sai do banheiro com um tapa-olho. Mas as coisas parecem melhores à luz do dia. Sempre parecem. Abrimos a cortina e vemos um novo mundo branco e brilhante, e piscamos várias vezes para nos acostumar com ele. Recuperados com a ajuda de um buffet de café da manhã impressionante, que incluiu nosso primeiro encontro com o famoso arenque dinamarquês em conserva, nos sentimos prontos para começar a ticar vários itens da nossa lista das "burocracias" necessárias para começarmos a vida num novo país. E aí saímos do hotel.

A neve caía com mais intensidade, deixando de ser aqueles flocos flutuantes, no estilo de um filme de Richard Curtis, para se tornar igual a como se estivéssemos dentro de um globo de neve sendo chacoalhado vigorosamente por uma criancinha com raiva. Agora o céu desaba sobre nós com força, despejando sua carga com urgência em todas as direções. De modo que voltamos para o hotel, colocamos todas as roupas que tínhamos e saímos uma hora depois, parecendo aquele boneco da Michelin, mas um pouco mais bem preparados para enfrentar o dia agora.

No carro alugado, tento lembrar que a marcha não está à esquerda como na Inglaterra e que tenho que seguir pela faixa à direita, enquanto Lego Man lê a lista de coisas a fazer que o gerente de RH da empresa cuidadosamente lhe mandou por e-mail. Essa lista bem objetiva e direta, de alarmantes dez páginas, é, fomos informados, apenas a "fase um".

– Em primeiro lugar – anuncia Lego Man – precisamos de carteiras de identidade, do contrário *tecnicamente* não existimos aqui.

Ao que parece, o sistema de carteiras de identidade contra o qual os ingleses protestaram por anos antes que ele fosse definitivamente abolido em 2010 é parte integrante da vida na Dinamarca. Desde 1968, todo mundo aqui está inscrito no Registro Central da População, e tem um único número, composto pela sua data de nascimento seguida de quatro dígitos que terminam num número par se você for mulher, ou em número ímpar se você for homem. O número está impresso num cartão amarelo de plástico, que devemos "TRAZER CONOSCO O TEMPO TODO" (o gerente de RH colocou em maiúsculas no e-mail). Esses nossos números são necessários para tudo, desde abrir uma conta no banco e usar o seguro de saúde até alugar um imóvel e pegar um livro emprestado na biblioteca (se você for capaz de ler livros em dinamarquês, claro. Ou souber onde fica a biblioteca. Ou a palavra para dizer "biblioteca" em dinamarquês.) Vou até ter um código de barras que pode ser lido para que o meu histórico médico seja acessado. Tudo parece muito eficiente. E tenho certeza de que seria relativamente simples também, se ao menos soubéssemos o que estamos fazendo ou como chegar à repartição onde devemos nos registrar. Como não temos a menor ideia de nada, a tarefa leva toda a manhã. Mesmo assim somos pessoas de sorte – os recém-chegados de fora da comunidade europeia têm que esperar meses pelo cartão de residência permanente e precisam renová-lo a cada dois anos. Ser um imigrante não é para aqueles que têm fobia de burocracia.

Depois precisamos abrir uma conta no banco. O homem com um ar inteligente, cabelo bem curtinho e óculos pretos quadrados, no estilo da Escandinávia, da agência bancária (única) local nos cumprimenta efusivamente e diz que o nome dele é "Alan" antes de apontar para o crachá para reiterar a informação. Reparo que é "Allan", com dois ls, algo tipicamente dinamarquês. Allan com dois ls nos diz que ele será o gerente da nossa conta. E nos serve um café e nos oferece chocolate. Estou pensando em como tudo parece tão civilizado e acolhedor em comparação com minhas experiências em bancos na Inglaterra quando ele diz:

– Então, parece que vocês ainda não têm dinheiro aqui na Dinamarca.

– Não, acabamos de chegar – explica Lego Man. – Ainda não começamos a trabalhar, mas aqui está o meu contrato de trabalho, meu acordo salarial e os detalhes de quando vou receber, está vendo?

Ele entrega os documentos e Allan começa a analisá-los com atenção.

– Bem – diz ele depois de um tempo. – Vou lhes dar um *Dankort*.

– Ah, que ótimo. Obrigada. Mas... o que é isso? – pergunto.

– É o cartão de débito nacional da Dinamarca, para quando vocês tiverem dinheiro. Mas é claro que ele só funciona aqui. E não há limite de cheque especial. E não temos cartão de crédito.

– Não têm cartão de crédito?

Na Inglaterra, tenho dispensado ofertas de cartão de crédito desde que saí da escola, sem ganhar um tostão. Com crise econômica ou não, cartões de crédito são uma espécie de direito humano básico para a minha geração. Pagar com o "dinheiro de plástico" é um estilo de vida. E agora vamos ser colocados em abstinência de cartão de crédito?!

– Não temos cartão de crédito – reafirma Allan sem rodeios. – Mas vocês podem sacar dinheiro, quando receberem – acrescenta ele generosamente – com esse cartão! – e ergue um cartão bancário meio tosco.

Dinheiro! Eu não tenho dinheiro na carteira desde 2004. Sou igual à rainha, com apenas um cartão de crédito azul e um gosto especial por sapatos pouco práticos. E agora vou ter que me movimentar num mundo que só usa dinheiro, e tem notas engraçadas, verdes, rosa e púrpura, que parecem o dinheiro daquele jogo de tabuleiro, o Monopoly, e moedas de prata estranhas com um buraco no meio? Eu nem sei como falar os números em dinamarquês. Mas Allan com dois ls não fica comovido.

– Com esse cartão – ele balança aquele retângulo de plástico na nossa frente como se devêssemos ser gratos por ele confiar em nós –, vocês podem acessar o internet banking e os sites do governo.

Isso soa quase como ter superpoderes. E me pergunto se Allan está falando de algo tipo CIA-Snowden antes de ele mesmo esclarecer:

– Vocês sabem... Para pagar contas, e coisas desse tipo.

Resolvida a questão da conta no banco (ainda que sem fundos), nós agora podemos procurar um imóvel para alugar. Uma corretora vai nos ajudar nessa busca, mas como ainda temos algumas horas antes de encontrá-la, Lego Man sugere irmos dar uma olhada na cidade de verdade mais próxima para o caso de decidirmos que aquela cidade de brinquedo não é para nós.

Dirigindo pelas ruas pouco inspiradoras de Billund com suas casas pequenas, quase idênticas e afastadas umas das outras, como uma espécie de base militar de brinquedo, decido rapidamente que aquela cidade não é para nós e então torço para que a cidade mais próxima seja melhor. As coisas começam bastante encorajadoras com quarteirões de casas bem maiores e mais bonitas, de tijolinhos, repartições públicas, ruas asfaltadas e lojinhas interessantes ao lado de grandes lojas de departamento nas avenidas. Aquele grande centro urbano dinamarquês se parece mais com uma linda pequena cidade na Inglaterra, cheia de atrações para os turistas. Mas depois de algumas voltas pelas "avenidas", ficamos imaginando se tinha havido alguma espécie de hecatombe nuclear, que havia sido noticiada apenas em dinamarquês, e que por isso não tínhamos entendido.

– Faz... – olhei para o meu relógio – uns *vinte minutos* que não vemos vivalma....

– Tem certeza?

– Tenho. Na verdade, as únicas coisas se parecendo com formas humanas que encontramos foram as esculturas em tamanho real daqueles corpos nus com cabeça de cavalo e de gato naquela fonte esquisita algumas ruas atrás.

– Aquela espécie de versão pornográfica equina de Anita Ekberg na Fontana di Trevi na "Grande Cidade"? – Lego Man fez um gesto para mostrar que ele não estava esperando muito daquela eletrizante metrópole.

– É, essa mesma. A do cavalo pornô e dos gatos com peitos.

– Argh!

Essa estátua em particular, soubemos depois, foi feita em homenagem a Franz Kafka. *Ele deve ter ficado muito orgulhoso*, penso. Passamos por mais lojas que ou estão fechadas, ou vazias, e casas onde parece que não mora ninguém, exceto pelo fulgor de luzes de velas tremulando lá dentro.

– Isso não é normal, é? Quero dizer, onde está todo mundo? – pergunto.

– Não sei...

Dou uma olhada nas últimas notícias no meu celular: não houve nenhum acidente nuclear. A Terceira Guerra Mundial não foi declarada, nem foi anunciada nenhuma epidemia alarmante. Com a ameaça de uma morte iminente descartada, Lego Man sugere que tomemos um drinque para esperar as coisas esquentarem nas ruas. Só que não conseguimos encontrar um bar. Ou um café. Ou qualquer lugar que pareça a) aberto e b) não seja o McDonalds ou uma lanchonete de kebab. Por fim encontramos uma padaria & confeitaria que também serve café e sugiro a Lego Man que peçamos "um de cada item" na esperança de que carboidratos possam nos animar.

O lugar está vazio, de modo que ficamos parados na frente do balcão, esperando para ser atendidos. Mas a mulher atrás dele não dá a mínima para nós.

– Olá – tento, mas ela desvia o olhar e se ocupa em arrumar uma bandeja de um pão de passas.

Lego Man tenta apontar para vários deles (o sinal universal para "você pode me dar um desses, por favor?") até que por fim a mulher se rende e faz contato visual conosco. Nós sorrimos. Ela não. Em vez disso, aponta para o display de LED acima dela que mostra o número 136. Depois aponta para um dispensador de senhas atrás de nós e diz algo em dinamarquês que não entendemos, claro.

Não estamos em guerra nem em época de racionamento. Eu só quero comprar alguns pães de passas. Numa padaria vazia. É sério que ela quer que eu pegue uma senha? Essas 136 pessoas já passaram por aqui hoje? *Existem* 136 pessoas nessa cidade?

A mulher da padaria cruza os braços determinada, como se dissesse: "Jogue conforme as regras ou nada de doces para vocês." Sabendo reconhecer uma derrota, me viro, dou três passos para a direita, pego um papelzinho branco com o número 137 do dispensador, e depois volto. A mulher descruza os braços e aperta um botão. O número 137 aparece no display de LED. Ela se aproxima do balcão, pega a senha e faz que sim com a cabeça para me dizer que o atendimento tinha começado.

Depois que fizemos nossos pedidos, Lego Man recebe a ligação de um funcionário do departamento de RH excessivamente animado e sai da padaria para falar longe do barulho da máquina de café fazendo espuma de leite. Escolho uma mesa para nós e nossa gulosa seleção de doces.

– Espere por mim – diz ele, muito sério, tapando o celular com a mão.

A precaução dele não é infundada. Meu passado me condena. Não sou confiável quando fico num raio de menos de cem metros de um doce. Posso sentir minha boca cheia d'água só de olhar para eles e não sei como vou fazer para não dar uma mordidinha até que Lego Man volte. Para me distrair, procuro no Google por "Dinamarca, choque cultural" e bebo o café com vontade.

Descubro que os dinamarqueses bebem mais café do que todo o restante da Europa, bem como consomem onze litros de álcool por pessoa por ano. Bem, acho que, talvez, possamos nos adaptar aqui afinal. De maneira mais produtiva, entro no site de Pernille Chaggar, que é especialista em integração cultural. Decidindo que uma especialista em integração cultural é tudo o que eu preciso para começar o meu ano na Dinamarca, e embalada por uma segunda xícara do forte café dinamarquês, ligo para Pernille e pergunto se ela gostaria de fazer parte do meu projeto sobre a felicidade. Ela aceita gentilmente – e não preciso pegar uma senha para ligar para ela mais tarde.

Depois de ficar surpresa por termos saído de Londres para morar na área rural da Jutlândia, ela demonstra sua preocupação por termos feito isso em janeiro.

– Chegar durante o inverno pode ser bem difícil para quem não está acostumado – diz ela. – Janeiro na Dinamarca é tempo de ficar em casa, com a família. Ninguém sai muito. Os dinamarqueses ficam “debaixo das cobertas”, literal e metaforicamente falando, de novembro até fevereiro. Então não se surpreenda se você não vir muita gente andando por aí, especialmente nas áreas rurais.

Que ótimo!

– E o que as pessoas estão fazendo em casa?

– Elas estão, ficando *hygge* – me responde ela, fazendo um som como se tivesse alguma coisa presa na garganta.

– O quê?

– *Hygge*. Uma coisa bem dinamarquesa.

– O que quer dizer?

– Difícil de explicar, mas é algo que todo dinamarquês sabe o que significa. É ficar confortável, num ambiente aconchegante e quentinho.

Isso não ajuda muito.

– Essa palavra é verbo ou adjetivo?

– Pode ser os dois – diz Pernille. – Ficar em casa com velas acesas é *hygge*.

Conto a ela sobre as ruas desertas e que vimos reflexos de luz de vela na janela de várias casas pelas quais passamos e Pernille diz que é porque as pessoas estão em casa, ficando *hygge*. E luz de velas parece ser um componente-chave dessa história, e os dinamarqueses acendem a maior quantidade de velas por pessoa do mundo.

– Mas *hygge* é muito mais do que um conceito. Os nossos doces são *hygge*...

Bingo!, penso, olhando para todos aqueles doces espalhados na minha frente.

– ...e jantar com os amigos é *hygge*. Você pode ter momentos *hygge*. E há sempre um pouco de álcool envolvido...

– Ah, que bom...

– *Hygge* é algo que também está relacionado com o tempo e com a comida. Quando o tempo está muito ruim do lado de fora, você fica dentro de casa, confortável, comendo bem, bebendo alguma coisa, com uma iluminação aconchegante. Na Inglaterra, vocês gostam de ir aos *pubs* para beber e conversar. Na Dinamarca fazemos isso em casa, com os amigos e a família.

Digo a ela que ainda não tenho uma casa aqui, e também não tenho amigos. E a não ser que aconteça algo muito radical e minha mãe decida que não quer mais viver perto do Castelo de Windsor, é bastante provável que eu não vá ter família aqui nunca.

– Então como é que um recém-chegado pode ficar *hygge*, no estilo dinamarquês? – pergunto.

– Não pode.

– Ah...

– É impossível – diz ela, e começo a me preparar para chafurdar no desespero e abandonar a coisa toda quando Pernille se corrige e diz que, na verdade, podemos tentar, mas vamos ter que nos esforçar.

– Ficar *hygge* para alguém que não é dinamarquês é uma tarefa e tanto. Australianos, ingleses e americanos estão mais acostumados a receber estrangeiros e são mais abertos para conhecer pessoas novas e puxar conversa. Nós, dinamarqueses, não gostamos de ficar batendo papo. E tendemos a ficar entocados durante o inverno – continua ela, antes de lançar um raio de esperança. – Mas tudo fica melhor na primavera.

– Certo. E quando é que a primavera começa aqui?

– Oficialmente? Março. Mas, de verdade, só em maio.

Que ótimo!

– Certo. E, levando tudo isso em conta – mal posso esperar para lhe fazer a pergunta, depois desse quadro sombrio que ela acabou de pintar –, o que você acha desses estudos que dizem que a Dinamarca é o país mais feliz do mundo? Você é feliz?

– Feliz?

Ela parece um pouco em dúvida e acho que vai me dizer que essa coisa de "dinamarqueses felizes" é totalmente despropositada quando responde:

– Eu diria que sou, sim. A cultura dinamarquesa é realmente ótima para as crianças. A melhor do mundo. Não posso pensar em nenhum outro lugar que seja melhor para se construir uma família. Você tem filhos?

– Não.

– Ah... – diz ela, num tom de voz que significa "nesse caso, você está mesmo ferrada", antes de acrescentar: – Bem, boa sorte com o *hygge*!

– Obrigada.

Lego Man volta lá de fora com os lábios roxos e tremendo um pouco. Anuncia que o fabricante de brinquedos e seus elfos estão prontos para receber o recém-chegado e que ele vai começar a trabalhar, como planejado, em quinze dias, quando já estivermos instalados. Digo a ele que essa última parte pode não ser tão fácil como parece e conto sobre a minha conversa com Pernille.

– Interessante – diz ele quando acabo de despejar todas as informações que obtive. Ficamos em silêncio por um tempo, olhando para o prato cheio de carboidratos reluzentes à nossa frente. Depois de alguns instantes, Lego Man se levanta, tira os óculos e os coloca em cima da mesa, impassível. Depois limpa a garganta como se fosse dizer algo muito importante. – Como você acha... – começa ele – que os dinamarqueses chamam esses doces? – pergunta, levantando um deles e examinando-o.

– Não entendi.

– É que os dinamarqueses não podem chamá-los de “doces dinamarqueses”, podem?

– Boa pergunta.

Na melhor tradição inglesa de reprimir conteúdos dolorosos, ignoramos a potencial futilidade e solidão da nossa nova existência e nos engajamos nesse novo assunto com entusiasmo. Lego Man entra no Google e eu abro o guia que trouxemos em busca de um *insight*.

– Olha só! – aponto. – Parece que eles são conhecidos como *wienerbrød* ou “pão vienense”. Isso foi depois de uma greve dos padeiros dinamarqueses, quando padeiros austríacos foram contratados. Esses padeiros, como se ficou sabendo depois, faziam doces maravilhosos – expliquei. – Depois, quando os doces foram para os Estados Unidos...

– Como?

– Como quê?

– *Como* eles foram para os Estados Unidos?

– Não sei... De navio. Com um passaporte especial para doces. Continuando... Quando eles foram para os Estados Unidos, as pessoas passaram a se referir a eles como “dinamarqueses”, e o nome pegou.

Paro de ler quando percebo que Lego Man aproveitou a oportunidade para abrir vantagem e já está enfiando um pedaço bem grande na boca. Não quero ficar para trás.

– Este aqui é um *kanelsnegle* ou “serpente de canela” – diz ele, apontando para uma delícia em forma de caracol, supermacia, polvilhada de canela, que ele já tinha comido pela metade. Pego o que sobrou antes que ele tenha tempo de terminar o serviço e rapidamente enfio meus dentes nele. É uma revelação. Minhas papilas gustativas entram em ação e a dopamina começa a circular em meu corpo.

– Isso é *extraordinário*... – murmuro, de boca cheia. – Não tem nada a ver com os doces dinamarqueses meio secos, meio borrachudos e adoçados artificialmente que comíamos em Londres. É leve e saboroso ao mesmo tempo. É meio azedinho e doce, com sabores complexos e intensos que entram em cena um após o outro. A massa é crocante e macia, e densa e úmida.

Sou transportada momentaneamente para um outro mundo, onde tudo é feito de açúcar, e ninguém fica zangado, ou tem que trabalhar, ou lavar a louça, onde ninguém dá uma topada e sorrir é obrigatório. Engulo o resto do doce antes de voltar ao tempo presente, sentada ali no café, completamente maravilhada com essa nova e extraordinária descoberta.

– Eu sei! E esse é um dos mais básicos – me diz Lego Man. – Tem também os de chocolate. E ali do outro lado do balcão estão uns ainda mais incríveis.

– Esse foi apenas o "primeiro gole" de doces?! – pergunto, batendo com a palma da mão engordurada na minha testa. – Ah, meu Deus. Quando chegarmos à Páscoa, vou estar usando só calças de moletom. Pode esquecer aquele detox após o Natal – digo, experimentando o doce número dois. – Se isso é que é viver como os dinamarqueses, então vai dar tudo certo. E não estou nem aí para o que Pernille disse, vamos conseguir ficar *hygge*, não importa o que aconteça.

– Eu ainda não tenho a menor ideia do que isso significa – responde Lego Man —, mas estou dentro – diz, enfiando na boca um outro *snegle* para selar o nosso acordo.

Saímos da confeitaria depois de várias calorias a mais e nos preparamos para encontrar nossa corretora – uma mulher esguia com cabelos descoloridos, presos num coque alto escandinavo quase obrigatório, usando uma jaqueta de couro por baixo de um casaco pesado e acolchoado e calças de uma cor vibrante que parecem estar pegando fogo. Ela marcou várias visitas para que ficássemos fuçando casas dinamarquesas e ficamos fascinados ao descobrir que todas elas são incrivelmente similares, com paredes brancas, assoalho de madeira clara (e com aquecimento sob o assoalho) e nem um único sinal de bagunça à vista. Elas são quentes. Os habitantes da Jutlândia, ao que parece, gostam de andar só de camiseta em casa – mesmo em janeiro. Assim que entramos em cada uma delas, tiramos cachecóis e casacos, já começando a suar, para nos adaptarmos à diferença de temperatura entre o exterior de clima polar e o interior, tropical. Nos últimos cinco anos, moramos num apartamento tipo casa precariamente aquecido e crescemos ouvindo o mesmo refrão, "Se ainda está com frio, coloque mais um casaco até não conseguir mais encostar os braços no corpo", de modo que a extravagância daquelas casas tão bem aquecidas parecia quase um crime.

– É... quente dentro das casas, não? – murmuro para Lego Man com a boca cheia de lã de merino, começando a tirar a roupa quando entramos na segunda casa.

– É, sim. Por que será? – diz ele, abrindo o colarinho da camisa e limpando os óculos embaçados.

Fico me perguntando se historicamente os dinamarqueses optaram por casas hiperaquecidas porque o clima aqui é muito frio. Parece que quanto mais frio é o clima, mais bem preparadas as pessoas estão para lidar com ele. Talvez o frio úmido e não muito intenso da maioria dos invernos britânicos tenha feito com que nós custássemos a entender aquilo. Digo a Lego Man a minha teoria, mas a corretora escuta e me interrompe:

– Na verdade, os dinamarqueses são famosos pelo excelente sistema de aquecimento das casas – nos diz ela. – Temos portas e janelas muito boas – e aponta para um exemplo de cada, que ainda não tínhamos notado – que ajudam no isolamento térmico perfeito. Na Inglaterra, eu acho, vocês não têm portas e janelas assim – acrescenta, parecendo sofrer só de pensar. – Os dinamarqueses não tolerariam isso.

Ela começa a explicar que um complexo sistema de aquecimento distrital usa o calor da queima de lixo, energia eólica e energia solar para aquecer as tábuas do assoalho de quase todas as casas na região.

– É muito eficiente, então não precisa desligar – nos explica ela. Não estou muito certa de como uma abordagem sustentável do consumo de energia pode funcionar assim, mas estou impressionada com o *know-how* dela.

Cada casa quente que visitamos é também rigorosamente limpa, minimalista, ainda que cheia de elementos de design. Uma orgulhosa locatária, que exibe mesas e bancadas completamente livres e uma casa que mais parece um templo zen de tão arrumada, abre as gavetas de sua cozinha para mostrar o mecanismo de amortecimento e vejo que os talheres dela estão organizados com a mesma ordem impecável de todo o restante da casa.

– Isso não é normal! – sussurro para Lego Man enquanto seguimos para o próximo cômodo. Na cozinha lá de casa, não podíamos abrir um armário sem primeiro proteger o rosto com um dos braços, porque alguma coisa podia cair em cima de nós. Empilhávamos os *tupperwares*, cada um de um estilo, numa das prateleiras do armário de forma tão precária que eles ficavam só esperando para desabar na cabeça do primeiro que ousasse abrir aquela porta. Mas aqui, todas as casas parecem muito organizadas e limpas.

– Essas pessoas são os *locatários*, certo? – pergunto à corretora. – A imobiliária os incentiva de algum modo a fazer uma superfaxina e arrumação antes de começarem a receber visitas?

Ela me olha confusa.

– Faxina? Arrumação? Antes das visitas? É isso que os ingleses fazem? – pergunta ela com uma cara de reprovação. – Os dinamarqueses tentam manter suas casas bem arrumadas *o tempo todo*.

Sinto um impulso de deixar claro que nós também *tentamos* fazer isso. Não é como se esfregássemos fezes humanas nas paredes só para nos divertir. Lego Man, percebendo minha ira, coloca a mão no meu braço para evitar que eu entre nessa briga. Cara de Reprovação também nos informa que é costume tirar os sapatos quando se entra numa casa na Dinamarca, e deixar os calçados enfileirados organizadamente em prateleiras perto da porta.

– Assim nenhuma poeira ou sujeira da rua é trazida para dentro de casa – diz ela a Lego Man, claramente desistindo da mulher desleixada dele.

Logo fica claro que limpeza é uma das principais características da Dinamarca e gostar de uma decoração com estilo, elegante e *clean* em todos os lugares: dos banheiros com vasos sanitários suspensos e caixa acoplada escondida numa parede falsa, aos quartos com armários embutidos sob medida e iluminação de galeria de arte. Um dos aspectos negativos é que não há banheiras. Cara de Reprovação nos diz que todos na Dinamarca tiraram as banheiras há uns dez anos para deixar o visual mais moderno. (E "além disso, o chuveiro é muito mais higiênico", assegura ela.) Isso é um revés no meu projeto felicidade.

Como alguém – quanto mais uma nação inteira – pode ser feliz sem uma banheira? Lego Man entende o meu sofrimento e promete que podemos procurar uma na internet, tipo peça única, estilo *Downton Abbey*, e acrescenta esse item à lista interminável de coisas de que, ele decidiu, precisamos para nossa aventura dinamarquesa.

Ao fim do primeiro dia da nossa caçada a uma casa dos sonhos, começo a pensar se essa grande ênfase em ter uma casa limpa, clara, com uma decoração atraente desempenha um papel importante no índice de qualidade de vida incrivelmente alto na Dinamarca. Curiosa para saber mais, localizo Anne-Louise Sommer, diretora do Museu Nacional do Design, e recruto seus conhecimentos. Anne-Louise pesquisou a relação entre móveis de design, tendências culturais, identidade nacional e ideologia e tem algumas teorias próprias.

– A Dinamarca é a sociedade do design, e isso desempenha um papel importante na nossa felicidade – diz Anne-Louise.

Ela explica como a estética do estilo dinamarquês foi influenciada pela escola alemã Bauhaus e como móveis e objetos de *design* são uma tradição no país desde a década de 1920.

– Houve uma grande recessão econômica na Dinamarca há um tempo com imensas questões sociais a serem resolvidas, mas o governo na época decidiu que o design dos ambientes era da mais alta prioridade. Eles reconheceram que isso era importante para o bem-estar e a felicidade de todos – me conta ela.

Os dinamarqueses, ao que parece, estavam à frente do seu tempo. Em 2011, pesquisadores da Universidade College London estudaram esse fenômeno e confirmaram que olhar para algo belo pode realmente nos fazer mais felizes, porque isso estimula os níveis de dopamina em nosso cérebro. (*Igual aos doces!*, não posso deixar de pensar.) Pesquisas mostram que a arte e o design de qualidade dos ambientes podem até mesmo induzir a mesma atividade cerebral de quando estamos apaixonados – algo que os dinamarqueses já entenderam há bizarros noventa anos.

– Para um governo jovem e socialmente democrático, era crucial apresentar um design de qualidade como parte do plano de reforma das moradias – explica Anne-Louise. – Grandes talentos como o arquiteto e designer Arne Jacobsen (da famosa poltrona Egg), a lenda da iluminação Poul Henningsen e os fabricantes de móveis Hans Wegner e Finn Juhl fizeram seus nomes e levaram o design dinamarquês ao público internacional. Pergunto se o dinamarquês médio tem consciência do quão genial o design do país é. Anne-Louise pensa sobre isso por um instante.

– Se você for às ruas e perguntar às pessoas, elas provavelmente não pensam muito sobre cultura e design, mas isso é porque elas não *precisam* pensar sobre isso. É algo que já está internalizado. Nós simplesmente estamos acostumados a viver em ambientes bonitos – diz ela. – E isso começa cedo. As crianças entram na escola e passam a interagir com arquitetura e móveis de qualidade, e desde a mais tenra idade desenvolvem um entendimento de que um design funcional e bonito é essencial para se ter uma vida boa. Então, quando crescem e começam a trabalhar em escritórios ou espaços públicos, a maioria dos dinamarqueses experimenta um ambiente de alta qualidade que combina desempenho e design.

Posso perceber o que ela quer dizer. Os espaços públicos que tenho visto até agora receberam grandes investimentos, com ornamentos arquitetônicos e peças de design peculiares por toda a parte (não estou falando da fonte do cavalo pornô).

– E claro, o tempo desempenha um importante papel nisso também – diz Anne-Louise. – Ficamos dentro de ambientes durante tanto tempo nos nossos longos invernos que investimos mais nesses espaços. Já que você vai passar muito tempo em casa, que ela seja bonita e agradável!

E ter uma casa com móveis e objetos de design deixa as pessoas mais felizes? Anne-Louise acha que sim.

– Há uma relação clara entre a estética do ambiente e o modo como você se sente.

Estar no ambiente elegante e bonito do museu o dia inteiro certamente faz com que ela se sinta feliz. Então que nota ela daria a si mesma, na escala de felicidade, de zero a dez?

– Eu diria que nove – diz Anne-Louise, e depois se corrige: – Na verdade, não consigo pensar em nada que pudesse me deixar ainda mais feliz no momento, então talvez seja dez mesmo!

Inspirados a ter um lar feliz com a ajuda do design dinamarquês, agora só temos que decidir qual das opções que Cara de Reprovação nos ofereceu vamos aceitar. Reduzimos a lista a apenas duas: um apartamento na "Grande Cidade", perto da fonte do cavalo pornô (a que eu preferia), e uma casa na beira do mar (a que Lego Man preferia), que fica no terreno de um prédio de tijolinhos, que não parece residencial, onde já funcionou um hospital, Cara de Reprovação nos informa.

Lego Man ama o campo e uma vista bem ampla, e viver rodeado por poucas pessoas, quanto menos melhor, algo que reputo ao fato de ele ter sido criado na área rural da Escócia, perto do parque Yorkshire Moors. Já a minha ideia de contato com a natureza é dar um passeio de barco no Tâmisa. Não é de se admirar que estejamos com dificuldade de chegar a um acordo.

– Morar aqui não vai ser nunca como em Londres – argumenta Lego Man –, então por que ficar numa cidade que não chega nem aos pés da que estamos acostumados? (Povo da Jutlândia, eu peço desculpas em nome dele.) Nós temos que aproveitar essa oportunidade ao máximo e ir morar na beira do mar. *Para ele vai ser fácil*, penso. *Ele vai sair para o trabalho todos os dias e vou ficar enfurnada nessa casa, só com o cachorro e as ondas para me fazerem companhia.*

Já tínhamos falado sobre morar na beira do mar um dia, mas na minha cabeça isso seria a) quando tivéssemos perto dos 100 e b) numa casa geminada entre um café chique e elegante e hum... uma loja de pão artesanal, na costa perto de Londres, ou algum outro lugar parecido. O sol sempre brilharia lá e muitas pessoas viriam nos visitar. A nossa casa na beira do mar nunca seria, nem nas minhas mais melancólicas fantasias, parte de um antigo hospital na região rural da Dinamarca. No inverno.

E, apesar disso, de algum modo ele consegue me convencer. Ou me suborna com a promessa de uma vida repleta de doces. Ou me deixa bêbada. Ou *alguma coisa*. Porque, na manhã seguinte, descubro que tomamos uma decisão e que recebemos um e-mail da transportadora confirmando que vão entregar nossas coisas na nossa nova casa na beira do mar na terça.

Quatro vikings bem robustos descarregam as nossas 132 caixas de um contêiner, antes de tirarem os sapatos e abrirem tapetes para proteger nosso assoalho de madeira, e começarem a desempacotar nossos pertences, dizendo o que acham de tudo enquanto vão colocando as coisas nos lugares. Sobre um vaso:

– Desse eu gosto, dos outros não muito.

E sobre uma pintura, de forma um tanto enigmática:

– Isso foi caro?

– Não.

– Que bom.

As caixas tinham códigos que diziam de que quarto vieram, e fico satisfeita de ver que o conteúdo do meu armário em Londres recebeu uma etiqueta onde se lê "Roupas de *Lady* Russell" (e espero que daqui em diante mais pessoas se dirijam a mim usando meu título de nobreza). Minhas roupas são levadas com a maior cerimônia para o meu quarto, onde mais tarde descubro que, sem tanta cerimônia, minha gaveta de calcinhas foi espalhada, de forma bem liberal, em cima da cama recém-montada, e que não consigo encontrar em lugar nenhum meu sutiã de renda azul-marinho. Mas, fora essa hipótese de furto de lingerie, os vikings da transportadora são os mais educados, articulados, bem-formados rapazes da mudança que já vi na vida e nos fazem uma série de perguntas sobre a política de coalizão, sobre o que achamos do cabelo de David Cameron (que, percebo, é alvo de muitas piadas por aqui) e da nossa posição em relação aos Estados Unidos.

Quando eles saem, nós dois nos prometemos estar mais bem informados sobre a situação política da União Europeia para não passarmos vergonha no futuro, e começamos a arrumar nossos pertences e encontrar lugares adequados para coisas que tínhamos esquecido que tínhamos. É quando percebo horrorizada como tudo está imundo.

– Você acha que foi por causa da viagem? – pergunto, cheia de esperança, tentando soprar aquela capa de poeira cinza e lúgubre da nossa estante.

– Pode ser – mas Lego Man parece não acreditar muito naquilo. – Ou pode ser também que morando no subsolo nunca tenhamos percebido como tudo estava sujo.

Digo a ele que prefiro a minha versão e nos preparamos para limpar a sujeira mais evidente, nos perguntando se algum dia alcançaríamos os patamares de orgulho da própria casa dos dinamarqueses. Depois de algumas horas de esfregação, temos móveis mais ou menos limpos, mas não há móveis suficientes para ocupar todos os espaços. Parece que o tamanho da casa pela qual se pode pagar quando se vive no centro de Londres precisa de apenas metade da mobília de uma casa dinamarquesa média. Como o sol começa a se pôr por volta das três da tarde, logo ficamos na mais completa escuridão. É recomendável levar com você não só algumas lâmpadas ao se mudar para a Dinamarca, mas também alguns lustres. Não há nenhum bocal no teto e não tenho a menor ideia de como lidar com o emaranhado de fios que apareciam em vários pontos dele.

Então fazemos um chá à luz de velas e nos resignamos com o fato de que teríamos que fazer compras. Lego Man está radiante. Para um cara que gosta da vida ao ar livre e é um exemplar habilidoso do cidadão "Faça Você Mesmo", ele sempre foi surpreendentemente obcecado por design de interiores. Depois de anos "disfarçando" e deixando todo mundo acreditar que as revistas de decoração que assinávamos e nossa casa elegante eram coisas minhas, ele finalmente saiu do armário – fez quadros com fotos e matérias de revistas, cadernos de recortes e tudo o mais – e admitiu sua paixão secreta. Agora ele tem esperança de que esse ano na Dinamarca permita que ele expresse essa paixão mais integralmente, de modo que possa se assumir, com orgulho *e* estilo, claro. Ele já está bastante familiarizado com a estética nórdica e decide que quer entupir nossa casa nova com todo tipo de peças de design que custam os olhos da cara. Preocupada com a possibilidade de nunca mais podermos comprar *snegles*, se eu deixar Lego Man soltar a franga sem restrições, ligo para uma especialista em design de interiores para ter uma ideia melhor de tudo o que vale a pena comprar para que a nossa casa nova fique *hygge*.

Charlotte Ravnholt, da *Bo Bedre*, a maior revista de decoração da Dinamarca, sugere que simplifiquemos.

– Não tem necessidade nenhuma de sair comprando enlouquecidamente um monte de coisas para criar um visual dinamarquês – diz ela. – A coisa mais tipicamente dinamarquesa seria começar com algumas poucas peças-chave e misturá-las e combiná-las com o que você já tem.

Isso é encorajador. Então, do que precisamos primeiro?

– Bem, nós usamos muitos materiais naturais nas nossas casas, como madeira e couro, e normalmente temos muitas luminárias. Na maioria dos países, as luminárias costumam ficar no meio de um cômodo, mas fazemos extensões para posicioná-las de uma forma diferente e criar ilhas de luz ou novas áreas de *hygge*, ou cantinhos mais aconchegantes. Então também usamos luminárias pendentes, de chão e de mesa que vocês devem considerar.

Escrevo tudo isso num post-it. Lego Man, que está doido para ouvir nossa conversa, chega tão perto que tenho que dar uma cotovelada nele para conseguir escrever:

Ela está dizendo que precisamos apenas de
ALGUMAS POUCAS PEÇAS-CHAVE.

Largo a caneta para dar atenção total a Charlotte outra vez. Quando olho de novo para o bloco, vejo que Lego Man acrescentou ☹ ao fim da frase e estava perambulando pela casa zangado, tentando encontrar mais maneiras de gastar o dinheiro que nós ainda não temos em coisas que nós não precisamos de verdade para uma casa que não é nossa.

Pergunto a Charlotte sobre esse negócio de *hygge* e ela me diz que as casas dinamarquesas normalmente têm mantas e cobertores no sofá para que todos possam ficar ainda mais confortáveis, bem como um monte de almofadas.

– Os dinamarqueses têm almofadas para o inverno e para o verão – me diz ela. – Há um grande consumo de almofadas aqui. Quando você está meio sem dinheiro e não pode comprar um móvel novo, pode gastar 500 coroas numa almofada maravilhosa, que vai deixar sua sala de cara nova.

Mais de 90 dólares por uma *almofada*? Isso ainda é muito caro para mim, e começo a me perguntar se sou muito pão-dura para esse país tão estiloso.

– Então quer dizer que o dinamarquês médio gasta bastante dinheiro com a decoração da casa? – pergunto.

– Acho que sim, nós provavelmente preferimos gastar dinheiro com design – diz Charlotte. – Pesquisas feitas antes da crise de 2008 mostraram que éramos a nação que mais gastava dinheiro com mobília no mundo, per capita. Além disso, os dinamarqueses valorizam o design, o acabamento e a qualidade dos móveis. Nós queremos comprar algo que possa ser usado por muitos anos e que possamos deixar para os nossos filhos.

Ela menciona alguns dos grandes nomes do design dinamarquês, de Arne Jacobsen a Finn Juhl e Poul Henningsen – nomes com os quais já estou vagamente familiarizada porque tinha conversado com Anne-Louise antes e por conta das matérias nas revistas de decoração de Lego Man, tão bem guardadas quanto as que ele via escondido quando era adolescente. Mas eu teria dificuldades para identificar o trabalho deles ou pegar uma luminária Poul Henningsen num mostruário, mas Charlotte me diz que a maioria dos dinamarqueses sabe tudo sobre os grandes designers do país.

– Todo mundo na Dinamarca sabe quem é Arne Jacobsen e conhece o trabalho dele, não apenas quem se interessa por design – diz ela.

A ideia de que o design faz parte da consciência nacional me ajuda a entender por que as casas dinamarquesas que vimos parecem saídas diretamente do caderno de decoração de um jornal. Fico sabendo que as luminárias de Poul Henningsen são tão populares aqui que 50% dos dinamarqueses têm *pelo menos* uma em casa.

– As pessoas gostam de incentivar as marcas dinamarquesas – explica Charlotte. – Elas querem que algo tenha sido feito à mão aqui no país. O nosso design é algo que celebramos e de que nos orgulhamos, então, sim, vamos gastar dinheiro com isso. E, desde a década de 1960, quando mais dinamarqueses puderam comprar suas casas próprias e tanto homens como mulheres estavam trabalhando fora, passamos a ser capazes de gastar mais dinheiro com móveis e design.

Consciente de que Lego Man está ouvindo tudo, impaciente para colocar nosso cartão de crédito inglês na roda, peço a Charlotte para nos recomendar cinco peças-chave do design dinamarquês que tornem a nossa sala de estar "escandinavófila" e ajude nossa casa a ficar *hygge*. Ela aceita o desafio com elegância.

– Eu começaria com um boa mesa de jantar de madeira para suas refeições diárias e também para receber os amigos e conversar e relaxar ao redor dela – esclarece Charlotte.

E fico toda animada porque já temos uma mesa de madeira de seis lugares, quando ela acrescenta:

– Na Dinamarca uma boa mesa de jantar deve ter no mínimo oito lugares, para que você possa acomodar várias pessoas em volta dela.

Merda. Está claro que não somos lá muito sociais.

– Mais duas cadeiras – anoto – e talvez uma mesa maior.

Os olhos de Lego Man se iluminam.

– E depois eu investiria numa cadeira feita à mão, uma Arne Jacobsen ou uma Hans Wegner ou uma Børge Mogensen – continua Charlotte. – Uma casa dinamarquesa mediana deve também ter uma luminária assinada, com o PH de Poul Henningsen, ou o AJ de Arne Jacobsen, feitas na fábrica de Louis Poulsen. Há também o candelabro da Kubus, algo tipicamente dinamarquês, várias casas têm um desses. E, por fim... bem, eu teria provavelmente algumas peças de um aparelho de jantar da Royal Copenhagen.

Olho para os nossos pratos creme, numa pilha perto do lava-louças e vejo que temos muito trabalho a fazer.

– Certo – respondo, com entusiasmo, decidida a acabar agora mesmo com os vestígios das lojas populares onde comprávamos móveis e utensílios domésticos das nossas vidas. – E esse design maravilhoso realmente faz os dinamarqueses felizes? – pergunto.

Lego Man começa a vestir o casaco e já está procurando as chaves do carro para dar início a uma sessão de compra-terapia.

– Acho que sim – diz Charlotte. – Quando nós nos cercamos de móveis e peças de design, isso influencia o nosso humor. Se o ambiente em que vivemos é bonito, nos sentimos confortáveis e seguros. E isso nos deixa mais felizes.

Pergunto se ela é feliz.

– Ah, sim. Eu me daria nota nove. Sempre tem espaço para alguma coisa mais.

– Como o quê? – não posso deixar de perguntar.

– Ah, isso é pessoal – responde ela.

Fico com medo de tê-la ofendido de alguma forma ao insistir, mas ela logo relaxa e revela a informação.

– Eu gostaria de morar na beira do mar e também gostaria que o meu namorado me pedisse em casamento. Aí eu seria nota dez.

Agradeço a Charlotte e me despeço dela. Depois olho para o meu marido, calçando as botas, de perfil contra a vista panorâmica do mar e do céu com uma tonalidade rosa-escuro, que parece uma pintura de tão perfeita. *Talvez eu deva começar o meu projeto Felicidade agradecendo mais pelo que já tenho*, penso, profundamente. E aí Lego Man escreve "Vamos logo!!!!" num post-it e o gruda na minha testa. O sonho se desfaz e rapidamente desisto de passar os próximos doze meses celebrando todas as toalhas molhadas em cima da cama e a incapacidade que ele tem de encontrar o cesto de roupa suja mais próximo. Em vez disso, pego meu casaco e saio.

Fomos às Compras. Assim mesmo, com letra maiúscula. No estilo de Allan, com dois ls, o cara do banco. Lego Man fica mais feliz ainda quando tudo o que compramos está devidamente instalado e, com o passar dos dias, nossa casa começa a parecer mais com um lar. Tento pensar positivamente também, mas o meu próprio projeto Pollyanna sofre alguns reveses.

Cometo meu primeiro mau passo na Dinamarca colocando papel na lixeira para reciclagem errada. Isso leva à minha interação inaugural com os nossos novos vizinhos, quando dois senhores de barba tocam a campainha por volta das oito da manhã de segunda. Ainda não tinha tirado o pijama nem tido a oportunidade de ligar a cafeteira, ou seja, não estou em estado de receber visitas. Mas os Senhores Barbados não desistem fácil assim. Eles tocam a campainha com insistência até que, como moramos numa casa que tem algumas paredes de vidro para apreciarmos a vista, ou seja, não há como nos esconder, não tenho escolha a não ser atender a porta. Protegidos por anoraques e piscando muito por trás de óculos com surpreendentes armações brancas nada escandinavas, eles começam a falar em dinamarquês antes de eu conseguir explicar que ainda não sei falar a língua deles. Por fim, desistem desse intento e Senhor Barbado nº 1 me diz, num inglês pouco fluente, que "a vizinhança" (coletivo) percebeu que a lixeira tem estado mais cheia do que de costume, então remexeram no lixo para encontrar o responsável. Senhor Barbado nº 2 levanta uma nota fiscal manchada de chá com o nome de Lego Man como prova. Quando consigo deixar de pensar em como é estranho o fato de meus novos vizinhos revirarem a nossa lata de lixo (ou a *deles*, ao que parece), eu educadamente pergunto onde eles querem que eu jogue fora o papel para reciclagem. Eles apontam para outra lixeira exatamente idêntica à que eu estava usando, só que alguns centímetros mais à esquerda.

Constrangida, prometo corrigir meu erro da próxima vez e recebo uma aula grátis sobre a separação de lixo. Os dinamarqueses, ao que parece, são admiravelmente obsessivos com a reciclagem do lixo. Quase 90% das embalagens são recicladas e tudo – papel, latas, garrafas, comida e lixo orgânico – tem recipientes de coleta separados para reciclagem. Descobrir o que deve ser jogado onde é uma arte que ainda não dominei completamente, mas já sei que aquele compartimento no supermercado, que mais parece uma cápsula Tardis, da série *Doctor Who*, é para colocarmos as garrafas. Jogamos uma lá dentro numa tarde sem dar muita bola e ficamos maravilhados com o show pirotécnico que começa em seguida. A garrafa é escaneada para saber seu valor de reuso e depois a máquina mágica nos entrega um *voucher* de desconto de 20 centavos para a nossa próxima compra. Fico desproporcionalmente animada com isso.

Os compradores de carros elétricos, os usuários de maconha e os adeptos da contracultura não são os únicos entusiastas do meio ambiente na Dinamarca. Ser ecologicamente correto aqui é visto como um dever básico de todos os cidadãos, algo que você faz para ser parte integrante da sociedade dinamarquesa. Inspirada pelo empenho dos meus vizinhos, saio numa missão de levantamento de fatos e descubro que a Dinamarca foi o primeiro país do mundo a estabelecer um Ministério do Meio Ambiente oficial, em 1971. Hoje a indústria dinamarquesa que usa energia limpa é uma das mais competitivas do mundo, e 30% de toda a eletricidade consumida no país vêm do vento. Em 2013, a Dinamarca venceu o prêmio de maior prestígio do World Wildlife Fund, o Gift to the Earth [Presente para o Planeta Terra], pela liderança inspiradora ao traçar metas mais ambiciosas para a utilização de energia renovável e preservação do clima. Nos últimos dois anos, o país também foi eleito o mais "amigo do clima" pelo Indicador de Perfomance de Mudança Climática das Nações Unidas. O governo dinamarquês tem como objetivo reduzir em 40% as emissões de CO_2 até 2020 e o ministro do meio ambiente traçou o objetivo coletivo de chegar a uma "Dinamarca sem lixo" até 2050 – quando eles esperam que absolutamente tudo seja reutilizado ou reciclado. Numa época em que a maioria dos países está renegando suas promessas ambientais, os dinamarqueses estabelecem para si mesmos metas ainda mais duras, e estão em vias de realizá-las.

Impressionada, decido desempenhar minhas obrigações cívicas de reciclagem rigorosa e orgulhosamente daqui para a frente, e estou ansiosa para informar os Senhores Barbados sobre isso quando, uma semana depois, eles vêm dar uma olhada para checar se estou colocando minhas latas na lixeira certa. Eles acenam com a cabeça, reconhecendo minha epifania ambiental, e depois saem dali o mais rápido que podem.

Fora essa vez, ninguém fala conosco. Se eu estava esperando que o país mais feliz sobre a face da Terra também fosse o mais acolhedor, estava redondamente enganada. Sinto falta de Londres. Sinto falta de barulho. Em vez de trabalhar com o som da turbina de um 747 decolando da pista do aeroporto de Heathrow, ou das sirenes dos carros de polícia a toda, perfurando os meus ouvidos e indo pegar algum criminoso sem privilégios, agora escuto pássaros cantando, tratores ou, o que é bem pior, nada. O lugar é tão calmo e silencioso que a trilha sonora do meu dia é com frequência o contínuo, e já há algum tempo esquecido, zumbido nos meus ouvidos, adquirido devido a uma adolescência passada em shows de qualidade duvidosa. Nosso cachorro finalmente chega da Inglaterra, mas fica tão apavorado com os cervos, lebres e raposas que frequentam o nosso quintal que imediatamente foge para a lavanderia. Lá ele fica ganindo o tempo todo e só encontra algum conforto quando a máquina de lavar está ligada no ciclo rápido com carga máxima. E quando finalmente conseguimos fazer com que ele se acostume à nova casa, as *corujas* nos mantêm acordados três noites seguidas.

Sinto falta dos meus amigos e descubro que reclamar das corujas com eles pelo FaceTime não é nem de longe tão engraçado quanto reclamar das corujas com eles abrindo uma garrafa de vinho. Eu estava preparada para "começar tudo de novo". Tínhamos convencido a nós mesmos de que isso seria libertador e nos forçaria a experimentar coisas novas e conhecer pessoas novas, alargando nossos horizontes. Mas isso não parece tão atraente agora quando estamos sentados em casa, sozinhos, *outra vez*, nos perguntando como dar o pontapé inicial da nossa vida social na Dinamarca.

– Se a Dinamarca tem a mesma população da região sul de Londres – disse eu a Lego Man —, e se reduzirmos nossa área de investigação a, digamos, um raio de vinte quilômetros de onde vivemos e formos estreitando nossa perspectiva para os que estão na faixa etária dos 20 ou dos 30, o número de pessoas de que podemos gostar *de fato* fica cada vez menor. Em outras palavras, vamos conhecer poucas pessoas, e vamos gostar de menos pessoas ainda.

– Certo – diz Lego Man, parecendo não muito seguro. Espero que ele não concorde comigo e diga que tudo vai ficar bem. Mas ele não faz isso. E acrescenta: – Você deve também ter em mente que eles podem não gostar de nós. Podem já ter bastante amigos, como tínhamos na Inglaterra.

Ótimo. Agora estou me sentindo muito melhor...

– Mas vai ficar tudo bem – diz Lego Man, enfim, chegando mais perto de mim no sofá e colocando o braço à minha volta. – Só precisamos conhecer melhor a cidade. Você tem que sair de casa e conhecer gente nova.

Ele provavelmente está certo. Trabalhar em casa e interagir com outras pessoas via Skype e FaceTime não é bom. Mas o sistema público de transporte em No Meio do Nada é menos ainda. Sofrendo com o congelamento de extremidades e tendo ataques de fúria por causa dos horários nada confiáveis de ônibus e trens, decido que é hora de comprar meu próprio carro, quando Lego Man passa a ir para o trabalho usando o nosso único meio de transporte, um carro de leasing da Lego.

Como venho da Inglaterra, acho relativamente fácil andar nas estradas da Dinamarca. A maioria dos estrangeiros de fora da Comunidade Europeia é obrigada a fazer um teste antes de poder dirigir aqui. Novas regras entraram em vigor em 2013, permitindo que os recém-chegados de países cujas estradas, eles acreditam, têm "um nível de segurança comparável ao da Dinamarca" simplesmente validem sua carteira de motorista, mas há certas condições para isso. Os candidatos precisam ter feito a prova de habilitação depois dos 18 anos (o que elimina a maioria dos americanos, que fazem a prova aos 16) e não ter perdido nenhum ponto na carteira nos últimos cinco anos.

Da mesma forma que tudo o mais na Dinamarca, comprar um carro não é barato aqui. Carros novos têm um imposto de 180%, fazendo com que custem três vezes mais do que custariam nos Estados Unidos ou na Inglaterra, por exemplo. Isso significa que um sedã simples que sai por 17 mil dólares nos Estados Unidos custa o equivalente a 30 mil coroas na Dinamarca (ou 50 mil dólares), e esse custo elevado cai muito pouco, mesmo quando se trata de carros usados.

– É por isso que a maioria das pessoas dirige carros "caixas de fósforos" aqui? – pergunto a Lego Man, quando ficamos sabendo dessas alarmantes descobertas.

– Suponho que sim. Você consegue fazer isso sozinha? Quero dizer, comprar um carro?

– Claro – respondo, e minha voz soa bastante insegura, mas acho que isso é algo que uma mulher crescida no século XXI deve ser capaz de fazer.

Eu me encho de coragem e vou até a concessionária mais próxima. Depois que descobri que um voo para a Inglaterra é mais barato do que uma corrida de táxi de vinte minutos para qualquer lugar na Jutlândia, me resigno a pegar um ônibus novamente. Duas horas depois e relativamente ilesa, chego ao *showroom* da concessionária e sou recompensada com um cheiro de couro sintético, aromatizadores para carros e loção pós-barba barata.

Meu limite de preço faz com que eu descarte todos os carros expostos na concessionária, exceto dois. O primeiro parece uma lata de sardinha sobre rodas, toda arranhada, que cheira como se uma família de gatos selvagens tivesse morado nela nos últimos tempos e se aliviasse ali mesmo com regularidade. O segundo, meio cor de cereja, ou de tomate maduro, bem charmoso, me lembra uma scooter para pessoas com mobilidade reduzida. Não fico apaixonada por ele logo de cara, mas depois de uma volta pelo quarteirão descubro que a) aquela coisa anda mesmo e b) o assento do motorista é mais alto e faz com que eu possa olhar para os outros carros de cima. Uma novidade para alguém de 1,62m num país de vikings.

– Vou ficar com ele – digo ao vendedor, que me entrega um documento de nove páginas, em dinamarquês. Pergunto se posso levar os papéis comigo para pedir a alguém para traduzi-los ou, pelo menos, passar algum tempo com ele na frente de um dicionário dinamarquês-inglês. Mas ele se oferece para traduzir o documento para mim. Não estou lá muito convencida de que isso seja uma coisa normal, mas como no meu guia da Dinamarca estava escrito que existem regras de comercialização bastante justas para a compra de carros de segunda mão aqui e que os vendedores não recebem comissão, imagino que é bastante improvável que eu seja enganada. O cara não tem nada a ganhar me enganando, então... *Quem está na chuva é para se molhar*, penso.

Agradeço e ele me orienta sobre a compra. Mas isso inclui vários zeros a mais do que o esperado.

– Para que serve *isso*? – aponto para uma alarmante linha inteira de zeros na página quatro.

– Ah, isso é para os pneus de inverno.

Não são apenas as almofadas que têm um *boom* sazonal na Dinamarca, ao que parece. Pneus para o inverno, embora não obrigatórios, são recomendados. Gastar mais 5 mil coroas (uns 850 dólares) em pneus que não vão me jogar direto numa vala naquelas estradas desconhecidas com temperaturas abaixo de zero parece um dinheiro bem gasto. Aponto para outra linha de números e pergunto a que se referem.

– Isso é para colocar pneus de verão e guardar os pneus de inverno num hotel de pneus na primavera.

Pneus têm um hotel na Dinamarca?! Meu Deus, a qualidade de vida aqui é realmente estratosférica.

– Eu realmente preciso disso? – pergunto.

– Nós recomendamos que os pneus sejam guardados num lugar seguro e que sejam trocados por quem realmente sabe o que está fazendo – é a resposta dele.

– Tá certo... – e me pergunto se devo fazer economia usando a) Lego Man para trocá-los e b) o nosso galpão para guardá-los. Decido arriscar.

Homem da Concessionária aponta para outro número.

– E isso é para a placa...

– A placa não está incluída?

– Não! – e ele parece estar se divertindo. – Do contrário todo mundo iria saber quantos anos o seu carro tem!

– Você está falando sério?

O sorriso dele desaparece, não me deixando dúvida alguma de que ele está falando totalmente a sério.

– Todo motorista recebe uma nova placa com números e letras gerados randomicamente.

Igualdade, ao que parece, é tão importante na Dinamarca que as autoridades não querem que ninguém seja julgado por estar dirigindo um carro velho. Isso parece algo muito admirável, mas estou certa de que qualquer um com metade do cérebro pode adivinhar que meu tomate móvel não é a última novidade do design automobilístico. Prefiro ficar indignada por ter que pagar do que por fingir.

– E também há taxas para o registro, a taxa verde, a taxa de compensação – quase posso sentir o olhar desaprovador de Allan, com dois ls, e imaginá-lo balançando a cabeça, desapontado, quando assino rapidamente os papéis e saio correndo dali.

Nos próximos dias, descubro que o tomate móvel chacoalha se anda acima dos 70 quilômetros por hora, faz um barulho muito alto e estridente se não está sintonizado na rádio estatal dinamarquesa e tem limpadores de para-brisa que apenas movem a sujeira de um lado para outro, espalhando-a pelo meu campo de visão. Mas ele é meu. Todo meu. E a aventura vai começar.

O que aprendi neste mês:

1. Faz realmente *muito* frio na Dinamarca em janeiro.
2. Dinheiro pode não comprar felicidade, mas pode comprar carros, candelabros e doces incrivelmente deliciosos.
3. Corujas fazem muito barulho.
4. Viver num outro país não é para os fracos.

2. FEVEREIRO

Esqueça o "de nove às cinco"

Uma das vantagens de trabalhar como freelancer, todo mundo me dizia, era que eu poderia ficar de pijama e usar chinelos no meu deslocamento da cama para a mesa do laptop. Depois de uma década usando saltos de dez centímetros e vestidos que só podiam ser lavados a seco, isso me parecia uma ideia bizarra, um conceito estranho – um mundo novo e esquisito sobre o qual gostava de ouvir falar, mas que não tinha nenhuma intenção verdadeira de conhecer. Mais ou menos como Las Vegas. E, no entanto, em apenas quatro semanas da minha vida nova, me pego digitando toda feliz com um pijama de seda com elástico na cintura às duas e meia da tarde. Digo a mim mesma que isso não é tão ruim assim porque a) é sexta-feira, b) no inverno, fica bastante escuro lá fora o TEMPO TODO e c) estou entrevistando pessoas nos Estados Unidos pelo telefone, e é *de manhã* lá. Mas, na verdade, estou uma tragédia. Prometo que quando o relógio der quatro e meia, vou tomar banho, trocar de roupa e talvez até pentear os cabelos. Como qualquer adulto deve fazer. Quatro e meia da tarde se tornou o ponto-limite para qualquer tipo de desmazelo que eu não gostaria que ninguém visse. Isso porque Lego Man normalmente chega em casa por volta dessa hora, o que, convenhamos, é ridículo.

Ele já tinha me pegado desprevenida. Algumas semanas antes eu estava trabalhando, de pijama, e uma rajada de ar gelado entrou pela porta da frente quando ela se abriu de repente, e uma figura, mal e mal distinguível naquela escuridão destruidora de almas, ficou parada na entrada.

– Pois não? – perguntei, em alerta para o caso de um estranho ter entrado na minha casa ou de os Senhores Barbados estarem de volta.

– Sou eu – respondeu Lego Man.

– O que você está fazendo aqui? – *Estava doente? Tinha perdido o emprego? Os escritórios da Lego tinham sido evacuados sob ameaça de ataque de um míssil?* (Meu lema: por que pensar racionalmente se você pode acrescentar um pouco de drama à vida?) – Feche essa porta! Está um frio de matar!

– Ah, muito obrigado pela recepção calorosa – foi a resposta de Lego Man, antes de colocar a mochila no chão e me explicar que o escritório ficava literalmente vazio por volta das quatro da tarde. – A maioria dos funcionários com filhos já arrumou a mesa e saiu para pegá-los na escola ou na creche às três.

– *Três*?

– Hã-hã.

– Todo mundo sai do trabalho tão cedo assim? Ninguém fica competindo para ser o último a ir embora? Ou pede comida para ficar trabalhando até mais tarde?

Ele dá de ombros.

– Acho que não.

Isso é surpreendente. Em Londres, se nós dois chegássemos em casa às sete da noite, a tempo de ouvir aquele programa de rádio que adorávamos, isso seria motivo de comemoração. Frequentemente, nos víamos apenas no fim de semana ou nos reconhecíamos no corpo quente estendido na cama, de madrugada, depois de termos trabalhado até tarde ou saído com os amigos.

Mas aqui, quatro da tarde é o novo sete da noite. Quatro da tarde é a hora do rush na Dinamarca. Às quatro eu normalmente ainda nem tinha começado a parte principal do meu trabalho, e me restavam, pelo menos, mais algumas horas pela frente. E, no entanto, Lego Man já estava de volta querendo colocar uma música, conversar e ficar fazendo barulho.

Mal tinha acabado de me acostumar com essa nova situação e com Lego Man voltando para casa assim tão cedo, quando ouço o motor de um carro chegando à nossa casa às duas e meia da tarde. O som da maçaneta da porta sendo pressionada me causa um choque tão grande que pego um copo para jogar em quem quer que fosse enquanto falo com uma especialista em gerenciamento do tempo em Nova York. Tenho que fingir que os palavrões que se seguiram são, na verdade, um acesso de tosse e que aquele cachorro latindo enlouquecidamente é uma interferência na nossa conexão transatlântica via Skype.

– Bem, muito obrigada pela sua atenção – digo, rabiscando algumas anotações finais com uma letra horrível. – Não quero tomar mais o seu tempo – acrescento, aos berros, como uma louca, para que ela me ouvisse por cima dos latidos do cachorro, ganindo de entusiasmo pela volta de seu mestre, e de Lego Man, trazendo seus projetos peculiares e mais *barulho* para dentro de casa. O cachorro pula em cima dele afetuosamente, e tenho alguns instantes para pensar no meu visual decididamente pouco sedutor. *Talvez eu possa tirar o pijama que ainda estou usando no início da tarde como se estivesse fazendo uma homenagem ao fundador da Playboy...?*

– Você chegou cedo! – eu não teria parecido mais culpada se ele tivesse me flagrado com o amante da detetive Sarah Lund na série de tevê. (Dê um Google nele. É maravilhoso.)

– É. Parece que todo mundo sai ainda mais cedo na sexta – diz ele, colocando a cabeça na porta e vendo meu estado lamentável. – Você ainda está de pijama? Está tudo bem? Está se sentindo mal?

Penso em fingir que estou com alguma coisa passageira, que não represente uma ameaça à minha vida, mas acabo desistindo.

– Não – respondo, envergonhada. – É, hã..., para uma matéria.

Estou mentindo, claro.

Lego Man dá uma olhada no caos de pratos, canecas e vestígios de uma alimentação baseada em doces à minha volta.

– Que matéria? “O desleixo é o novo preto”?!

– Esse pijama é da Stella McCartney, tá? – rebato, sem muita convicção, antes de tentar mudar de assunto. – E aí? Como foi o seu... a sua *manhã*?

– Tudo bem. Estou aprendendo sobre o equilíbrio dinamarquês entre vida pessoal e trabalho.

– Já aprendeu... Você está em casa na hora do *almoço*!

Lego Man ignora o comentário.

– Nas sextas só precisamos chegar às oito e meia e aí temos o... – ele faz um som estranho, gutural – *Mooooaaaarrrnnnsssmullllll*.

– O quê?

– Se escreve *morgenmad* e quer dizer “comida da manhã” – explica ele. Lego Man já está dominando algumas palavras-chave relacionadas à comida e nós ainda nem começamos a ter aulas de dinamarquês. Estou com um pouco de inveja. – Todo mundo no escritório se reveza para fazer e trazer pães e doces. Um dos rapazes acordou às quatro da manhã para preparar brioches.

– Caramba! E existem tantas padarias boas aqui... – não posso deixar de pensar que há pouca coisa que eu poderia acrescentar ao extraordinário mundo dos doces dinamarqueses, mesmo acordando duas horas mais cedo.

– Pois é. Então o *mooaarrnnssmull* durou uma hora, depois tivemos uma reunião, e chegamos à conclusão de que precisamos de uma outra reunião antes de tomarmos uma decisão. Depois tive outra reunião com mais brioches e café, depois todos saímos para almoçar às onze e meia e depois, bem, quando terminamos de comer, era aniversário de alguém, então trouxeram um bolo. Depois disso, a maioria dos funcionários começou a arrumar a mesa para ir embora.

– Que dia cheio... – murmuro sarcasticamente.

– Pois é. Estou empanturrado – diz ele, sem notar minha ironia, e depois desaba no sofá e começa a folhear uma revista de decoração.

Pelo que posso perceber, uma boa parte do dia de trabalho na Dinamarca parece ser passada em pausas para descanso. Parece que a Lego baniu as máquinas de venda automática e *todo* o açúcar, na empresa inteira, alguns anos atrás, e agora, em vez disso, fornece aos funcionários cestas com pão de centeio, frutas e cenouras.

– Então quer dizer que a maior fábrica de brinquedos do mundo se abastece somente de betacaroteno, grãos integrais e de um entusiasmo infantil pela vida?

– Coma suas cinco porções de frutas e vegetais todos os dias, e aí você pode fazer qualquer coisa! – diz Lego Man, dando de ombros.

O almoço é uma experiência comunitária, que acontece por volta das 11-11h30 todos os dias, quando os funcionários deixam suas mesas para comerem juntos na cantina. A cantina é uma sala branca, brilhante, com mobiliário de peças Lego nas cores básicas e muito porco, arenque e todos os ingredientes para um *smørrebrød*, o tradicional sanduíche aberto no pão de centeio, mas com nenhum pudinzinho à vista.

– Bem, não se pode ter tudo – digo.

Ele explica que, como o açúcar é algo tão escasso por lá, o *morgenmad* e outras ocasiões que envolvem a presença de doces são um grande acontecimento. Ele testemunhou a primeira festa de aniversário dinamarquesa essa semana, quando a mesa de um dos colegas de trabalho ficou coberta de bandeirinhas e toda a equipe se reuniu em volta dela para cantar alguma coisa enlevante.

– Não tenho certeza do que falava a canção, mas houve um bocado de ação. É difícil participar quando a gente não sabe direito o que está acontecendo, mas, no último verso, achei que tinha algo a ver com trombones... – e ele fez uma mímica rápida para ilustrar o que estava falando e digo a ele que os dinamarqueses foram apontados como a nação que menos tem vergonha no mundo.

– Parece que eles são praticamente imunes a se sentirem constrangidos.

– Faz sentido – concorda ele. – Todos cantaram muito, na verdade.

– Mesmo? – essa informação aguça minha curiosidade. – Você nunca falou nada. Conte tudo. Você sabe que adoro essas coisas estranhas que as pessoas fazem no trabalho...

– Tá certo, tá certo. Eu conto tudo – diz Lego Man, ainda um tanto relutante. – Mas me prometa que você não vai escrever sobre isso em algum lugar ou usar isso como piada.

– Claro que não.

Minto.

– Bem, na verdade, o pessoal do escritório tem uma banda... – (ao ouvir isso, bato palmas de satisfação) – e eles tocam em todas as oportunidades e... – ele olha para mim, me repreendendo – ninguém fica rindo – e tenho certeza de que eu nunca, jamais, serei convidada para ver a banda do escritório em ação. – E eles também gostam de criar letras sobre a equipe usando a melodia de canções de sucesso... – complementa Lego Man.

– Nãoooo!... – agora ele só pode estar inventando essas coisas para me deixar ainda mais curiosa. – Tipo o quê?

– Bem, esta semana, alguém inventou uma letra sobre o nosso departamento para ser cantada com a melodia de "Mamma Mia", do ABBA. Minha parte favorita foi quando cantaram alguma coisa como "Nós trabalhamos duro, ai, ai, para alcançar nossos KPIs"... Ah, KPIs são as iniciais de *Key Performance Indicator* – acrescenta ele. – Para o caso de você não saber...

– Claro que sei – finjo. – Não pare...

– Ah, desculpe. Bem, depois disso vem aquela batidinha do piano... Di di di...

Junto-me a ele na esperança de apressar as coisas.

– Di di di di di di di di, di di di di di di di...

E só então Lego Man libera o segundo verso:

– "E concordamos ligeiros, somos uns caras maneiros..."

– Di di di di di di di di, di di di di di di di...

– E depois... Depois... Ah, não lembro o resto.

– *Tente*!

Lego Man segura o rosto com as mãos, tentando lembrar, mas depois tira as mãos do rosto e balança a cabeça.

– Não lembro, desculpe.

– Tudo bem. Esses dois primeiros versos são maravilhosos...

– Obrigado – responde ele, como se o crédito pela composição fosse dele. – E tem sempre uma batucada também – acrescenta saindo da sala.

– O quê?!

Ele não pode lançar essa bomba percussiva e cair fora.

– Nos encontros e workshops – grita ele da cozinha —, eles sempre fazem uma batucada. Batucam em baldes, caixas ou bongôs, em qualquer coisa que esteja por perto, na verdade – e ele fala como se isso fosse a coisa mais normal do mundo. Como, por exemplo, ir pegar grampos no armário de material de escritório.

– E... *todo mundo* participa? – estou de pé agora, indo atrás dele para obter mais detalhes.

– Ah, sim. Todo mundo participa de tudo. Somos todos iguais, lembra? Embora dê para perceber quem são os melhores. Eles ficam com os bongôs.

– Uau! – estou inacreditavelmente desapontada por não ter testemunhado as delícias de uma batucada no escritório em primeira mão. – E algumas pessoas têm talento de verdade? Será que eles acabam competindo entre eles para ver quem batuca melhor?

Ele sabe o que estou pensando. Ele sabe que eu imediatamente ficaria obcecada com a minha batucada e competiria para ver se ela é tão boa quanto a das outras pessoas e começaria a me mostrar.

– Não – responde ele, muito firme. – Não importa se você batuca, canta ou finge que toca trombone muito bem. Ficar se gabando disso ou daquilo não é legal. Eles têm um mantra na empresa: "A Lego acima do ego." E as pessoas são fiéis a ele.

Ele me conta que indicaram a ele e a outros colegas não dinamarqueses a leitura de um autor dinamarquês-norueguês, Aksel Sandemose, para que eles entendessem como se integrar no ambiente de trabalho na Dinamarca. Em seu romance, *A Fugitive Crosses His Tracks* [Um fugitivo apaga seus rastros], título da edição em inglês publicada em 1936, Sandemose traça dez regras para se viver como um dinamarquês (também conhecidas como a Lei de Jante, o nome da cidade onde se passa a história do livro). Pelo que pude entender, com a ajuda do Google Tradutor, essas regras são as seguintes:

1. Não ache que você é especial.
2. Não ache que você é melhor do que os outros.
3. Não ache que você é mais esperto do que os outros.
4. Não se convença de que você é melhor do que os outros.
5. Não ache que você sabe mais do que os outros.
6. Não ache que você é mais importante do que os outros.
7. Não ache que você é bom em tudo.
8. Não ria dos outros.
9. Não ache que as pessoas se importam com você.
10. Não ache que você pode ensinar alguma coisa a alguém.

– Nossa! Não se pode fazer quase nada por aqui, não é mesmo?

– Ah, tem mais uma, não listada, mas implícita.

– Qual?

– "*Não é necessário mostrar serviço.*" Se alguém gosta de bancar a vítima, ficando até tarde ou trabalhando demais, é mais provável que receba um folheto sobre eficiência ou gerenciamento do tempo do que solidariedade.

– Caramba!

Uma mudança e tanto em relação à nossa vida em Londres. Lá, responder um e-mail à meia-noite ou ficar trabalhando até as 20h é considerado uma questão de honra. Mas, na cultura dinamarquesa, isso apenas mostra que você não é capaz de fazer o seu trabalho no tempo certo. As mesas são equipadas com um mecanismo hidráulico de modo que o funcionário pode trabalhar de pé se ele preferir, algo que é, comprovadamente, melhor para a saúde (de acordo com a pesquisa publicada no *Journal of Social Psychological and Personality Science*) e que também torna as reuniões mais rápidas, dinâmicas e informais. São as reuniões "de pé", como eles chamam. Em vez de perguntar a um colega se você pode se sentar para conversar, você pede para que ele se levante.

– E, assim, tudo leva metade do tempo para acabar – diz Lego Man.

Ele também me conta que ninguém usa os cargos e ninguém usa gravata – na verdade, é mais provável que você encontre executivos andando pelos corredores relaxadamente, de agasalhos com capuz, no estilo Facebook, do que de terno. Não sei bem como, mas consigo convencer Lego Man a me deixar visitá-lo no trabalho, na hora do almoço (depois de prometer aceitar várias condições, a saber não mencionar em hipótese alguma a música do ABBA nem pedir uma demonstração de batucada). Há um clima descontraído tipo "o Vale do Silício conhece os escritórios do Google" no momento em que entro no prédio do escritório central com fachada de vidro na tranquila e sem nada para fazer zona residencial de Billund. Eu me sento confortavelmente nos sofás redondos, feitos para parecer aquele encaixe das icônicas peças Lego, e imagino se seria adequado ir brincar na piscina gigante de peças brancas da recepção. Lego Man vem ao meu encontro e me leva para conhecer os escritórios. Passamos por salas de reunião, todas com nomes de brinquedos. Isso é algo tranquilizador depois de semanas ouvindo meu marido falar ao telefone sobre estar às 9h30 na *Tinsoldaten* [soldadinho de chumbo] ou numa apresentação na *Banse* [ursinho de pelúcia]. Cada sala tem um recipiente de vidro bem grande cheio de peças no meio da mesa para encorajar os funcionários e visitantes a montarem enquanto conversam.

– Em algumas reuniões mal consigo entender o que está sendo dito por causa do barulho das pessoas procurando a peça certa no recipiente – me conta Lego Man.

A Lego não é apenas mais uma empresa na Dinamarca. É um estilo de vida. Um farol cultural, inspirando uma dedicação que está mais para devoção. Os dinamarqueses sentem orgulho do produto de exportação mais famoso do país, que faz com que agora mesmo haja um pai ou uma mãe proferindo palavrões ao pisarem, só de meia, numa peça no chão em 130 países. Há uma enorme comunidade de adultos fãs de Lego na Internet, ou AFOLs (do inglês, *Adult Fan of Lego*), como eles gostam de ser chamados (e pergunto a Lego Man se isso não seria "a mesma coisa que *geeks* que não conseguem arrumar namorada", e ele me responde que não, que "para o seu conhecimento, David Beckham e Brad Pitt se assumiram como AFOLS, então estou, na verdade, em muito boa companhia..."). *Uma aventura Lego* bateu todos os recordes de bilheteria nos cinemas em 2014, e sua exaltação da criatividade, do trabalho em equipe e do "poder de brincar" fez tanto sucesso que o filme recebeu mais espaço em jornais e revistas do que qualquer outra animação até hoje, e foi até acusado de propaganda anticapitalista. Os executivos "trotskistas" da Lego ficaram bem satisfeitos com o aumento das vendas e da receita que essa propaganda grátis engendrou, e algumas mentes muito jovens foram sensibilizadas por um modo de vida um pouco mais dinamarquês.

Depois do almoço (pão de centeio, salada, carne de porco e, como prometido, nem uma gota de açúcar), quero ver por que a Lego desperta esse entusiasmo todo, então consigo entrar num tour pela fábrica, me misturando a um grupo de japoneses que está aqui especialmente para isso. Vejo onde os bonequinhos são feitos, desde os rostos com aquele sorriso amarelo às mãos em forma de U e ao capacete de encaixe.

Alguns deles, malfeitos, são descartados sem dó nem piedade, e apenas os mais perfeitos têm permissão para ir para a sala das caixas, para serem embalados por elfos... quero dizer, trabalhadores.

O Lego não é o brinquedo mais barato nas lojas, mas a empresa prima pela qualidade acima de tudo. O fundador, Ole Kirk Christiansen, deu uma bronca no filho, Godtfred, por anunciar orgulhosamente que tinha conseguido economizar dinheiro na fase de pintura, aplicando uma camada um pouco mais fina em cada peça. Ole mandou que ele fizesse um *recall* de todo o lote para pintar tudo novamente, dizendo que "apenas o melhor é bom o suficiente", a frase que desde então é o lema da Lego.

Hoje a empresa vale algo em torno de 14,6 bilhões de dólares e é a maior fabricante de brinquedos do mundo. Existem 560 bilhões de peças espalhadas por aí, ou 86 para cada pessoa sob a face da Terra (mas, como eu não era muito fã de Lego quando criança, não sei onde estão as minhas...). A Lego produz 400 milhões de pneus por ano para os seus carros, o que faz com que ela seja também, oficialmente, a maior fabricante de pneus do mundo. Ah, sete caixas de Lego são vendidas a cada *segundo*. E lá se vão outras sete. E mais sete. E mais sete...

O neto de Ole Kirk Christiansen, Kjeld, é o dono da empresa hoje, o que faz dele o homem mais rico da Dinamarca. Mas ele evita tanto os paraísos fiscais dos trópicos quanto as luzes brilhantes de Copenhagen, e prefere morar na minúscula Billund, onde tudo começou. O escritório central da Lego ainda fica nas paisagens remotas da Jutlândia, e personalidades do mundo inteiro vêm conhecer o fabricante de brinquedos nos fundos do *verdadeiro* fim do mundo. Os Kirk Christiansens não apenas fizeram de Billund sua casa, como também construíram o aeroporto da cidade (o segundo maior do país inteiro, numa cidade de apenas 6 mil habitantes), a igreja, um centro comunitário, uma escola, um clube e uma biblioteca. As pessoas adoram Kjeld na Jutlândia. Ele, ninguém sabe por quê, mudou a grafia de seu sobrenome para Kirk *K*ristiansen, com k, e agora é chamado carinhosamente (ainda que inadvertidamente) de KKK.

Pode-se dizer, com toda a certeza, que Lego Man está muito satisfeito com seu novo emprego, que é também um ótimo emprego, senão teríamos largado tudo por nada. Sem querer pressionar... Pergunto do que ele mais gosta lá e ele diz que, tirando a comida, a cantoria e o desconto de funcionário na loja da Lego, a melhor coisa é que o trabalho é realmente interessante.

– As pessoas dizem que aqui ninguém reclama do trabalho como fazemos na Inglaterra. Eles não escolhem a profissão pelo dinheiro que vão ganhar. Eles escolhem o que têm mais interesse de fazer. A educação aqui é pública de modo que qualquer um pode ser o que quiser. E todo mundo sabe que vai pagar muito imposto de qualquer maneira, então você pode pelo menos se concentrar em fazer o que ama, e não o que vai lhe dar um salário bem alto.

– Então as pessoas não são incentivadas a sacrificar a realização profissional pela força da grana, é isso? – pergunto.

– Exatamente, porque quanto mais você ganha, mais imposto você paga.

Ele me conta sobre uma palavra que lhe ensinaram e que sintetiza a atitude dinamarquesa em relação ao trabalho: *arbejdsglæd*, a junção de *arbejde*, "trabalho", com *glæde*, "felicidade" em dinamarquês. Ou seja, para os escandinavos a "felicidade no trabalho" é algo crucial para se ter um boa vida. A palavra existe apenas em línguas nórdicas, e não há registros de ter alguma outra parecida em nenhum lugar do mundo. Em contraposição, os japoneses que conheço no tour pela fábrica me contam que há uma palavra própria para definir a relação de seu país com o trabalho: *karoshi*, que significa "morrer de tanto trabalhar". Ninguém corre esse risco aqui na Dinamarca.

Mais tarde naquela noite, Lego Man e eu estamos revendo juntos nossas agendas para a semana seguinte quando ele me conta que ficará fora por dois dias.

– É um retiro em equipe. Temos que usar roupas confortáveis e abrir nossas mentes para "explorar o engajamento através da ioga", ao que parece.

– Como é que é?! – pergunto, elevando a voz e arregalando os olhos. Lego Man nunca saudou o sol na vida.

– É o que está escrito no e-mail – diz ele, apontando para a tela do computador, ligeiramente na defensiva.

– O que significa "engajamento através da ioga"?

– Não sei – responde ele, dando de ombros. – Mas parece que você não vai ser a única a trabalhar de pijama na semana que vem.

O equilíbrio entre o trabalho e a vida pessoal de Lego Man parece estar em grande forma. E, além disso, uma empresa familiar cujo negócio é fazer crianças felizes e estimular a criatividade nunca será um ambiente de trabalho hostil. Não posso deixar de me perguntar se a experiência que Lego Man está tendo é única. Será que algo similar acontece com todo mundo aqui? Decido expandir minha investigação para outras áreas de trabalho na Dinamarca.

Dou uma sondada e descubro que o setor público também não vai nada mal. Bill Weir, âncora do telejornal *ABC News* nos Estados Unidos, deu fama internacional aos lixeiros dinamarqueses quando ele foi a Copenhagen para conhecer Jan Dion. Jan contou a Bill que ele adorava coletar o lixo porque trabalhava apenas cinco horas e podia passar o resto do dia em casa com a família ou treinando o time de futebol da escola (53% dos dinamarqueses fazem algum tipo de trabalho voluntário, uma pesquisa do Ministério da Cultura revelou, ou alguma outra coisa que os faça mais felizes, de acordo com a pesquisa recente da Universidade de Exeter). Jan contou ao mundo como ninguém na Dinamarca o julgava por causa da sua profissão, e como ele se sentia feliz todos os dias porque encontrava muitos amigos no caminho que percorria e porque as senhorinhas lhe davam café. Inspirada pelo relato, tento conversar com o lixeiro que passa na minha casa mas ele a) está com pressa, b) não fala inglês muito bem e c) não gosta de café (possivelmente o único dinamarquês que não gosta). Fico sabendo disso quando ele faz uma cara de “argh” quando mostro a ele a cafeteira e lhe ofereço uma xícara. Não vamos estabelecer uma ligação por meio da cafeína. Mas ele sorri e consigo entender, por uma série complicada de gestos, que ele gosta do seu trabalho.

– Feliz? – pergunto, enrolada num casaco cereja pouco prático, que mais parece um casulo, parada na soleira da porta, tentando impedir o cão de sair correndo, livre, pela paisagem nevada de No Meio do Nada. Meu lixeiro me olha com muita atenção, como se eu fosse louca, depois concorda com a cabeça e tenta sair logo dali.

– Feliz? De zero a dez? – e levanto as mãos com os dedos abertos.

Nesse momento chega a carteira na sua scooter e se oferece para traduzir. Me sentindo mais do que um pouco tola, explico que estou tentando perguntar ao lixeiro o quanto ele é feliz numa escala de zero a dez.

– Tá... bom – e ela também olha para mim como se eu fosse meio desorientada, depois diz alguma coisa muito rápido para o lixeiro. Eles olham um para o outro por alguns segundo, depois fazem o equivalente dinamarquês de “girar o dedo do lado da cabeça” para dizer que alguém não bate muito bem.

– *Otte*? – responde Homem do Lixo finalmente.

– Oito! – grito, antes que a carteira tenha chance de traduzir. – Isso quer dizer oito, certo? – pergunto, olhando para ela procurando aprovação e me sinto contente por agora já ser capaz de contar até dez (ou melhor, oito) em dinamarquês. A carteira concorda com a cabeça, faz outra cara que quer dizer “essa mulher é doida de pedra” e depois chispa dali na sua motinho.

Balizada pela minha “pesquisa”, começo a ver evidências por toda a parte. Converso com uma professora de ioga em Aarhus, a cidade grande mais próxima, para escrever um artigo, e procuro saber sua opinião. Ida tem um rosto jovial e é saudável e forte como um viking. *Se é isso o que a ioga faz com você, então eu também quero*, penso. Conto a ela sobre o meu projeto Felicidade e ela diz que acha que os dinamarqueses têm um bom equilíbrio entre a vida pessoal e o trabalho no geral.

– E se não temos, normalmente fazemos algo a respeito. Você se pergunta: "Estou feliz onde estou?" Se a resposta é "sim", então você fica onde está. Se é "não", você sai de lá. Nós reconhecemos que o modo como você decide passar a maior parte do seu tempo é importante. Para mim, é uma vida mais simples, passar mais tempo perto da natureza e com a família. Se você trabalha muito, fica estressado, e aí fica doente e não pode mais trabalhar.

Ela conta que era gerenciadora de crise de um partido político em Copenhagen até que percebeu que estava ficando tão estressada que seu cabelo começou a cair.

– Eu passava a mão na cabeça e caíam chumaços de cabelos de uma só vez. Eu me sentia cansada o tempo todo, e então levei um tombo de bicicleta bem sério um dia, para coroar tudo, e aí pensei: "Isso é loucura. Preciso mudar de vida."

Ida deixou o emprego na semana seguinte e começou a estudar para ser professora de ioga. Como o seguro social oferece uma rede de segurança, os dinamarqueses mudam de carreira relativamente fácil. Depois de um "período de quarentena" de cinco semanas após o pedido de demissão, você já tem direito aos mesmos benefícios de alguém que foi demitido, isto é, de 80% a 90% do seu salário por dois anos. O mercado de trabalho na Dinamarca tem um modelo "flexiseguro" – flexível embora seguro, o que significa que é mais fácil demitir alguém, mas os trabalhadores são protegidos e amparados até que achem algo de que gostem, e tudo isso é financiado pela receita fiscal. De acordo com as estatísticas, 25% da força de trabalho dinamarquesa arruma um novo emprego a cada ano e 40% dos trabalhadores desempregados encontram um novo trabalho dentro de três meses. A Dinamarca também gasta mais com formação permanente do que qualquer outro país no grupo de 34 países desenvolvidos da Organização para Cooperação e Desenvolvimento Econômico (OCDE), e tanto o governo quanto sindicatos e empresas pagam para que os funcionários participem de treinamentos e adquiram novas habilidades. Isso ajuda os trabalhadores a estar mais bem preparados para um mercado de trabalho em constante transformação. E já que mudar de emprego não tem nenhum efeito sobre o direito a aposentadoria e férias remuneradas, não há nenhum obstáculo a se mudar de emprego na Dinamarca. Você pode ficar pulando daqui para ali e ainda assim garantir os mesmos benefícios e a mesma quantidade de dias de descanso. O sistema parece funcionar, com uma taxa de desemprego atual de apenas 5%. Mais ou menos dois terços dos dinamarqueses pertencem a um sindicato, o que dá aos trabalhadores poder para brigar pela preservação dos seus direitos e privilégios caso alguma coisa dê errado. Portanto, há muito poder para o povo.

– Isso significa que na Dinamarca todos nós temos escolha – diz Ida. Agora ela trabalha como quer e quando quer num estúdio de ioga iluminado à luz de velas. – Eu diria que sou nota oito numa escala de dez em termos de felicidade. Seria dez, só que ainda não encontrei o amor da minha vida, mas estou com muita esperança. Bem neste exato momento. Sou muito grata por ter mudado de vida. Eu me sinto *vivendo* realmente.

Ela faz tudo parecer muito simples. Não fácil, mas simples: a vida não estava legal, então ela mudou e agora está tudo bem. Eu não tenho certeza de que alguma vez na vida tenha tomado uma decisão importante dessas sem ter levado um grande chute no traseiro. Mas na época eu não tinha aprendido a viver como uma dinamarquesa ainda.

Começo a me perguntar se os dinamarqueses são mais corajosos ou mais confiantes em suas próprias decisões. Martin Bjergegaard acha isso. Martin é um homem de negócios e empreendedor e garoto-propaganda de práticas para ser feliz no trabalho desde que seu livro, *Winning Without Losing* [Ganhando sem perder], foi publicado em 2013. Ele viveu uma época de grande estresse, trabalhando para uma empresa americana por quinze anos, diz ele, e já não conseguia nem dormir.

– Não sei se você já tentou não dormir, mas quando você faz isso por muito tempo, as coisas vão ladeira abaixo muito rápido. Depois de três noites sem dormir, eu só pensava: "Preciso mudar." Eu tinha que abandonar o ambiente de trabalho que não estava me fazendo bem. No dia em que pedi demissão, dormi como um bebê e desde então tenho me sentido incrível.

Martin também gosta de correr, adora viajar e é pai de Mynte, de 7 anos. Alto, bronzeado e com uma aparência jovial aos 38 anos, ele insiste que todos os dias têm que ser fantásticos e me assegura de que sempre gasta parte deles recarregando as baterias, praticando esportes e se divertindo. Ah, e ele se dá um dez total na escala de felicidade.

– A Dinamarca está realmente na vanguarda desse movimento em direção a uma felicidade maior no trabalho – conta Martin, acabando de acordar de um cochilo restaurador na tarde de uma quarta-feira chuvosa. – Acho que isso se deve à igualdade e ao nosso sistema de seguridade social incrível. É muito difícil se sentir feliz se você está inseguro, mas os dinamarqueses sabem que mesmo se perderem seus empregos, eles não vão parar na rua. Alguém vai cuidar deles. E isso significa que as pessoas aqui trabalham com mais eficiência e estão menos estressadas e mais felizes com seus empregos. Nos Estados Unidos, ninguém recebe apoio. Todos estão por conta própria. E sim, eles têm a chance de se dar bem, sem impostos tão altos, mas também têm que cuidar de si mesmos. Se alguma coisa acontece e você não tem algum tipo de seguro, então você está... – ele procura pela palavra certa e a encontra – ... você está fodido. Mas, na Dinamarca, temos uma vida profissional muito bem resolvida.

Essa simbiose dinamarquesa entre trabalho e diversão parece ter surgido por acaso. Depois da Segunda Guerra Mundial, a indústria superou a agricultura como empregador primário e as cidades em crescimento precisavam de mais trabalhadores. O governo fez propaganda além-mar para que trabalhadores se juntassem ao mercado de trabalho dinamarquês e, pela primeira vez, mulheres de todas as classes sociais tentaram se adaptar ao esquema "de nove às cinco" (no caso, de oito às quatro). A força de trabalho dinamarquesa aumentou em 1 milhão entre 1960 e 1990 – e as mulheres representavam 850 mil desse total, descubro através do Centro Dinamarquês para Gênero, Igualdade e Etnicidade. Durante esse período, aceitou-se que mulheres casadas, de classe média, trabalhassem, enquanto que anteriormente somente as solteiras ou mais pobres arranjavam empregos. Com as mulheres trabalhando fora, soluções para o cuidado das crianças se tornaram uma prioridade. Jornada de trabalho, creches e licença-maternidade foram padronizadas e a ideia de equilíbrio entre trabalho e lazer se estabeleceu. Agora isso é apenas alguma coisa que os dinamarqueses simplesmente esperam. As pessoas saem cedo na sexta porque elas querem passar mais tempo com a família. Os pais tiram o dia, remunerado integralmente, para ficar em casa quando seus filhos estão doentes. Como resultado dessas práticas, a Dinamarca ocupa o primeiro lugar em equilíbrio entre vida pessoal e trabalho de acordo com o a OCDE, seguida de perto pela Holanda, Noruega e Bélgica. Inglaterra e Estados Unidos aparecem em 22º e 28º lugares respectivamente.

A semana de trabalho oficial na Dinamarca é de 37 horas e uma das menores da Europa. Mas cálculos do Departamento de Estatística da Dinamarca sugerem que os dinamarqueses, na verdade, trabalham apenas uma média de 34 horas por semana. Os empregados têm direito a cinco semanas de férias pagas por ano, bem como treze dias de folga devido a feriados públicos. Isso significa que os dinamarqueses, na verdade, trabalham apenas uma média de 18,5 dias por mês. Isso choca algumas cabeças recém-chegadas tanto que alguns americanos que vêm trabalhar em filiais de suas empresas aqui insistem em fazer uma jornada de oito às seis todos os dias para que o choque não seja tão grande quando eles voltarem para casa.

Os dinamarqueses podem passar ridículas poucas horas no trabalho, mas aproveitam bem o tempo que passam lá. Um estudo da Ramboll Management and Analyse mostrou que 57% das pessoas continuariam a trabalhar mesmo que ganhassem na loteria e pudessem não trabalhar mais pelo resto da vida, e uma pesquisa da Universidade de Aalborg mostrou que 70% dos dinamarqueses "concordam ou concordam totalmente" que eles preferem trabalhar e receber por isso, mesmo que não precisem de dinheiro. Os trabalhadores dinamarqueses são os mais satisfeitos da União Europeia, de acordo com uma pesquisa recente da Comissão Europeia, e a Dinamarca também está no topo em termos de motivação profissional, de acordo com o World Competitiveness Yearbook. A última pesquisa do Eurobarômetro revelou que a Dinamarca tem a força de trabalho mais feliz *do mundo*. Ah, e os trabalhadores são 12% mais produtivos quando têm um estado de espírito positivo, de acordo com pesquisa realizada pela Universidade de Warwick. Na verdade, a Dinamarca está em terceiro lugar no estudo sobre a produtividade dos trabalhadores da OCDE. Eles podem não ficar muitas horas no escritório, mas estão fazendo o trabalho deles. O país também vem em nono lugar no barômetro para inovação global das Nações Unidas, e o Banco Mundial nomeou a Dinamarca o lugar mais fácil do mundo para se fazer negócio. Sorte nossa que os dinamarqueses não gostam de se gabar!

Mas nem tudo é *smørrebrød* e cantoria nos escritórios nórdicos. Apesar de todas as vantagens óbvias de se estar empregado na Dinamarca, o estresse no ambiente de trabalho está se tornando mais comum.

O departamento de Medicina Ocupacional do Hospital da Universidade de Herning fez uma pesquisa que sugeriu que um em cada dez empregadores dinamarqueses se considera frequentemente estressado. Os resultados dessa pesquisa foram confirmados por estudos do Instituto Nacional de Pesquisa Social, pelo Instituto Nacional de Saúde Pública e pelo Centro Nacional de Pesquisa sobre o Ambiente de Trabalho. Mas os sindicatos das categorias relatam resultados mais alarmantes, e a Confederação de Trabalhadores Assalariados e Funcionários Públicos da Dinamarca, a Associação de Advogados e Economistas Dinamarqueses e o Sindicatos dos Serviços Financeiros mostram uma taxa de 30% de seus membros sofrendo com o estresse.

Fico surpresa ao saber que o país com o melhor equilíbrio entre vida pessoal e trabalho também tem problemas de estresse. Mas como não há estatísticas definitivas sobre quantos dinamarqueses são afastados de suas funções devido ao estresse, também não há consenso sobre por que os trabalhadores estão estressados. O especialista sobre felicidade no trabalho, Alexander Kjerulf, da woohooinc.com acredita que o uso crescente de smartphones, laptops e o trabalho remoto são os responsáveis por isso.

– Está se tornando mais comum ter que checar mensagens e e-mails à noite – diz Alexander –, o que não é bom porque você não consegue relaxar e recarregar as baterias. Alguns sindicatos apoiam essa ideia, e a Associação de Advogados e Economistas Dinamarqueses informa que 50% dos seus membros trabalham quando supostamente deviam estar descansando.

O cenário das grandes empresas na Dinamarca também mudou. Nas últimas décadas, houve um aumento de 500% do número de trabalhadores estrangeiros altamente qualificados, de acordo com o Serviço de Imigração. Como esses assim chamados "imigrantes com formação" pagam altos impostos e chegam ao país no auge de sua vida produtiva e de sua saúde, eles causam um pequeno impacto no sistema de seguridade social e contribuem generosamente para os cofres nacionais. Isso aumenta a sensação de competição no ambiente de trabalho para os dinamarqueses – algo que também pode fazer os níveis de estresse aumentarem, de acordo com algumas das pessoas com quem conversei. É meio estranho cair no clichê "estrangeiros desgraçados, que vêm para cá roubar nossos empregos", mas nesse caso não posso negar que é o que acontece mesmo. E isso está deixando muitos dinamarqueses tensos.

E eles também têm expectativas altas em relação ao trabalho.

– Nós sabemos que nossos empregos são seguros e que há uma rede de segurança – me diz em off uma mulher que trabalha como gerente numa grande empresa —, então se eu não estou feliz no trabalho, penso "o que o meu chefe vai fazer em relação a isso?". Nós temos noção de que isso aqui funciona bem se comparado ao resto da Europa. Mas e se a situação não melhora? Bem, então pensamos que alguma coisa está errada. Conheço várias pessoas que foram colocadas de licença por estresse por causa disso.

Retomando a ideia de *arbejdsglæde*, a maioria dos dinamarqueses quer apreciar o trabalho que têm. Para muitos deles, um emprego não é apenas algo que você faz para ganhar dinheiro. Eles esperam muito mais. E isso faz deles funcionários exigentes. Na Lego, um espião me contou, houve um motim recentemente quando a empresa mudou o fornecedor de café.

– O quadro de mensagens ficou lotado – me diz meu agente secreto. – O cara que tomou a decisão de trocar o fornecedor de café foi execrado. As pessoas ficaram loucas! Há uma cultura do direito, isto é, de receber coisas boas porque eles têm esse direito já há muito tempo. Se não recebemos tudo o que esperamos do trabalho, as pessoas ficam deprimidas, ou pelo menos elas acham que estão deprimidas.

Outra teoria é que o estresse entrou na ordem do dia nos últimos anos. Pergunta-se isso com mais frequência às pessoas e então elas parecem mais propensas a pensar "ah, na verdade, sim, estou estressado". Estudos do Centro Nacional de Pesquisa sobre o Ambiente de Trabalho recentemente demonstraram que a preocupação com o estresse pode estar levando aqueles que respondem às pesquisas a relatarem que estão estressados mesmo que não estejam, fazendo com que muitos dinamarqueses ganhem uma dispensa por estresse como "medida preventiva".

Alexander, o papa da felicidade no ambiente de trabalho, tem uma outra hipótese.

– Não acho que haja mais estresse na Dinamarca do que em outros países. Só que cuidamos das pessoas melhor aqui – diz ele.

Os governos municipais conseguem financiar faltas ao trabalho de até um ano antes de sugerir uma redução da carga horária e oferecer aconselhamento para os dinamarqueses diagnosticados com estresse.

– Enquanto na Inglaterra e nos Estados Unidos vocês têm que aguentar firme, na Dinamarca o seu empregador e o seu médico vão ouvir se você disser que está estressado, e vão fazer tudo o que puderem para ajudá-lo.

– Então você está dizendo que os dinamarqueses são meio moles? – sugiro.

– Estou dizendo que somos cuidadosos – me corrige Alexander. – Queremos que as pessoas se sintam bem de novo, e aí sejam produtivas.

Isso começa a parecer plausível. A Dinamarca está no topo da lista de felicidade, motivação dos trabalhadores, equilíbrio entre vida pessoal e trabalho *e* produtividade. Tá legal, as coisas não são tão perfeitas, mas tenho certeza de que há muitas lições que podemos aprender desse equilíbrio entre vida pessoal e trabalho, no estilo dinamarquês.

Depois de outro dia duro na frente de pesquisa sobre a felicidade, me sirvo uma taça de vinho às seis da tarde, como remédio, e fico pensando se há um modo de aplicar os princípios do equilíbrio entre vida pessoal e trabalho dinamarquês à minha existência presa ao laptop. Abri mão de um bom emprego para vir para cá como freelancer – algo que a maioria dos habitantes da Jutlândia não consegue entender, e vários deles me perguntam a toda hora quando é que eu planejo arrumar um "emprego de verdade". Em vez de ser conhecida aqui pelo meu próprio nome, as pessoas se referem a mim como "a mulher de Lego Man". Meu trabalho parece ser a única coisa que ainda me define como "eu mesma", e não uma bonequinha amarela com um rabo de cavalo de encaixe. Meu trabalho sempre foi a minha identidade. Então a ideia de *trabalhar menos* é aterrorizante.

Entendo a coisa do "dinheiro não compra felicidade". Ao escolher ser jornalista, sei tudo sobre ter uma carreira que parece interessante, mas não vai me trazer fortuna, iates & champanhe (a menos que eu esteja cobrindo algum evento cheio de vips). Entendo que sucesso e felicidade devem ser medidos por algo mais do que o dinheiro. Que você pode trabalhar e trabalhar para ter equilíbrio financeiro e depois acabar gastando tudo, terceirizando sua vida, comprando de volta sua sanidade e mimando a si mesmo para continuar indo em frente. Guardadas as devidas proporções, é uma fórmula de vida bem simples: menos coisas novíssimas em folha = menos horas de trabalho = uma vida mais feliz.

Então por que eu acho tão difícil dizer não para o trabalho? Mesmo quando estou ocupada demais para respirar, comer, fazer xixi? Eu era assim também quando estava empregada, mas agora é pior. A maldição do trabalho como freelancer é nunca saber ao certo quando você vai receber um outro pagamento e quando não vai mais receber – de modo que me parece uma tolice tirar o pé do acelerador e não trabalhar mais à noite, nos fins de semana e naquelas horas solitárias e silenciosas da madrugada, quando você acorda por causa de um prazo final que está se aproximando. Mas isso também é parte do motivo pelo qual estamos aqui. Os médicos na Inglaterra nos advertiram de que o desequilíbrio entre vida pessoal e trabalho era provavelmente uma das razões por que eu não conseguia engravidar. E por ter passado os últimos dois anos entupida de hormônios e servindo de almofada de alfinetes nos mais variados tratamentos de fertilidade, eu tinha me prometido tentar relaxar um pouco mais aqui. E dar um tempo nessa história de fazer um bebê e trabalhar tanto, se eu conseguisse.

Se você trabalha muito, fica estressado, e aí fica doente e não pode mais trabalhar. As palavras de Ida, a deusa viking, voltam à minha cabeça enquanto tomo um outro gole de vinho (por acaso eu mencionei a parte do "fazendo uma pausa"? Sem julgamento.) Na taça número dois, estava me sentindo otimista. Cheia de confiança e de Beaujolais, movo o cursor do meu laptop até o alto da tela à esquerda. *Vou virar dinamarquesa*, penso. *Não vou ser mais escrava da minha caixa de entrada todas as noites.* São 18h25 na Dinamarca. Apenas 17h25 na Inglaterra. Trinta e cinco minutos antes dos editores-chefes dos jornais e revistas para os quais eu escrevia pensarem em desligar o computador. Um total de 2.100 segundos de e-mails, informações de última hora, prazos finais e tarefas a serem perdidos até amanhã de manhã. Isso presumindo que o pessoal de Londres vai sair do trabalho na hora, o que é pouco provável. Sentindo uma agitação típica da mistura de adrenalina e ansiedade, levo o cursor até "Desligar" e clico. Há um silêncio. O zumbido que tinha assumido que era parte de todos os eletrodomésticos da minha casa nova escandinava desaparece. As luzes de LED iluminam o nada. E o mundo não acaba.

Ninguém liga para o meu celular para me dizer aos berros que eu responda a um e-mail urgente. Ninguém lança um sinalizador lá de Londres que pode ser visto daqui da Jutlândia, me alertando sobre o fato de que meus serviços estão sendo requeridos. Nenhum bat-sinal pode ser visto sobre o Mar do Norte convocando meus conhecimentos. Percebo surpreendentemente que não sou, nem de perto, tão indispensável como penso que sou. Minha reação natural é entrar em pânico, com medo de que minha carreira vá se desintegrar daqui para a frente, e presumo que nunca mais vou trabalhar de novo. Mas aí tento respirar. E não bancar a completa idiota. E isso, acontece, é uma estratégia bem mais efetiva.

Tenho uma noite, apesar de trabalhar duras horas a mais do que a média dos dinamarqueses. Levo o cachorro para passear no bosque e me sinto fazendo parte da série *The Killing*, prestes a descobrir uma cova rasa a qualquer momento. Vejo tevê. *Converso* com o meu marido. A vida segue em frente. E de manhã? Fora um monte de e-mails oferecendo maneiras de aumentar minha virilidade e alguns lembretes de eventos, minha caixa de entrada está vazia. Lição número dois de como viver como os dinamarqueses aprendida.

O que aprendi neste mês:

1. Alguém ficou com a minha cota de peças Lego.
2. A Lei de Jante pode ser estranhamente libertadora.
3. Se vou ficar estressada em algum lugar, que seja na Dinamarca.
4. Não sou tão importante assim. Se eu fizer uma pausa, ninguém vai morrer. E isso é UMA COISA BOA.

3. MARÇO

O lazer & a língua

Agora que Lego Man e eu temos todo esse tempo livre, precisamos descobrir o que fazer com ele. Na Inglaterra, isso não seria um problema. Na Inglaterra, nós tínhamos uma vida social, muitos amigos e familiares que estávamos sempre querendo encontrar, mas não conseguíamos porque estávamos sempre muito ocupados. Agora temos tempo, mas não temos nem familiares nem amigos. Vamos à Inglaterra num fim de semana e vemos um monte de gente de uma vez só. Parece que somos uma espécie de convidados famosos, fazendo uma participação especial – somente uma única apresentação numa casa de espetáculos perto de você. Mas aí voltamos para No Meio do Nada e percebemos que temos que começar outra vez. Alguns dos nossos amigos da Inglaterra fazem planos para vir nos visitar. Alguns nos mandam provisões carinhosas de creme de ovos de Cadbury e revistas inglesas. Fico imensamente grata a todos eles. Mas ainda temos nove meses pela frente para viver como dinamarqueses, e não podemos ficar indo a Londres todo fim de semana para ter uma vida social além do Mar do Norte. Se queremos que essa experiência dê certo, vamos ter que sair, fazer alguns amigos dinamarqueses *de verdade* e encontrar coisas para fazer aqui mesmo.

– Então... E agora? – pergunta Lego Man. É quinta à noite e ele está agitado. Sei que ele está agitado porque acabou de guardar a louça recém-lavada, sem que eu pedisse, e está levando o candelabro dinamarquês assinado que ele tinha comprado de um lado para o outro da mesa da sala de jantar para ver onde fica melhor.

– O que você quer dizer com "E agora?"? – pergunto, levantando os olhos do livro que estou lendo e colocando o dedo no fim da frase que tinha acabado de ler para saber onde eu estava na página. Espero que aquela interrupção seja breve.

– Bem, tiramos a mesa, lavamos a louça, varremos o chão, levamos o cachorro para passear, assistimos a *The Bridge* e... são apenas sete da noite.

– E...?

– E..., o que vamos fazer agora?

– Ah, entendi. Por que você não lê alguma coisa? – aceno com a cabeça ligeiramente na direção da estante.

– Já fiz isso – diz ele, dando um tapinha na cabeça como se cada livro que temos estivesse memorizado em segurança dentro da cabeça dele.

– Certo... – e procuro por um marcador de página. *Acho que vai demorar um pouco.*

Desde que colocamos nosso foco nesse conceito estranho de equilíbrio entre vida pessoal e trabalho, Lego Man tem estado um pouco confuso. Ele parece um desses ganhadores da Loteria diante de uma vida de lazer e luxo que não sabem exatamente o que fazer. Como os dinamarqueses trabalham apenas 34 horas por semana, isso nos deixa com alarmantes 134 horas para preencher. Estou feliz em arrumar as coisas, ler e comer nesse tempo extra já há algum tempo, mas Lego Man, não. Ele também não acha que é "saudável" que eu fique enfurnada em casa o tempo todo.

– E então? – Lego Man está esperando pacientemente. – O que você acha que *eles* fazem?

– *Eles*?

– Os dinamarqueses. Quero dizer, de noite, quando chegam do trabalho?

– Não sei – confesso, me levantando do sofá e reparando que deixei uma marca profunda nele. Isso indica que eu já estava ali há um bom tempo. *Droga, talvez Lego Man tenha razão...* – Podemos perguntar por aí, eu acho – digo, com relutância. Acho que vou ser constrangida a fazer qualquer coisa que não seja ficar sentada no sofá, lendo. – Podemos descobrir o que as pessoas normais fazem, acho...

– Nós *somos* pessoas normais!

– As *outras* pessoas – me corrijo rapidamente. – Quis dizer as *outras* pessoas.

– Certo. É. Boa ideia. Vamos fazer isso.

E, então, no dia seguinte começo a investigar como as boas pessoas do nosso recém-adotado país preenchem o tempo livre a cada semana e se a busca pelo lazer tem um impacto nos níveis de felicidade. Usando meu novo agasalho com capuz, procuro a autoridade máxima no assunto, o sociólogo dinamarquês Bjarne Ibsen, para me inteirar um pouco sobre o lazer na Dinamarca e por que ele é algo tão importante por essas bandas.

– Os dinamarqueses, como todos os escandinavos, amam um clube, uma associação ou sociedade de algum tipo onde eles possam praticar um hobby – diz Bjarne. – Tudo começou com a ginástica artística.

– *Ginástica artística*?

Por essa eu não esperava.

– É, nós temos um longa tradição em ginástica artística na Dinamarca. Nós a consideramos algo muito bom para a saúde da sociedade depois da modernização da agricultura no século XIX...

Traduzo isso em termos leigos.

– Então os camponeses foram encorajados a dar saltos mortais e cambalhotas e tudo o mais?

– Acho que eles chamam de rolamento para a frente – murmura Lego Man enquanto vasculha na bagunça sobre a escrivaninha procurando os óculos.

– Me desculpe, *rolamentos para a frente*. Mas por que ginástica artística?

– Bem... – continua Bjarne – é uma forma de exercícios que pode ser praticada tanto do lado de dentro como do lado de fora, e você não precisa de nenhum equipamento especial. Tem mais a ver com a calistenia do que com qualquer aspecto competitivo. "Esporte para todos" se tornou um objetivo das sociedades escandinavas do pós-guerra – me diz ele.

Isso me parece maravilhosamente válido. Estudos comprovam que o exercício moderado diminui o risco de depressão e aumenta a saúde mental a longo prazo. Então ser ativo e sair de casa também contribui para os níveis de felicidade dos dinamarqueses? Bjarne acredita nisso.

– Isso definitivamente tem um impacto positivo nas pessoas – diz ele. – Tudo começou com os clubes para a prática de esportes, mas hoje em dia existem grupos para todo tipo de coisa.

O governo dinamarquês tem um longa tradição de apoiar sociedades de hobbies, oferecendo sedes e instalações grátis bem como subsídios para os que querem começar uma associação ou se juntar a uma e têm menos de 25 anos. As municipalidades, que podem ser comparadas aos nossos estados, também fornecem as instalações sem custo para os que têm mais de 25 anos. Existem aproximadamente 80 mil associações na Dinamarca e em torno de 90% dos dinamarqueses são membros de alguma sociedade, e o dinamarquês é, em média, membro de 2,8 clubes. Bjarne me fala que eles têm um ditado aqui: "Quando dois dinamarqueses se encontram eles formam uma associação."

– Formamos associações para coisas que nem mesmo precisam de uma associação. E porque há uma grande cultura do consenso e os dinamarqueses não gostam de conflito, se há o menor desentendimento numa dessas associações, nós normalmente nos dividimos em grupos menores.

– Algo como grupos de lazer dissidentes?

– Exatamente.

Ele me conta que na cidade de Rønne, em Bornholm, a pequena ilha na costa da Zelândia, começaram um clube de patins, mas os organizadores não chegaram a um acordo quanto às regras do clube.

– Então eles se dividiram – diz Bjarne – e agora existem dois clubes de patins na cidade.

– E por que os dinamarqueses são tão entusiastas em relação aos clubes? – pergunto.

– É que isso se adéqua aos ideais dos países escandinavos de unidade, harmonia e igualdade. A teoria é que fazer parte de um clube ajuda você a ser uma pessoa ativa, envolvida na vida da comunidade e com um senso de responsabilidade pelo coletivo. E isso é importante para fortalecer a confiança na sociedade. Há várias pesquisas que mostram que fazer parte de um clube ajuda a desenvolver a confiança nos outros e nos encoraja a levarmos uma vida mais interligada e associativa, o que é bom para nós e nos faz mais felizes.

Os clubes na Dinamarca também transcendem qualquer barreira social, como Christian, o especialista em felicidade, já tinha me dito antes de eu iniciar minha busca. Todos são considerados iguais num clube ou sociedade dinamarquesa, de modo que você pode encontrar um CEO jogando futebol com um faxineiro.

Já ficou provado que os hobbies aumentam os níveis de bem-estar e pesquisas feitas pelo Instituto Australiano de Felicidade mostraram que ter um passatempo que não esteja relacionado ao trabalho também melhora a qualidade de vida, a produtividade e a probabilidade de uma carreira de sucesso. Portanto dinamarqueses inteligentes combinam paixões pessoais e profissão com um sentimento de comunidade, fazendo parte de um clube ou associação. E ter um senso de pertencimento e um círculo social ideal faz os dinamarqueses ainda mais felizes. Pergunto a Bjarne se ele faz parte dos dinamarqueses felizes que têm um hobby e ele me diz que sim. E que nota ele se dá de zero a dez?

– Nove.

Determinada a experimentar uma fatia de toda essa atividade feliz, começo a tentar estabelecer quais seriam as minhas opções, em termos de hobby, em No Meio do Nada. Os senhores Barbados não deram mais as caras depois de nossa altercação a respeito das lixeiras de coleta reciclada, mas a mulher que mora na casa ao lado acena para mim um tanto amigavelmente quando nos encontramos na rua. Ela se parece muito mesmo com a detetive Sarah Lund, de *The Killing*, mas até agora só a vi num casaco que parece um edredom e que a faz parecer uma lagarta, de modo que ainda não descobri se ela usa os mesmos suéteres da personagem. Semana passada, tentei dar um *Hej!* ("Oi" em dinamarquês) e me senti desproporcionalmente animada quando ela me retribuiu o cumprimento. Nós então tivemos uma conversa rápida, em inglês, sobre de onde éramos e o que diabos estávamos fazendo em No Meio do Nada, e fiquei sabendo que Vizinha Simpática era da Grande Cidade de Aarhus na Jutlândia, que era solteira, tinha 40 anos e era apaixonada por cadeiras de design (como todos os dinamarqueses, ao que parece). Hoje levo as coisas adiante.

– Então, hã..., o que você faz nas horas de lazer? – começo, e isso soa como se eu estivesse tentando dar em cima dela. Essa não é a minha intenção, então tomo um outro caminho. – Você é sócia de algum... hã... *clube*? – pergunto naturalmente.

– Ah, claro – responde ela. – Faço tai chi, handebol, caça e aulas de ginástica normais, no intervalo dessas práticas, e também zumba, claro. – *Claro*. – E você? O que você faz?

– Beeemmm... – digo, tentando fazer a palavra ser o mais longa possível para ganhar algum tempo antes de admitir: – Ainda não me inscrevi em nada...

– Ah... – e ela olha para mim como se eu tivesse acabado de dizer que não uso fio dental (eu uso, PSC). – E o que você fazia em Londres?

– Hã...

Passo em revista a última década. A única atividade extracurricular que me lembro de se adequar a um trabalho exaustivo e a uma agenda social intensa nos últimos doze anos é uma aula de desenho com modelo vivo que Lego Man e eu frequentamos em 2009. Era parte das nossas otimistas resoluções de Ano-novo de "nos tornarmos melhores", mas os resultados foram mais do que decepcionantes. O negócio acabou numa apresentação dos nossos trabalhos numa galeria pop, onde fiz uma das modelos chorar porque o retrato que eu tinha feito fazia ela estranhamente se parecer com Noel Edmonds, um apresentador de tevê inglês que tem um cabelo esquisitíssimo (se você não conhece, dê uma olhada no Google). (Eu: "Honestamente, não sei como isso aconteceu, eu nunca conseguiria desenhar o Noel Edmonds nem se tentasse. Veja." Tentei. E não consegui. Mas isso não ajudou muito, não sei por quê.) Lego Man desenvolveu um certo estilo de fazer gravuras de partes púbicas, mas não era tão bom assim para rostos e mãos, que sempre terminavam parecendo ferramentas de jardinagem. Paramos de ir às aulas depois de cinco semanas.

– Bem – digo à minha vizinha –, nós dois trabalhávamos muito em Londres. Muito mesmo.

– Certo. E você já se inscreveu nas aulas de dinamarquês?

Droga! Eu sabia que tinha alguma coisa que eu devia estar fazendo em vez de ficar deitada com um livro do Ian McEwan todas as noites.

Tínhamos recebido a nossa documentação oficial já há várias semanas e eu ainda não tinha me inscrito para aulas noturnas, generosamente financiadas pelo governo para todos os imigrantes por até três anos. ("Mas tenho certeza de que não vamos precisar de tanto tempo assim!" Lego Man e eu rimos quando enviamos o formulário de inscrição eletrônico. Tolinhos.)

– Está na minha lista de coisas para fazer. Vou ligar para lá esta tarde.

Corro para avisar a Lego Man que nós temos nosso primeiro compromisso de lazer. Um estudo da Universidade de Edimburgo sugere que aprender uma segunda língua tem um efeito positivo no cérebro e, embora não haja prova concreta de que isso vá nos deixar mais felizes, parece que é algo que devíamos estar fazendo para tentarmos nos integrar e entender mais dos segredos de viver como os dinamarqueses. Então nos inscrevo na aula, determinada a dar uma chance.

O centro de língua local tem aulas noturnas duas vezes por semana, então numa terça-feira fria e escura (surpresa!) iniciamos a lição um. E o nosso começo não é nada brilhante.

– *Hvor hedder du?* – fala uma mulher magra com cabelos muito compridos, com se estivesse latindo.

– Ah... Oi, viemos para a turma de dinamarquês para iniciantes...

– *Hvor hedder du?* – insiste ela.

– Desculpe, essa é a nossa primeira aula. Deixe eu ver aqui uma coisa... Estamos na sala certa?

– *HVOR HEDDER DU?!* – disse a mulher estranha, agora gritando.

– Desculpe – murmuro num fiapo de voz —, não sei o que isso significa. É... dinamarquês?

Nossa, eu sou um gênio mesmo...

A estranha mulher muito magra começa a gritar outras frases:

– *HVOR KOMMER DU FRA? HVOR ARBEJDER DU? HVOR GAMMEL DU? ER DU GIFT? HAR DU BØRN?*

Quando gotas de suor de pânico descem pelo meu pescoço, sou levada de volta ao gabinete da diretora em 1994, onde tomava broncas homéricas.

Por fim, uma mulher ucraniana fica com pena de nós e explica que a professora está perguntando o nosso nome, de onde éramos, onde trabalhamos, quantos anos temos, se somos casados e se temos filhos.

Uma boa parte de mim quer gritar para a professora "Não é da porra da sua conta!", mas em vez disso tento ser razoável:

– Como eu disse, ainda não tivemos nenhuma aula, então sinto muito, mas não entendi o que você estava me perguntando e não sei como responder em dinamarquês...

Mas Professora Ruim me ignora e, em vez disso, se vira e começa a escrever frases soltas num quadro branco em letras maiúsculas vermelhas histéricas.

– Acho que ela está nos testando – sussurra a ucraniana.

– O quê?

– Acho que está examinando nossos conhecimentos. Para saber em que nível devemos entrar.

A ucraniana claramente está entendendo bem mais do que nós.

Nós terminamos numa sala com alguns poloneses, a mulher ucraniana gentil e meia dúzia de moças das Filipinas. Ucraniana Gentil trabalha numa *fiskefabrik*, uma fábrica de processamento de peixe. Todos os poloneses são faxineiros e faz-tudo em hotéis e as moças filipinas trabalham como *au pair*. Não posso deixar de ficar surpresa com isso.

– Ué, todo mundo não é igual na Dinamarca? Será que os dinamarqueses não podem fazer sua própria faxina e cuidar de suas próprias crianças? – murmuro para Lego Man durante o intervalo.

– Pensei nisso também – admite ele.

Mas ao que parece a promessa da qualidade de vida na Dinamarca tem tanto apelo para os nossos colegas de classe poloneses e ucranianos quanto para nós. O suficiente, na verdade, para superarmos todos as dificuldades da transferência, da mudança de emprego e de estar longe da família e dos amigos. Uma das moças filipinas nos conta que ela e suas amigas ganham mais na Dinamarca como *au pairs* do que ganhavam em seu país como enfermeira, fisioterapeuta e psiquiatra respectivamente. É interessante estar num grupo com pessoas que nós normalmente nunca teríamos conhecido, e descubro que ser imigrante é uma experiência de humildade. Fico com vergonha pelo fato de os meus colegas de classe todos falarem um inglês perfeito, quase no mesmo nível de suas línguas maternas, e um pouco de outras línguas também, quando tudo o que conseguimos fazer é perguntar onde fica a estação de trem mais próxima em francês. Parece que a tentativa de monoglotas de 30 e tantos anos de aprender uma nova língua não é brincadeira, não. E sutileza é tudo.

Quando a professora nos pergunta se estamos praticando dinamarquês no nosso tempo livre, respondo:

– Estou assistindo a uma série de tevê para me preparar para a aula, *The Killing* – digo bem alto.

Ela parece confusa.

– *Killing*... – tento de novo, dessa vez mais devagar.

Ela parece ainda mais confusa então tento uma outra pronúncia. Guia dos falantes de inglês para aprender línguas estrangeiras, lição nº 3: na dúvida, tente dizer a mesma coisa com um sotaque diferente (a lição nº 1 é diga mais alto, e lição nº 2, diga mais devagar).

– *Kooling*? – tento novamente. Ela me olha em dúvida. Tento mais uma vez: – *Kelling*!

As sobrancelhas da professora se levantam como se fossem um chapéu pontudo e vão parar perto do cabelo dela.

– Ou talvez não... – murmuro, quando Lego Man começa a procurar no Google Tradutor. Ucraniana Gentil também folheia seu dicionário de dinamarquês e intervém.

– Acho que já entendi o que não está dando certo. Veja – e ela aponta, cheia de esperança, para as entradas no dicionário e lê em voz alta: – *Killing* significa "gato". *Kylling*, cuja pronúncia é *kooling*, significa "galinha" e *kælling*, que se pronuncia *kelling*, significa...

Ela hesita.

– O quê? – pergunto, tentando ler, por cima de seu ombro, o que está escrito no dicionário, mas o polonês que está sentado ao lado dela se adianta.

– Significa "piranha" – lê ele, rindo, e sinto minhas bochechas ficarem vermelhas.

Excelente. Estamos na primeira semana de aulas e já chamei minha professora de piranha. Fico excepcionalmente quieta o restante da aula, mas aprendo outras palavras surpreendentes, como, por exemplo, que *slut* significa "fim" ou "terminado". Como *slut* em inglês significa "vadia", fico aliviada em saber que a máquina de lavar não está me xingando quando para e fica piscando para mim a palavra *slut* em letras vermelhas brilhantes.

A língua pode dizer muito sobre um país, e aprendemos que há um vocabulário extensivo para descrever o tempo na Dinamarca, mas não há nenhuma palavra para *por favor*. Consigo controlar a vontade de rir das expressões *fart kontrol* (que quer dizer apenas "limite de velocidade", mas como *fart*, em inglês, é "peido"...) e *slut spurt* ("liquidação de encerramento das atividades", mas como *slut* é "vadia" em inglês, a expressão para mim soa algo como liquidação de vadias, e fico imaginando a cena). Ou quando descubro que a palavra em dinamarquês para mamilo, *brystvorte*, significa "verruga do peito" e que *gift* significa "casado" – em inglês é "presente" ou "dávida" –, mas também "veneno".

– Faz todo sentido – comenta outro polonês, que está passando por um divórcio complicado.

Estou preocupada sobre como fazer essa língua, que é considerada a nona mais difícil do mundo segundo a Unesco, entrar na minha cabeça. Na esperança de que alguém me diga que isso é realmente possível, procuro Søs Nissen, vice-diretora do Centro de Linguagem de Kolding, na Jutlândia. Com óculos quadrados, no estilo escandinavo, um suéter prateado brilhante e cabelos curtos com gel, ela parece mais uma coruja glamourosa. Tento explicar minha situação delicada e resisto à vontade de dividir com ela minhas observações sarcásticas.

– Acho que não sou muito boa nessa coisa de aprender línguas estrangeiras. Não consigo entender nem falar as palavras direito em dinamarquês – digo. – Você acha que algum dia vou conseguir?

Søs me oferece um lugar para sentar e me diz que isso nunca vai ser fácil.

– O maior problema que os nativos de língua inglesa enfrentam é que temos nove vogais em dinamarquês, e os estrangeiros frequentemente não conseguem ouvir ou pronunciar as diferenças entre elas.

– Descobri isso do jeito mais difícil – conto a ela, explicando o caso da galinha/gato/piranha.

– Ingleses e americanos precisam exercitar alguns músculos específicos para se conscientizarem da forma que estão fazendo com suas bocas, principalmente no som do nosso "g" e "r". É a mesma coisa que aprender futebol e piano. Você tem que treinar isso fisicamente, e repetir e repetir. Você não pode apenas ler sobre o assunto e tentar entender observando outras pessoas.

Fico sabendo de algo deprimente: apenas 20% dos nativos de língua inglesa que se mudam para a Dinamarca conseguem dominar o dinamarquês.

– Mas é possível – insiste Søs. – Você só precisa praticar mais. Uma das razões pelas quais os nativos de língua inglesa têm tanta dificuldade com a nossa língua é que a maioria dos dinamarqueses fala inglês. Nós não estamos acostumados a ouvir alguém falar dinamarquês com um sotaque diferente, isso é estranho para nós. Se encontramos um estrangeiro, nós nos habituamos a falar alemão, inglês ou espanhol com ele.

– E por que os dinamarqueses são tão bons em línguas estrangeiras?

– É que nós temos uma tradição muito forte de ensino de línguas aqui – diz ela simplesmente. – Aprendemos inglês na escola a partir do terceiro ano (mais ou menos por volta dos 8 ou 9 anos de idade) e os filmes estrangeiros e programas de tevê são legendados, e não dublados em dinamarquês. Isso tudo favorece a presença das línguas estrangeiras, especialmente o inglês, no dia a dia dos dinamarqueses – explica Søs. – Se você é dinamarquês e ninguém no mundo entende sua língua fora do seu minúsculo país de 5,5 milhões de pessoas, então fica claro que você tem que aprender uma outra língua. Mesmo meu pai, que tem 90 anos, fala inglês e alemão fluentemente.

Ah, que ótimo, penso. *Um homem de 90 é linguisticamente melhor do que eu...*

– Aprender uma língua estrangeira mantém nosso cérebro ativo e nos desafia. Há uma sensação de realização quando se continua aprendendo coisas ao longo da vida.

Estudos mostram que isso também pode ajudar os dinamarqueses no seu caminho para o primeiro lugar no quesito felicidade. Continuar a estudar ao longo da vida ajuda a aumentar o equilíbrio mental e a autoconfiança, dá um senso de propósito e faz você se sentir em conexão com outras pessoas, de acordo com o Departamento Nacional de Estatística.

Søs me diz que os dinamarqueses gostam tanto de aprender que muitos aposentados passam o inverno aprendendo espanhol ou italiano em aulas noturnas só para poderem pedir uma cerveja e passear no verão.

– Nós gostamos de estudar e gostamos de viajar, então essa é a combinação perfeita. Tenho a impressão de que os nativos de língua inglesa não estão acostumados a aprender línguas estrangeiras e também de que não existe nos Estados Unidos e na Inglaterra essa cultura de aulas noturnas.

Digo que ela está certa, mas não menciono o incidente do retrato de Noel Edmonds na aula de desenho.

– Você deve tentar se divertir com aprender – diz Søs. – Isso é o que faz você continuar indo às aulas. Vai ajudar se você interagir socialmente com mais dinamarqueses. Entre para algum clube, é uma excelente maneira de melhorar seu dinamarquês.

Será que ela andou conversando com a minha vizinha?, me pergunto. *Será que eles fazem um lobby pelos hobbies na região rural da pequena Jutlândia?* Tento virar o jogo e pergunto a Søs o quanto praticar atividades extras e continuar aprendendo coisas a deixam feliz.

– O quanto eu sou feliz? De zero a dez? Eu diria que oito – e sinto um certo alívio de que ainda haja espaço para aprimoramento. Não posso acreditar que aulas noturnas façam alguém *tão* feliz assim. Mas aí ela se corrige: – Ou talvez, na verdade, eu seja mesmo um dez.

– Dez?

Como isso é possível?!

– Bem, pensando sobre isso agora, acho que não consigo pensar numa maneira de ser mais feliz – me diz ela. E fico me perguntando se isso é porque ela já domina o que, estou começando a suspeitar, é a língua mais difícil do mundo. – Continue praticando o seu dinamarquês que você chega lá! – afirma ela, como uma pérola final de sabedoria de coruja antes que eu saia correndo do seu escritório.

– Ao que parece temos que entrar para um clube para realmente tentar viver como dinamarqueses – digo a Lego Man no caminho para casa. Ele faz que sim com a cabeça e pensa por alguns instantes sobre os vários hobbies que poderíamos ter.

– Que tal um clube de bike? Nós já temos bikes – lembra ele. – Sei que a gente não usa muito... – e estou prestes a protestar, dizendo que isso não é verdade quando me dou conta de que, na última vez em que coloquei o capacete para andar de bicicleta, George W. Bush ainda estava na Casa Branca e jeans *boot-cut* estavam na moda – ...mas vamos nos lembrar como é rápido – continua ele, entusiasmado. – Você não conhece aquela expressão? É como andar de bicicleta...

– Porque andar de bicicleta é como *andar de bicicleta!*

– É isso aí! E, além do mais, a Dinamarca é famosa pelas suas bikes.

Ele está certo. Andar de bicicleta aqui é praticamente uma religião, não importa a idade ou a ocupação. A Dinamarca tem 12 mil quilômetros de ciclovias e os dinamarqueses andam de bicicleta debaixo de chuva ou granizo. O governo recentemente lançou uma Estratégia Nacional para o Ciclismo para fazer ainda mais dinamarqueses andarem de bicicleta. Os dinamarqueses são tão obcecados por bicicletas que você pode optar por um carro fúnebre que não é um carro, mas sim um triciclo, para o seu último passeio na vida. De todas as pessoas que se deslocam para ir ao trabalho aqui, metade delas vai de bicicleta, e a revista *Forbes* recentemente relatou que com tantos ciclistas o país economiza 20 milhões de coroas (ou 34 milhões de dólares) por ano e evita a poluição do ar, acidentes e engarrafamentos. Existem também faixas de segurança por onde você pode voltar para casa de bicicleta depois de uma taça de vinho, e os táxis são obrigados a ter um rack para transportar bicicletas para levar você e sua bike para casa em caso de duas taças. Ou uma garrafa. Isso me parece de uma civilidade fora do comum. Como os dinamarqueses vão de bicicleta para todos os lugares, o carro deixou de ser um símbolo de superioridade e status social, e diretores de empresas e lavadores de prato ficam parados, lado a lado, com suas bicicletas no sinal vermelho, a caminho do trabalho. Não há nenhum estigma social em andar de bicicleta, e essa é uma outra forma de igualdade na Dinamarca. De acordo com um relatório publicado no *Environmental Health Perspective Journal*, andar de bicicleta por trinta minutos diariamente aumenta a expectativa de vida de uma pessoa em catorze meses em média. E um estudo da Escola de Medicina de Harvard descobriu que andar de bicicleta incrementa o bem-estar cognitivo também. Não é de se admirar que os habitantes de Copenhagen pareçam todos tão atraentes e confiantes.

Os ciclistas dinamarqueses, pelo que consegui apurar, andam de bicicleta durante a semana com qualquer roupa que estejam usando. Mas, nos fins de semana, eles vestem bermudas e camisetas de lycra e carregam uma garrafinha com alguma bebida que reponha rapidamente o açúcar, em caso de uma emergência. Prometo a Lego Man que vou dar uma chance às bicicletas, mas digo que prefiro usar roupas comuns mesmo nos fins de semana.

– Não quero ficar igual ao Lance Armstrong.

– Como assim? Você não quer tomar hormônio e aparecer na Oprah?

– Estou falando de usar bermudas com gel na bunda – explico. – Só vou andar de bicicleta se puder usar roupas normais, algo que não pareça, nem faça eu me sentir, como se eu tivesse sujado as calças.

– Tá bom – diz Lego Man, levantando as mãos e me olhando como quem diz “problema seu”. Minutos depois eu o vejo comprando um macacão de lycra na internet.

No fim de semana seguinte, Lance e eu saímos para andar de bicicleta. Eu, meio desequilibrada numa bicicleta híbrida de passeio, que é bem mais bonita do que me lembro; Lego Man, numa *mountain bike* incrementada que eu não tinha ideia de que estava guardada no nosso galpão.

Nosso passeio inaugural até os campos dinamarqueses começa bem, até que um fazendeiro acena para nós do seu trator para dizer que nossos faróis dianteiros não eram do tipo certo. Ele nos diz isso em dinamarquês primeiro, depois suspira, revira os olhos e se dá conta de que vai ter que interagir com dois ingleses estúpidos que ainda não conseguem falar sua língua materna, apesar de aulas intensivas às expensas dos contribuintes. Pelo menos, é isso que suponho que ele esteja pensando.

– Faróis dianteiros certos? – pergunto, sem acreditar. – É meio-dia. O sol está... – eu ia dizer “brilhando”, mas isso não é exatamente verdade, então reformulo – ...não vai se pôr tão cedo!

– Não importa – diz ele, balançando a cabeça. – Essa é a regra.

Tinha impressão de que qualquer tipo de farol mostrava que você era um ciclista responsável. Quando eu era criança, tudo o que tínhamos nas nossas bicicletas eram faixas reflexivas que ganhamos num posto Texaco e pás de plástico que vinham na embalagem de cereais Kellogg's para colocar no aro da roda e fazer barulho, alertando os pedestres da nossa passagem. E sobrevivemos. Claro, com alguns cortes e arranhões e um braço quebrado particularmente doloroso. Mas estou fugindo do assunto.

– Você têm que ter faróis dianteiros e traseiros emitindo um facho de luz intermitente para frente e para trás – e Fazendeiro Intrometido faz um gesto com as mãos para reforçar a informação, e aquilo acabou parecendo uma dancinha egípcia, com uma das mãos apontando para um lado e a outra, para o outro. – Os faróis devem ser instalados com uma pequena inclinação, para evitar que os ciclistas e motoristas vindo no sentido contrário fiquem cegos pela luz – continua ele —, e as luzes não devem... – faz um gesto com uma das mãos, apontando para a minha bicicleta – ser *frouxas*.

Eu me senti ofendida pela minha bicicleta.

Lego Man assegura a Fazendeiro Intrometido que vamos verificar tudo isso o mais rápido possível, mas o homem ainda não terminou. Ele volta sua atenção para a bicicleta do meu marido.

– A lâmpada do farol deve ter 120 flashes por minuto!

– Oi?!

Existem regras sobre a frequência com que os faróis intermitentes, adequadamente instalados, corretamente posicionados, padrão dinamarquês, devem piscar? E se, por acaso, cruzarmos com um texugo epilético?

Fazendeiro Intrometido, doido para encher a paciência de todos os ciclistas amadores (suponho), dá de ombros:

– É a regra aqui *na Dinamarca*.

Ele diz as últimas duas palavras como se quisesse deixar claro que ele não tinha certeza de com que tipo de padrões de segurança para o ciclismo estávamos acostumados no nosso país, mas que aqui eles gostam das coisas bem-feitas.

– Certo. Tá bom. Vamos providenciar tudo isso. Obrigado.

Vamos em frente, mas até Lego Man sente que aquilo azedou um pouco o nosso passeio. Depois de uma hora, estou com frio, minha calça de ioga está manchada de óleo e minha bunda está doendo.

– Da próxima vez é melhor você usar uma bermuda de ciclista – diz Lego Man quando desço da bicicleta, andando de um jeito esquisito. – Elas têm um acolchoado muito bom. Posso comprar uma de presente de aniversário para você.

Não digo nada, horrorizada por ele achar que um traje esportivo apropriado é um presente aceitável para alguém que você ama. Lego Man entende o meu silêncio como encorajamento.

– Li sobre uns modelos novos que previnem escoriações na pele e são antibactericidas. E antifungicidas também...

Olho para ele com raiva. Lego Man fica confuso e então, sentindo que não estou lá muito contente, tenta uma última cartada.

– E têm tiras antiderrapantes....

– Nossa, que maravilha! – digo. – Acho que vou deixar esse negócio de andar de bicicleta pra você, tá? Não tenho certeza de que entrar num clube de bike vai ser bom para mim. Além disso, quero um presente de aniversário decente, por favor.

Entro em casa, andando como John Wayne. Lego Man não discute e começa a procurar uma outra opção de hobby (e, espero, coisas incríveis para me dar de presente).

– Natação! – anuncia ele, balançando o Ipad na minha frente uma hora depois. – Você sabia... – ele lê algo na tela do tablet, segurando-o com ambas as mãos com se estivesse lendo um discurso muito importante – que nadar apenas vinte minutos por dia faz o corpo liberar endorfinas que produzem uma sensação de euforia? Isso aumenta o bem-estar e faz você ficar animado e contente.

Lego Man sabe que sou facilmente influenciável por essas informações relacionadas à saúde.

– É mesmo? – pergunto.

– É. O que você acha? Tem uma piscina bem perto daqui – e ele faz um gesto que indica que a piscina fica, na verdade, fora de No Meio do Nada. – Existem equipes e horários noturnos e podemos fazer uma aula experimental, você sabe, para ver se a gente gosta. Na verdade, eles têm uma aula de natação só para adultos hoje à noite.

Lego Man está transbordando de entusiasmo. *De novo*. É exaustivo.

– Acho que já estou bastante dolorida para um dia só – começo.

– Mas nadar... – ele passa os dedos na tela para aumentar a imagem e me mostra a piscina local no site – pode ajudar. Pense em toda aquela água quentinha. E lá tem sauna também. Isso ajuda os músculos a relaxarem.

Bom, você já sabe o que vem em seguida. Nós vamos.

Algumas horas depois, entramos num centro de lazer grande e cheirando a cloro. Compramos dois passes para a piscina e a recepcionista sorri para nós, antes de acrescentar com um tom de voz muito animado:

– Tenham uma ótima noite!

...

– O que isso quer dizer? – sussurro, enquanto nos afastamos da recepção.

– Ela só estava sendo simpática – diz Lego Man, não muito convencido da própria resposta.

Abrimos uma porta para a área de *bad*, ou seja, de banhos, e começo a sentir uma vibração no chão. *Estranho*, penso, mas continuo andando. À medida que nos aproximamos dos vestiários, ouvimos uma música.

– Essa música... está vindo... dali – aponto.

– Da piscina?!

– Parece.

– Hein?!

Continuamos andando em silêncio até que Lego Man diz:

– Estão... tocando... *Barry White*?

Paramos e ouvimos.

– Acho que é, sim.

Fomos cada um para um lado para nos trocarmos, e me deparo com um vestiário comunitário austero, com chuveiros decorados com ilustrações, fixadas nas paredes, das áreas do corpo que devem ser bem esfregadas, sem roupa de banho, antes de se entrar na piscina. (Cabeça, axilas, virilhas e pés, no caso de você estar se perguntando aí quais são). Estou meio que esperando que uma inspetora de piscina apareça e fique me olhando no chuveiro, avaliando se estou fazendo tudo corretamente, mas consigo terminar a esfregação sem nenhuma supervisão. *Pelo menos, nossos colegas, os outros nadadores, vão estar bem limpinhos também*, consolo a mim mesma.

Depois de esfolar minha epiderme, abro uma porta de vaivém e saio ao lado da piscina. Para minha surpresa, vejo um mar de corpos à luz de velas, se movimentando lentamente ao som de “Love Serenade”, do álbum *The Walrus of Love.*

– Ai, meu Deus... – murmuro.

– Ah, merda... – sussurra Lego Man, surgindo ao meu lado e parecendo meio pálido.

– Aquele negócio de aula para adultos... – falo deliberadamente em voz baixa – O que exatamente estava escrito no site?

Escuto ele engolindo em seco.

– E então?

– Acho que...

– Sim?

– Acho que estava escrito, na verdade, agora é que estou pensando, “noite para *maiores de 18 anos*”.

– Ah, certo.

– Desculpe.

– Então, quer dizer que você me trouxe para uma espécie de suruba da década de 1970 na piscina?

– É o que tá parecendo.

– Que maravilha!

– Bem, já que estamos aqui...

Lego Man é um cara prático. Como já estávamos ali, por que não ir nadar? Então entramos na piscina e tentamos dar algumas voltas, mas temos que ficar desviando dos casais se agarrando.

– Aquele sistema de mão e contramão foi para as cucuias – digo a Lego Man, entredentes, com a boca cheia daquela água suspeita.

– Mão e contramão? Do que você está falando?!

– Ué, daquele negócio, ir por um lado e voltar pelo outro. Não sou uma nadadora habitual, não sei se deu para reparar. Como é que se chama aquilo, "nadar em círculos"?

– Ah, é rodar na raia. Mas... – ele tira os óculos de natação e aperta os olhos para enxergar – parece que o pessoal está se pegando firme lá do outro lado, então é melhor a gente ficar por aqui mesmo, por enquanto.

Tento dar mais umas braçadas, mas de novo esbarro num casal apaixonado, se lambendo ao som de "Sexual Healing", de Marvin Gaye.

Pensamos então em ir relaxar na parte mais rasa, mas quando chegamos perto, um grupo de jovens contrariados se endireitam e levantam as mãos acima da água, tirando-as de onde quer que elas estivessem antes.

– Ah, meu Deus... Que tal deixarmos isso para outro dia? – pergunto a Lego Man, cheia de esperança.

– Você leu meus pensamentos agora.

Ele sai da piscina mais rápido do que uma foca de espetáculo e já está quase chegando aos vestiários enquanto eu ainda estou contornando um casal de sexagenários que não queria de jeito nenhum "ficar na seca" (calma, gente, tem bastante água aqui).

– Vocês já estão indo embora?! – pergunta a recepcionista quando apareço toda molhada e desarrumada.

– Pois é. Já tivemos muita animação por hoje – murmuro, passando por ela.

E ela se dirige a Lego Man que, meio constrangido, está dando uma olhada nos folhetos sobre as aulas de aeróbica na água, esperando por mim.

– Há uma noite de relaxamento só para homens na próxima segunda, com degustação de cerveja, churrasco de carne de porco, sauna seca e a vapor. Por apenas 199 coroas [algo em torno de 34 dólares]. Você gostaria de se inscrever? – pergunta ela, oferecendo a ele uma prancheta com uma caneta amarrada num barbante.

– Hã... Não. Desculpe, mas não vou poder – afirma ele e sai pela porta giratória da entrada do centro de lazer o mais rápido que consegue.

– E no domingo? – grita ela da recepção enquanto estamos saindo daquele lugar. – No domingo temos a noite de nudismo em família...

– Hum... Acho que já temos compromisso. Mas obrigada mesmo assim – respondo educadamente enquanto Lego Man abre a porta do carro. Dou uma corridinha sexy para alcançá-lo e saímos do estacionamento cantando pneus.

Meio sem saber o que fazer depois dessa experiência, começo a "semana do hobby" decidida a tentar um diferente a cada noite e depois, no fim da semana, escolher qual deles queremos praticar. Espero que isso também possa ser uma boa maneira de conhecer pessoas e fazer alguns amigos de verdade.

Lego Man diz que vai cooperar, fazendo uma lista de hobbies que tenham a ver com mar, já que vivemos perto dele agora. O país que escolhemos para viver, descubro, é composto de 406 ilhas (muito mais do que a Grécia – guarde essa informação para quando você participar de um quiz) e 7.314 quilômetros de costa, de modo que nunca se está a mais de cinquenta quilômetros do mar. A vela é o esporte olímpico no qual a Dinamarca conquistou mais medalhas, e os dinamarqueses também adoram caiaque, windsurf, esqui aquático e nado no mar.

– Em março?! – pergunto, desconfiada, puxando as mangas da camisa do meu pijama até as mãos para aquecê-las.

– Aparentemente durante todo o ano – diz ele. – O clube me informou que 20 mil dinamarqueses nadam no mar durante o inverno, mesmo quando a água está congelada na superfície.

– Como isso é possível?

– Não sei – admite ele, meio nervoso. – E espero não ter que descobrir.

Depois de me informar por telefone, me incentivar e de rezar para que alguma das minhas aptidões me credenciasse a fazer parte de alguma coisa, consigo reunir uma série de atividades para a semana. No fim da semana, meu diário está mais ou menos assim:

- Segunda-feira: Voleibol seguido de handebol com estrangeiros que vieram da terra de Tio Sam (e que conheci depois que ouvi eles falando em inglês no supermercado e fiquei andando atrás deles). Aula de aeróbica dupla, cheia de adrenalina, com poucos resultados. Minha coordenação motora não evoluiu desde que eu tinha 11 anos, quando desisti de praticar esportes porque todas as atividades eram depois da aula e no mesmo horário da minha série favorita de tevê. Pulso aberto no vôlei, e dedos torcidos no handebol. Nenhum dos técnicos ficou entusiasmado para me ter no time (nem no time "só para diversão"). Pomada de arnica antes de ir dormir. Acho que vou ter que usar uma tipoia amanhã.
- Terça-feira: Aula de dinamarquês à noite, depois coro com um colega de Lego Man da Grande Cidade. Todas as canções em dinamarquês. Não faço ideia do que cantei. A diretora

do coro tentou me dar algumas instruções em inglês, mas acredito que algo se perdeu na tradução. Alguns exemplos evidentes: "Pense como um peixe!", "Lembre-se: você tem batatas na boca!", "Finja que a sua bunda é maior!" Mas, de um modo geral, divertido. Descobri que cantar libera endorfinas e diminui o estresse. Além disso, cantar em grupo estimula o bem-estar, de acordo com pesquisas de Harvard e Yale. Ok, eu quero. E me inscrevo. Oficialmente sou membro de um clube na Dinamarca!

- Quarta-feira: Aula de ioga em dinamarquês (eu preferia frequentar a aula da deusa viking Ida, mas hora e meia de viagem, ida e volta, até a Grande Cidade para ficar *zen* deve produzir o efeito contrário). Parece que a ioga aumenta o bem-estar e eleva os níveis de serotonina. Só que a meditação não é assim tão relaxante quando você ainda não fala dinamarquês e a professora de ioga só conhece uma única frase em inglês: "Sinta o seu arco-íris!" Ela disse isso, repetidas vezes, durante noventa minutos. Não estou bem certa de onde fica o meu arco-íris. Não deu certo.
- Quinta-feira: Aula de dinamarquês de novo. Ainda sou uma das piores. Ucraniana Gentil foi promovida para o grupo intermediário. Polonês Divorciado e Moças Filipinas ainda estão no limbo junto conosco.
- Sexta-feira: Clube de Culinária com Vizinha Simpática. Aprendo que aqui mesmo um jantarzinho de dia de semana é um *evento*, com guardanapos dobrados de maneira correta, três pratos e um entendimento implícito de que se você for embora antes de terem se passado umas seis horas, estará dizendo que achou tudo horrível e ofendendo o seu anfitrião para todo o sempre. Fizemos hambúrgueres de carne de veado que um dos membros caçou na semana passada no clube de caça. Caçar, estar junto e se divertir = a lista de hobbies dos sonhos para muitos habitantes da Jutlândia.

- Sábado: Aula de Corte & Costura na Grande Cidade numa tentativa de me abrir para novos interesses. Parece que aprender uma nova habilidade faz você mais feliz, de acordo com pesquisas de Universidade de São Francisco. Atenção: não se você se perde na estrada, chega atrasada, depois descobre que devia ter trazido tecidos e passa três horas arrumando carretéis de linha. Todas as instruções de costura foram em dinamarquês, portanto perdi a maior parte delas, mas parece que aqui existem clubes de costura rivais, que se odeiam mutuamente. Como os Sharks e os Jets, as gangues rivais de *Amor, sublime amor*, só que com agulhas. Assustador.
- Domingo: Devia ser um dia de descanso, mas acordamos às oito da manhã com motores roncando muito alto e cheiro de pneu queimado. A temporada de motovelocidade começou. Vizinha Simpática nos conta que a neve é tão traiçoeira que o seguro não cobre acidentes durante o inverno, então os motociclistas caem na estrada assim que o tempo melhora um pouco. Lego Man me fala sobre suas experiências. Surpreendentemente ele não está mais tão entusiasmado com os hobbies relacionados com o mar depois que nadou numa temperatura de -1° C. Voltou para o ciclismo e a corrida.

Exaustos de tantas aventuras, passamos o resto do dia nos arrastando pela casa. Estou animada com o coro e decidida a perseverar nas aulas de dinamarquês. Mas não tenho certeza de que entendi bem essa coisa dinamarquesa de tempo de lazer e de cultura dos clubes.

– Será que não seria mais legal se tudo fosse espontâneo? – pergunto a Lego Man. – Quero dizer, se você quer jogar tênis, vai lá e joga e pronto? Ou corre quando sente vontade de correr? Por que tudo tem que ser tão formal?

Ele tira a roupa de ciclista nova, toda preta e com gel na bunda, que faz ele parecer uma foca apertada, e pensa a respeito.

– Não sei. Estava conversando com uns caras no trabalho noutro dia e eles me disseram que realmente gostam de *saber*, com semanas de antecedência, o que vão fazer. Eles me explicaram que as pessoas se sentem bem assim – e me conta um diálogo que ele e o outro bonequinho da Lego tiveram sobre o *morgenmad* semana passada. – A estrutura ajuda as pessoas a se sentirem seguras. Você sabe o que vai fazer e quando. Sua vida social está organizada com semanas de antecedência, então não há nada em que pensar ou com que se preocupar. E, além disso, como há muito tempo livre, é bom saber que se vai fazer alguma coisa construtiva com ele.

Sou fã incondicional da hora marcada tanto quanto qualquer mulher, mas não posso deixar de sentir que tantas regras tiram uma boa parte da graça do tempo livre. Mas entendo a ideia de que fazer parte de alguma coisa – aquele sentimento de pertencer a algo – pode deixar as pessoas mais felizes. Isso nos dá uma identidade, para além do emprego ou do estado civil ou, no nosso caso, da nacionalidade. Além disso, me envolver nessas atividades extras fez com que eu me sentisse mais em casa na Dinamarca. Não sou mais apenas “a mulher de Lego Man”, ou “aquela mulher inglesa esquisita que se mudou pra cá” – agora eu sou uma contralto do coro principal (tá bom... do único coro) da Grande Cidade. Sou aquela mulher esquisita que chamou a professora de piranha na aula de dinamarquês. Existo fora do meu trabalho e do meu casamento. E isso faz eu me sentir bem, sim.

O que aprendi neste mês:

1. Viver longe do seu país faz você perceber quem são seus amigos de verdade.
2. Os dinamarqueses adoram uma regra.
3. Não sou boa em línguas estrangeiras.

4. Também não sou boa em andar de bicicleta.
5. Nem em nadar.
6. A água pode, literalmente, ajudar você a não "ficar na seca".
7. Passar uma semana inteira fazendo um monte de atividades faz você apreciar genuinamente o descanso no domingo (e ficar muito zangado quando lhe negam isso).

4. ABRIL

Os dinamarqueses & os animais

– O que vocês vão fazer amanhã? – pergunta a minha nova melhor amiga *oficial*, Vizinha Simpática, limpando um pedacinho de terra do rosto com o braço e espalhando-o pela testa nesse processo.

É sábado de tarde e Lego Man e eu estamos levando nosso cachorro para passear. Isso envolve principalmente tentar não deixar que ele faça cocô no jardim de ninguém e ficar seguindo-o com um saco plástico na mão para o caso de... termos que recolher o material. Com a chegada da primavera e a diminuição do número de manhãs em que preciso de um esqui para chegar até o carro, nossa costa adormecida voltou à vida. De repente há *pessoas* na lojinha da esquina. Barcos são descarregados dos trailers na marina, e as árvores parecem estar *pensando* em brotar alguns tons de verde. Nossos vizinhos *sorriem* para nós. Aquele comportamento ríspido de inverno se desfaz com a nova estação, e eles se abrem como as folhas nos arbustos ao redor da nossa casa. Novos brotos surgem na terra quando as flores contemplam nascer, e os jardineiros da Jutlândia entram em ação. Há uma inusitada quantidade de calças e camisas jeans nas vitrines em No Meio da Vida.

Vizinha Simpática está do lado de fora, remexendo alguma coisa na terra. Está ajoelhada na grama, com uma pequena pá na mão, usando luvas de jardinagem grossas, que ela tira quando vê que estamos nos aproximando.

– Amanhã? – pergunto, observando o gramado dela, perfeitamente aparado, e as mudas recém-plantadas, e rezo para que o cão não sinta o chamado da natureza logo agora. – Não temos nada marcado, eu acho...

Mentira: eu *sei* que não temos nada marcado amanhã. Assim como não temos nada marcado na semana que vem, nem na outra. Apesar das atividades extras que estamos fazendo, nossa vida social aqui ainda está devagar, quase parando, então adotamos a estratégia de dizer sempre "Sim, por favor!" a qualquer convite. É um exercício interessante, o de acolher o desconhecido. Até agora, fui a uma festa do *tupperware* (sim, isso existe), a uma noite D&B, a uma corrida de caranguejo (passatempo muito popular na costa da Jutlândia) e a uma sessão de dança em grupo (com resultados diversos).

– Vocês estão livres, então? Ótimo! – e Vizinha Simpática enfia a pá na terra como uma estaca e a usa para se levantar. – Vocês gostariam de ir ver as vacas dançantes?

Vacas... *o quê*?

Lego Man olha desconfiado para a garrafa de cerveja vazia e o copo já pela metade em cima da mesa do jardim de Vizinha Simpática. Olho para ele de um jeito que quer dizer: "Esse é um país livre. Uma mulher pode tomar uma cervejinha no jardim se ela quiser..."

– Domingo é o Dia das Vacas Dançantes!

Estou nessa de "vacas dançantes", mas Lego Man precisa de um certo incentivo, e então Vizinha Simpática continua:

– É uma tradição, um dia especial para os fazendeiros. Toda primavera, quando eles deixam as vacas voltarem para o campo depois de um longo inverno confinadas, elas dançam – explica ela.

E me lembro da minha avó, já falecida, que ficava completamente confusa toda vez que bezerros de uma raça de vacas leiteiras holandesas apareciam na televisão dançando, num comercial de uma marca famosa de manteiga. "Como é que eles conseguem que eles façam isso?", se perguntava ela, maravilhada, ignorando o mundo da computação gráfica. *Jurassic Park* teria dado um nó na cabeça dela.

– Vacas não dançam – afirma Lego Man categoricamente, me trazendo de volta ao presente. Ele está franzindo as sobrancelhas agora, como se alguém estivesse deliberadamente tentando passá-lo para trás.

Vizinha Simpática sorri pacientemente, da maneira que os pais fazem quando explicam alguma coisa extremamente simples para uma criança pequena.

– Claro que dançam! Bem... Nós dizemos dançar, mas elas meio que pulam. E correm ao redor, um pouco. Porque estão muito felizes, entende? De voltar para o campo – e ela faz um gesto apontando para o próprio gramado, como se quisesse ilustrar o que estava dizendo, e o cão entende aquele gesto como um sinal para entrar e se sentir em casa. Ele fica naquela posição meio arqueada bem conhecida, com os joelhos tremendo, típica do momento que precede alívio. E antes que eu pudesse tirá-lo dali, acontece. Logo em seguida estou de quatro no gramado de Vizinha Simpática, com um saco plástico numa das mãos e pedindo desculpas pelo ocorrido.

– Não se preocupe. Não tem problema – diz Vizinha Simpática, embora seu nariz franzido claramente sugira outra coisa. – Então posso pegar vocês amanhã para irmos ver as vacas maluquinhas?

– Claro, obrigada. E me desculpe por... – interrompo a minha frase no meio e apenas levanto e balanço o saquinho de plástico preto e seu conteúdo ainda quente para não ter que dizer em voz alta *me desculpe pelo meu cachorro ter feito cocô no seu jardim.*

Vizinha Simpática concorda com a cabeça e acrescenta:

– Você já pensou em adestramento?

Disse a ela que sim, que nós vamos colocá-lo num canil-escola assim que conseguirmos encontrar um que o aceite.

* * *

No dia seguinte, a festa da vaca louca se mostra mais rock'n'roll do que eu poderia supor. O ritual marca o começo da estação ao ar livre para todas as vacas orgânicas da Dinamarca, e nós aprendemos que um animal com certificação orgânica tem que ficar pastando ao ar livre por pelo menos seis horas por dia entre abril e novembro. Junto conosco, na fazenda local, tem um monte de crianças, todas com os rostos pintados de vaca (supostamente, mas umas pinturas são bem ruinzinhas e estragam a festa). Pais com celulares na mão se preparam para capturar o momento em que as crianças saem pelo campo fazendo muuuuuu. O dia está frio, com um vento cortante que machuca qualquer parte do corpo descoberta, de modo que todo mundo está bem agasalhado, com roupas apropriadas para se ficar ao ar livre, mas protegido do tempo ruim. A primavera pode ter começado na Jutlândia, mas isso não significa que o sol já esteja necessariamente pronto para aparecer. Algumas crianças estão até usando roupas para neve, o que, combinado com carinhas pintadas de vaca Jersey, faz elas parecerem com os Oompa-Loompas da *Fantástica fábrica de chocolate.*

Depois de uma contagem regressiva em dinamarquês (da qual, estou muito contente de informar, posso participar agora), as portas do estábulo se escancaram e umas doze vaquinhas saem de lá, enfim livres. Como prometido, Mimosa & companhia correm, pulam e saltam excitadas para o pasto. Depois ouvem-se alguns mugidos meio confusos, e as vacas param de repente. Algumas começam a dar pinotes. Há um certo pânico no ar, e então uma por uma elas se viram e voltam para dentro do estábulo.

– Oooohhhh! – exclama a multidão desapontada, em massa, enquanto um fazendeiro zangado faz o que pode para enxotar as vacas para fora novamente, sem sucesso. Depois de passarem cinco meses e meio dentro do estábulo, parece que as vacas esqueceram como é o clima na Dinamarca. Elas também estão achando que está um pouco frio demais. Uma mulher de galochas tenta atraí-las para fora do seu estábulo quentinho e confortável com punhados de grama fresca, mas não consegue deixá-las interessadas. Há gritos e batidas de pés com força no chão (o fazendeiro) e risos (nós) antes que todos decidam que o espetáculo acabou e que já podemos ir embora.

– Isso não é comum – assegura-nos Vizinha Simpática, parecendo um pouco desapontada. – Normalmente é um ótimo show. As vacas ficam tão felizes!

Em vez do espetáculo de verdade, ficamos dez minutos no YouTube assistindo a vídeos da dança das vacas dos anos anteriores no celular da Vizinha Simpática. Fizemos *oohhh!* e *aahhh!* adequados quando vimos um potro dando pinotes e galopando feliz da vida e, apesar do ceticismo, até Lego Man tem que admitir que é algo realmente extraordinário.

– Antes disso, eu pensava que as vacas eram criaturas extremamente fleumáticas. Todas as vacas que já vi até hoje, fora do YouTube, estavam ruminando, ou paradas por longos períodos, prevendo chuva, ou então acompanhadas de batatas fritas e uma taça de vinho num restaurante francês. Nunca achei que elas fossem capazes de alegria ou algum outro tipo de sentimento intenso.

Mas será que viver na Dinamarca faz até as vacas serem felizes? E quanto às vacas de criação não orgânica, que vivem o tempo todo confinadas? As vacas criadas ao ar livre experimentam um barato quando são levadas novamente para o pasto na primavera, mas será que isso significa que elas ficam tristes quando estão no estábulo? E as vacas que ficam no estábulo o ano inteiro não devem conhecer nada diferente daquilo. Sem ter a expectativa de sentir a euforia do pasto ao ar livre e a mínima ideia da vida do lado de fora que estão perdendo, será que elas, com o quinhão que lhes cabe, não seriam mais felizes do que as outras? Penso em todos os estudos que dizem que os dinamarqueses são o povo mais feliz sobre a face da Terra e me pergunto se, na verdade, eles podem ser comparados às vacas. Assim como as vacas confinadas podem ser felizes porque nunca pensaram em ir para o ar livre (ou dançar). Os dinamarqueses na Jutlândia podem ficar igualmente satisfeitos com o seu quinhão, sem nunca terem considerado a possibilidade de jogar tudo para o alto e ir ser professor de samba no Brasil. Será que é como Alfred Lord Tennyson teria dito se ele desse uma volta pelos vilarejos da zona rural da Dinamarca hoje em dia, *melhor ter dançado e parar de dançar do que nunca ter dançado na vida*? Será que os dinamarqueses são felizes não porque têm um monte de experiências incríveis, comparados com os outros povos, mas porque vivem num ambiente previsível e estável? Será que estou vivendo em meio a uma nação de vacas leiteiras de criação não orgânica?

Explico minha teoria a Lego Man, mas ele está distraído agarrado ao telefone. Sentindo-se traído por esse espetáculo nada eletrizante de vacas não tão loucas assim, ele está procurando outros passeios que envolvem animais e me propõe uma visita ao zoológico local. Lá, inadvertidamente, presenciamos a "hora da refeição" na jaula dos leões e assistimos a um cavalo recém-morto ser despedaçado com um orgulho voraz na frente de um grupo de crianças de escola.

– É tipo Aslam atacando o Sr. Tumnus nas *Crônicas de Nárnia* – murmuro, horrorizada.

Lego Man, que está com uma cor verde esquisita e meio enjoado, sugere que saiamos rápido dali. Nossa reação me faz pensar numa coisa: será que somos particularmente sensíveis? Ou os vikings são mais práticos do que a maioria de nós quando se trata da dura verdade sobre vida e morte?

Na segunda-feira tenho um almoço com um dos nativos que conheci na aula de culinária (não o que atirou no Bambi), que está em vias de se tornar outro amigo *de verdade* (viva!). A cena do Rei Mufasa e seus companheiros abocanhando o traseiro de Meu Pequeno Pônei vai e volta bem viva na minha memória, então conto o que aconteceu a ele, interessada no seu ponto de vista do espetáculo. Mas o meu novo quase-amigo-de-verdade não se perturba.

– E? – pergunta ele, tomando outro gole de café e parando a garçonete para perguntar se ela recomenda o hambúrger de carne de porco ou de vaca.

– Havia *crianças* assistindo àquilo! – digo, tentando impressioná-lo com os detalhes macabros da cena à la filme de Tarantino, mas Viking permanece impassível.

– E?! – insiste ele. – As crianças dinamarquesas estão acostumadas a esse tipo de coisa – e *coisa*, no caso, é sinônimo para membros esquartejados e um banho de sangue. – Quando eu tinha 7 anos, fui num passeio da escola para ver um lobo ser dissecado.

– O quê?! – disse, cuspindo a espuma do cappuccino no meu vestido e depois procurando guardanapos para me limpar.

– É educacional – diz ele, dando de ombros.

Ele explica que os museus na Dinamarca já fizeram, ao longo dos anos, inúmeras dissecações públicas de vários animais, de cobras a tigres. E me pergunto se isso foi algo que aconteceu até as décadas de 1970 e 1980, antes que as normas de saúde, segurança e do politicamente correto fossem estabelecidas, mas Viking me assegura de que a prática ainda está viva e bem.

– Minha sobrinha de 9 anos adora. Ela pediu para ir ver uma cobra ser aberta ao meio no aniversário dela este ano.

A sobrinha de Viking não está sozinha no seu entusiasmo. As autópsias de animais são tão populares na Dinamarca que os museus frequentemente fazem duas por dia nos feriados escolares para suprir a demanda. As crianças se reúnem em volta da mesa de operações enquanto um zoólogo vai falando sobre o que elas estão vendo, desde as facas e bisturis que estão sendo usados até o que está dentro do animal ("parece salsicha", me assegura Viking).

– E ver essas coisas não deixa você atordoado?

Viking pensa um pouco sobre isso.

– O cheiro, me lembro bem, não é lá muito bom. Mas o resto é divertido. E é bom para as crianças aprenderem. Eles precisam saber que a natureza pode ser violenta e aprender sobre a vida e a morte.

– Com 9 anos?!

– Por que não?

Digo a ele que essa é uma introdução à dura realidade da vida bem mais expressiva do que a que tínhamos quando eu era criança. Mesmo o falecimento prematuro do hamster da minha turma nas mãos do gato de Melissa Vincent foi descrito eufemisticamente como "passamento", e o mais perto que chegamos de ver seus restos mortais foi dentro de uma caixa de tênis ortopédicos infantis, que ia sendo coberta pela terra no jardim da nossa escola. Os passeios de turma na minha época eram à casa de Anne Hathaway, a esposa de Shakespeare, em Stratford-upon-Avon, ou à cidade em miniatura de Bekonscot. Nunca entramos naqueles ônibus, que cheiravam a sanduíche e banheiro químico, para ir ver as entranhas de um cachorro selvagem.

– Acho que você saiu perdendo – responde Viking.

Ele me conta sobre uma outra excursão, já na universidade, na qual a turma inteira foi a um abatedouro.

– Estávamos estudando design de produto e eles tinham lasers realmente muito bons para cortar porcos e tal...

Ele parece quase saudoso à medida que se lembra das carcaças extremamente limpas, antes de dar uma mordida no seu sanduíche de carne de porco. Está claro que não há muito sentimentalismo quando se trata de animais na Dinamarca. Mas essa filosofia não é bem recebida no resto do mundo, como pudemos perceber no caso de Marius.

Marius era uma girafa de dezoito meses que vivia no zoológico de Copenhagen. Apesar de saudável, ele era considerado geneticamente inadequado para procriação porque seus genes eram muito comuns, então a direção do zoológico decidiu abatê-lo. Isso provocou uma gritaria internacional e 27 mil pessoas assinaram uma petição on-line pedindo que o zoológico reconsiderasse sua decisão. Vários zoológicos pelo mundo afora se ofereceram para receber Marius, mas o Zoológico de Copenhagen argumentou que essas instituições não tinham os mesmos padrões éticos que eles. As autoridades disseram que mandar a girafa para outro lugar significava que ele poderia ser vendido para um circo ou passar o resto de sua vida sofrendo num zoológico "abaixo dos padrões". A eutanásia, argumentaram, era a melhor opção. O diretor do zoológico de Copenhagen disse à rede de televisão CNN na época que o trabalho dele era preservar espécies e não um único animal.

Então, 9 de fevereiro de 2014, a jovem girafa recebeu sua última refeição composta de um típico pão de centeio dinamarquês antes de levar um tiro de revólver na cabeça. Tudo isso em frente a uma plateia de visitantes. Depois disso, a equipe técnica conduziu uma autópsia, que foi presenciada com entusiasmo por um monte de crianças dinamarquesas e seus pais, curiosos para ver os órgãos do animal. Marius foi dissecado e dado como comida aos leões – e de novo na frente de todos que estavam ali para assistir. A imprensa internacional ficou perplexa com o que eles chamaram de a insensibilidade macabra dos dinamarqueses. Uma carta enviada ao jornal *The Guardian* dizia que "a execução pública de Marius e seu igualmente público consumo pelos leões" faziam com que "pudéssemos entender mais facilmente os romances policiais dinamarqueses, psicologicamente falando...".

Conversei com Peter Sandøe, professor de bioética na Universidade de Copenhagen e ex-diretor do Conselho de Ética para os Animais da Dinamarca, para saber a visão dele sobre tudo isso. Peter foi um comentarista-chave no caso Marius e, como Viking e outros dinamarqueses que conheci, teve dificuldade de entender toda aquela confusão em torno do caso.

– A Dinamarca era uma sociedade agrícola há apenas duas gerações, então pensamos nos animais como *animais* – me diz ele. – A maioria das pessoas que vêm de uma tradição agrícola vai pensar da mesma maneira [sobre Marius]. A girafa era um macho reprodutor que não ia ser usado para reprodução. Então não havia nada a fazer senão abatê-lo. Aconteceria o mesmo com ovelhas. Não se pode ter mais de um reprodutor num mesmo rebanho porque vai haver disputa. É uma abordagem prática – diz Peter.

Ele ficou surpreso com o furor da mídia internacional ("Até recebi uma carta me comparando a Adolf Hitler depois de uma entrevista para a rede de televisão BBC, isso foi o cúmulo!") e ele acredita que foram as imagens do abate retransmitidas que os não dinamarqueses acharam particularmente chocantes.

– Os estrangeiros passaram mal quando viram a girafa ser cortada em pedaços diante de uma plateia em que havia várias crianças e pelo fato dos pedaços do animal terem virado a comida dos leões. Mas as pessoas devem ser capazes de ver essas coisas. Se elas não gostam de ver um animal ser cortado, mas vão felizes da vida ao supermercado comprar um pedaço de carne embalada, então elas são hipócritas.

Digo a ele que admito ser culpada da acusação em questão (mas quase esqueço a vergonha, me lembrando das carnes embaladas, à venda no meu supermercado favorito em Londres). Parece que os dinamarqueses ficam felizes de ver os animais serem abatidos antes de comê-los, e o vegetarianismo é algo praticamente inexistente por aqui.

– A maioria das pessoas do nosso país come carne – admite Peter – e proporcionalmente existem muito menos vegetarianos na Dinamarca, em torno de 3% a 5%, do que no Reino Unido, onde eles já são 10%.

Os dinamarqueses não se sentem culpados por comerem animais, e a dieta carnívora deles pode contribuir também para seus níveis de felicidade. O vegetarianismo já foi relacionado a taxas mais altas de depressão e ansiedade, de acordo com uma pesquisa da Escola de Medicina de Graz, na Áustria.

– Nós não tendemos a ser tão sentimentais em relação aos animais aqui como as pessoas são na Inglaterra, por exemplo – diz Peter.

Fico me perguntando se essa distância psicológica protege os dinamarqueses de sofrerem quando os animais são feridos e morrem. *Se você não sofre quando a mãe do Bambi leva um tiro ou quando o pai de Simba morre no* Rei Leão, *então, é claro, a vida é menos perturbadora e fica mais fácil ser feliz*, penso. E se você consegue comer um bife sem se preocupar muito se a vaca foi feliz durante a vida, bem, então você tem uma coisa a menos com que se preocupar.

Mas nem todos os que comem carne na Dinamarca estão tão orgulhosos assim. Em 2014, o ministro da Agricultura e Alimentos da Dinamarca, Dan Jørgensen, decretou que todos os animais para o consumo humano devem ser dopados antes de serem abatidos. Esse ritual foi praticamente banido dos abatedouros pelas prescrições dos judeus ortodoxos e muçulmanos, que exigem que o animal esteja intacto e consciente ao ser morto. Na prática, isso não mudou muita coisa, na verdade. O último abatedouro dinamarquês que permitia que os animais fossem mortos sem serem dopados fechou em 2004. Desde então, estima-se que 7 mil judeus na Dinamarca vêm importando carne *kosher*. Já a maioria dos 210 mil membros da forte comunidade muçulmana dinamarquesa admite animais dopados antes do abate segundo o Halal, isto é, a carne desses animais pode ser ingerida por um muçulmano, desde que a pancada na cabeça não seja a causa da morte deles (esses números vêm do Departamento de Estado Americano, já que o governo dinamarquês não registra oficialmente afiliação religiosa). Mas o princípio do caso alinhou judeus e muçulmanos, que se uniram em protesto. Eles reclamaram que a legislação foi menos sobre o bem-estar dos animais e mais sobre a política de imigração e integração.

Para muitos dinamarqueses, a questão era bem clara: um animal deve ser morto da forma mais rápida e indolor possível, e eles acreditam que isso não pode acontecer se o animal está consciente no momento da morte. Os canais de tevê islâmicos e judaicos acusaram internacionalmente o governo dinamarquês de islamofobia e antissemitismo, mas personalidades de destaque de ambas as fés evitaram usar esses termos. A resposta dinamarquesa foi comedida, talvez devido ao entendimento de que um viés secularista é o "modo de ser dinamarquês".

– Foi muito fácil aprovar essa lei – diz Peter –, já que um processo de abate sem dopagem anterior não era praticado na Dinamarca havia uns dez anos. Então foi mais uma questão de mandar um sinal, sem criar caso com a comunidade religiosa. Foi um movimento político inteligente. Como quando Tony Blair acabou com a produção de pele de marta para a confecção de casacos. Quase não havia mais nenhuma produção de pele de marta na Inglaterra, mas pegou bem para ele

Ah, sim, casacos de pele. A relação dos dinamarqueses com os casacos de pele tem sido outra coisa sobre a qual ando pensando, e fiquei surpresa de ver algumas mulheres de prestígio com casacos de pele até a altura do tornozelo quando chegamos aqui no meio do inverno. Fiquei sabendo que os dinamarqueses são os maiores exportadores de pele de marta do mundo, Copenhagen é um centro para o comércio de casacos de pele, e a China e a Rússia são seus maiores clientes. Mas isso não vai contra os princípios da maioria dos dinamarqueses sobre o bem-estar dos animais?

– Na verdade, a produção de casacos de pele é bastante sustentável – diz Peter. – As martas têm o mesmo ciclo de reprodução da natureza. Elas não são levadas para nenhum outro lugar [o que pode ser estressante para os animais], e são alimentadas com restos de peixes e entranhas de galinhas poedeiras velhas. Uma vez que a pele da marta é retirada, sua carne é usada para fazer biodiesel – que é usado como combustível para os ônibus na Grande Cidade. – Nenhuma parte do animal é desperdiçada – me assegura Peter – e a indústria cria vários empregos, de modo que o governo não vai fechá-la.

Os 1.500 criadores de marta da Dinamarca podem cobrar 20% a mais pelas suas peles do que as que vêm de outros países por causa do prestígio que a pele de marta dinamarquesa tem. Isso se deve a uma dieta cuidadosamente controlada, que produz uma pele mais brilhosa, e ao uso da pele pelos estilistas em suas coleções. Não há protestos pelos direitos dos animais tentando acabar com essa produção na Dinamarca, como haveria em outros países da Europa, e a maioria dos dinamarqueses nem liga para peles. Para uma inglesa como eu, que cresceu durante a era da educação inspirada pela PETA [People for the Ethical Treatment of Animals, uma organização de proteção dos animais muito ativa na Inglaterra], que uma vez foi chamada atenção por usar sapatos de couro e que evitou comer atum antes de uma entrevista com Stella McCartney (história verídica), isso tudo é um pouco chocante.

Caçar também é perfeitamente aceitável e um passatempo bastante popular na Dinamarca para pessoas de todas as classes sociais.

– Para nós isso não tem a ver com a classe social como em outros países – me conta Peter –, e as pessoas aceitam a caça desde que os animais sejam alvejados e morram rápido antes de serem levados para casa e comidos. Assim não há crueldade. Acho que a caça à raposa com cães e cavalos, que nunca foi praticada na Dinamarca, se tornou uma questão na Inglaterra porque era considerada elitista e porque as raposas morriam de maneira muito cruel.

Peter me diz que ele acha que os animais são colocados numa redoma na Inglaterra e nos Estados Unidos (metaforicamente falando, claro), de modo que as pessoas se importam muito com um filhotinho perdido ou um animal no zoológico, mas chegam em casa e comem carne sem problema nenhum. As pessoas tendem a ser sentimentais em relação a certos animais, como gatinhos e girafas, por exemplo, e se apegam muito a eles. Na Dinamarca, essa tendência de dividir os animais em grupos é menos acentuada. A maioria das pessoas acha que é importante cuidar do bem-estar dos animais e não gostamos de vê-los morrer sem razão. Mas também não vamos humanizá-los.

A crueldade com animais é ilegal na Dinamarca, mas, interessante, a zoofilia não.

– Se alguém fizer sexo com um animal e isso machucá-lo física ou psicologicamente pode ser punido – explica Peter, de modo que, até hoje, os políticos dinamarqueses não viram necessidade de criar caso votando uma nova lei para proibir o direito à zoofilia. – No entanto – complementa ele –, devo dizer que pesquisas de opinião mostraram que a maioria dos dinamarqueses quer proibir essa prática. Portanto, isso pode acontecer a qualquer momento.

E de fato, enquanto escrevia este livro, fiquei sabendo que o ministro da Agricultura e dos Alimentos da Dinamarca, Dan Jørgensen, anunciou que fazer sexo com animais será proibido no próximo Ato para o Bem-Estar dos Animais, no ano que vem.

Como não há mais muito o que perguntar depois que fomos, no intervalo de apenas uma hora, da caça ao uso de casacos de pele e ao hábito de conhecer vacas, biblicamente falando, tento trazer a conversa para um nível mais senso comum e pergunto qual a visão dele da relação entre as pessoas e os cachorros na Dinamarca.

– Quero dizer, não estou falando de fazer sexo com eles – acrescento rapidamente, porque essa é uma pergunta que precisa de esclarecimento. – Só adestramento, amizade etc.

Como tenho interesse no tema e um "melhor amigo" que se comporta muito mal, estou ansiosa para descobrir como os dinamarqueses se sentem em relação aos cachorros e se eles são os únicos animais pelos quais os dinamarqueses sentem ternura. O *Kristeligt Dagblad*, um dos maiores jornais do país, publicou recentemente que as casas dinamarquesas têm mais membros de quatro patas hoje em dia do que já tiveram antes, com o registro de 600 mil cachorros domésticos e 70 mil novos chegando a cada ano. Houve também um aumento de 300 milhões de coroas (em torno de 58 milhões de dólares) nos gastos dos dinamarqueses com seus animais de estimação, de acordo com o Departamento de Estatística. Existem benefícios comprovados de se ter um cachorro. Seus donos costumam ter pressão sanguínea mais baixa, colesterol mais baixo e menos problemas médicos do que outros donos de animais ou do que o restante da população, de acordo com uma pesquisa da Universidade Queen, em Belfast. *O que deve deixar os dinamarqueses ainda mais felizes*, penso. Vejo um monte de cachorros onde moro, e a Jutlândia inteira parece perfeitamente adaptada para eles, com ganchos para as coleiras e cuia de água regularmente enchidas do lado de fora de lojas e cafés. Há também praias dedicadas e duzentos bosques para cachorros, como são chamados, onde você pode deixar seu amiguinho correr livremente sem coleira.

– Muitos dinamarqueses têm cachorros – me diz Peter – e obviamente os animais são muito importantes para eles e fazem parte da família, então acredito que as pessoas são meio sentimentais em relação aos cachorros aqui. Mas diferentemente da Inglaterra e dos Estados Unidos, aqui não é tão popular adotar um cachorro de abrigo. A maioria dos dinamarqueses ainda compra um de raça ou mesmo com pedigree. Parece que as pessoas gostam de saber de onde o cachorro delas vem.

E parece que, quando os dinamarqueses investem num "melhor amigo" com pedigree, eles gostam de ter certeza de que ele é bem-comportado. Um adestramento, agora isso ficou bem claro, é o melhor para o nosso cão, bem como para a nossa permanência na sociedade dinamarquesa.

Pergunto se Peter se inclui entre os dinamarqueses felizes sobre os quais estou pesquisando e ele me diz que é muito feliz, sim.

– Acho que as pessoas na Dinamarca geralmente são, embora gostemos de reclamar. Somos todos mimados! Pessoalmente eu diria que, de zero a dez, minha nota é nove. Talvez dez, no quesito profissional.

E vejam só. Mesmo um homem que passa seus dias defendendo a morte de girafas e recebendo e-mails raivosos que o comparam a Hitler é feliz na Dinamarca. Isso, sim, é estar satisfeito com o trabalho.

Ainda meio confusa com tudo o que vi e ouvi nos últimos dias, mas determinada a fazer o cão se comportar de uma maneira mais dinamarquesa, chego em casa disposta a encontrar um campo de adestramento para ensinar a ele um pouco de boas maneiras.

– Você vai para a escola – digo a ele.

– *Arf*! *Slurp*! *Grrr*! – me responde.

– Não sou só eu que tenho que dar uma chance a essa coisa de viver como um dinamarquês. Você também tem. Estamos aqui há quatro meses e ainda não vi nenhuma evidência de tentativa de integração com os nativos – repreendo-o. – Está na hora de você ter aulas à noite também – falo, inscrevendo-o. O adestramento começa na semana seguinte.

Nossa primeira aula é com uma mulher que grita. Ela usa um colete da escola de adestramento e tenta – mas não consegue – ensinar o cão a buscar um objeto, sentar, resgatar uma criança de um bosque e ficar parado, em cima de uma bacia de lavar pratos virada de cabeça para baixo. Ninguém sabe ao certo o porquê disso. Na manhã seguinte, quando saio da cama, dou de cara com Lego Man entregando nossa bacia para o cão. Ele não está interessado em usá-la como pódio, mas em mastigá-la.

– Ele está comendo a nossa bacia... – observo.

Lego Man olha para o cão e depois aponta para uma pilha de cartas que acabaram de ser entregues:

– É, mas não está comendo a correspondência. Um passo de cada vez...

O que aprendi neste mês:

1. Os dinamarqueses não são cheios de mimimis.
2. Na Dinamarca, animais são apenas animais, a menos que sejam cachorros (bem-comportados).
3. A maneira dinamarquesa de fazer as coisas é a única maneira de fazer as coisas...
4. ...e os estrangeiros vão ter muito trabalho para convencê-los do contrário.
5. Vacas não sabem dançar.

5. MAIO

Festas tradicionais & ser chamado a atenção

Debaixo de uma chuva fininha e contra um céu cor de ardósia, vários homens robustos estão ocupados colocando postes brancos em buracos regularmente dispostos ao longo da rua, quando saímos para ir à padaria. O cão faz o favor de cheirar alguns desses postes, antes de demarcar terreno em vários. Isso faz nossa caminhada ser mais longa e úmida do que de costume.

Quando terminamos de escolher nossos doces naquela manhã de domingo (é, agora levamos uma vida de glutões, com *snegles* por toda a parte...) e soltamos a guia do cão do gancho apropriado do lado de fora da padaria, vemos que os homens colocaram uma bandeira da Dinamarca no topo de cada poste. As cruzes brancas num retângulo vermelho sangue balançando ao vento transformam a rua numa passarela majestosa e fazem o vilarejo parecer mais imponente do que eu jamais imaginaria.

– Que diabos está acontecendo? Você acha que o rei e a rainha vêm visitar nosso vilarejo? – pergunta Lego Man, curioso.

Não posso deixar de pensar que, mesmo que a rainha Margrethe seja considerada uma pessoa muito simples e sem luxos, dar um pulinho em No Meio do Nada no domingo de manhã não deve estar na lista dos seus compromissos reais.

– Talvez... – respondo, me perguntando como não desapontá-lo. Começamos a andar e o cão fica tentando pegar o saco marrom das iguarias da padaria que carrego cheia de ciúmes. A canola está florescendo por toda a Jutlândia este mês e os campos à nossa volta se tornaram de um amarelo vibrante. Quando viramos a esquina e estamos chegando perto de casa, somos saudados pela visão já bem familiar da igreja local: uma bela construção, imponente, tipicamente escandinava, surgindo contra o céu cinza e os campos amarelados como um foguete branco e reluzente. A igreja está toda iluminada, apesar de ser apenas dez horas da manhã, e há vários carros estacionados numa área perto da porta de entrada. Isso é estranho. Normalmente a igreja está apenas ali. É bonita, mas não acontece muita coisa lá dentro, nem há sinais de atividade ou do seu propósito. É como um ornamento bem desenhado, em estilo escandinavo. Só que agora há sinal de vida. O cão para de repente, levanta uma pata, ergue as orelhas, endireita o rabo, em alerta.

– Nunca vi ninguém entrando ali desde que chegamos – observa Lego Man, enquanto o cão puxa a guia tentando se aproximar da ação.

Estamos contemplando a estranha chegada de *seres humanos de verdade* ao nosso vilarejo, quando algo como um rosnado começa baixo e depois vai ficando mais alto. Mas dessa vez não é o cão que está rosnando. Acho que aquilo é o barulho de um motor, misturado com a batida de uma música, um som vibrante. A música vai num crescente ensurdecedor até que uma enorme caminhonete preta entra no nosso campo de visão. Os vidros das janelas da caminhonete estão cobertos por um filme preto também, o que a faz parecer o carro de uma gangue, e logo atrás dela vem o nariz comprido e lustroso de uma limusine, dobrando a esquina do outro lado da rua.

Estamos acostumados a ver tratores por aqui, ou carros rebocando trailers ou barcos. Teve uma vez que Lego Man viu um fusca (foi um dia emocionante...). Mas nunca, desde que chegamos à Dinamarca, tínhamos visto algo parecido com isso. Alguns carros esportivos americanos, uma carruagem puxada por cavalos no estilo da Cinderela e mais duas limusines, tudo parecendo incompatível com aquele cenário bucólico. O estacionamento da igreja começa a ficar parecido com as ruas do centro de uma grande cidade na hora do rush, ou com a porta de um centro de convenções durante um evento. Garotas adolescentes com vestidos de baile e alguns garotos de terno saem dos carros e se espalham pelo gramado, tomando cuidado para não deixar que a lama ou tufos de gramas sujem suas roupas.

O cão está ficando fora de si. (*Pessoas! Para brincar comigo! E elas devem ter comida para me dar também! Isso é MARAVILHOSO!*) É o momento de maior animação que ele – e nós também – teve desde que nos mudamos para cá. Com um ganido baixinho e a cauda abanando, ele tenta disparar na direção das pessoas, puxando a guia com tanta força que ela se enrola na mão em que carrego o saco de doces. E antes que eu possa dizer "É que ele acabou de começar as aulas de adestramento", o cão consegue se soltar e sair correndo.

Num *slow motion* cinematográfico, assistimos a ele pular alegremente em cima de um grupo de adolescentes. É como uma versão em miniatura dos créditos de abertura de *Beleza negra*, só que com um resultado mais confuso ainda e que não podemos evitar. Lego Man entra em ação como se fosse um super-herói dono de cachorro: ele larga o saco da padaria e sai correndo atrás do cão, com as mãos balançando no ar como Usain Bolt. Tento uma tática diferente, que aprendi nas aulas de adestramento. Pego um pedaço de doce, seguro-o de forma bem visível e chamo o cão, na esperança de persuadi-lo a voltar:

– Aqui, garoto! Venha cá!

Mas o cão está cego de emoção. Arrastando a guia pelo chão, ele abana o rabo, coloca a língua para fora num dos cantos da boca e se joga em cima de uma garota loura que tinha acabado de sair de uma das limusines. Ela comete o erro de fazer festa nele, e o cão entende aquilo como encorajamento e retribui o cumprimento, colocando duas patas enlameadas na parte da frente do vestido de seda rosa clarinho dela.

– Nããããããããooooo! – grita Lego Man.

Mas é tarde demais.

Garota da Limusine e algumas de suas amigas gritam. Eu grito. Os pais de Garota da Limusine ficam surpreendentemente calmos e começam a bater na parte manchada do vestido, para avaliar os danos. Há muita confusão em volta do cão até que o casal de ingleses malucos usando galochas e agarrando sacos de doces finalmente chega ao local do crime, ofegantes, suando e balbuciando *Undskyld!* ("desculpe", em dinamarquês) repetidas vezes. Nós tentamos lembrar como se diz em dinamarquês algo parecido com "*Sentimos muito mesmo. Por favor, deixem que nós nos ajoelhemos bem aqui, no meio da boa lama dinamarquesa, para pedir desculpas. Vamos comprar um vestido novo, ou pagar a lavagem a seco...*", e, ao mesmo tempo, lutamos para segurar a guia do cão. Foi então que a mãe de Garota da Limusine, como num passe de mágica, tira um porta-ternos da parte de trás do carro. Garota da Limusine faz que sim com a cabeça e abre o porta-terno, e lá dentro há... um outro vestido idêntico ao que ela está usando, só que azul-claro. Seguro o cão bem firme pela coleira agora, enquanto assistimos maravilhados à garota entrar na parte de trás da limusine com vidros escuros. Alguns minutos depois, ela sai de lá resplandecente, toda de azul bebê, depois de ser trocar.

– Isso está realmente acontecendo? – pergunta Lego Man.

– Acho que sim – respondo sem muita certeza.

– Ela tinha um vestido sobressalente? Assim à mão? Para o caso de uma emergência?

Sacudo a cabeça ainda confusa, e Garota da Limusine acena para nós toda simpática, antes de se virar e seguir para a igreja junto com a família e os amigos. A multidão inacreditavelmente compreensiva parece nem ligar para nós dois, e logo não há mais ninguém a quem pedir desculpas, de modo que damos meia-volta e voltamos para a rua.

Não tenho explicação para o que testemunhamos. Foi muito doido. No restante do caminho de volta para casa, reparamos que gazebos e tendas estão sendo montados nos jardins da vizinhança. Vans de catering chegam em comboios e pessoas com dolmas brancas começam a descarregar mesas de montar e engradados com alimentos.

– Vai haver uma festa de arromba, e nós não fomos convidados, é isso?! – me pergunto em voz alta. Nesse momento, a van de um DJ contratado passa por nós como para confirmar minhas suspeitas.

– Acho que você está certíssima – concorda Lego Man.

Quando nos aproximamos de casa, vemos Vizinha Simpática. Dou um “olá!” e pergunto se hoje é alguma data especial.

– É, sim. Estamos na época das confirmações! Vocês não têm isso lá na Inglaterra?

Explico que, sim, fazemos a confirmação, mas não há exatamente uma época para isso, como se fossem festas de debutante.

– Ah, entendo – diz ela, com pena de nós, com a cabeça meio de lado e aquele olhar que quer dizer, agora já começo a identificar, “estou muito triste porque existem pessoas que não tiveram a sorte de nascer na Dinamarca”.

– Também não costumamos ir para a confirmação nesses carros – acrescenta Lego Man.

– Os carros?! Ah, mas isso é uma *tradição* – nos diz Vizinha Simpática. – Temos que ter um carro bem bonito para um dia especial como esse!

Claro, penso, *porque todo mundo sabe que Jesus adorava limusines extravagantes...*

Depois de nos assegurar que a confirmação é uma celebração “bem importante aqui”, Vizinha Simpática pede desculpas. Ela ainda tem que embrulhar presentes e se aprontar não para uma, mas para *duas* festas que acontecem depois das cerimônias de confirmação

– Estou muito ocupada hoje!

Festas? Presentes? Limusines? Tudo isso me parece a anos-luz de distância da minha própria confirmação – uma "untada" rápida com óleo e cinzas na igreja do nosso bairro quando eu tinha 12 anos, seguida de um sanduíche de presunto na casa da minha avó. Eu usava, completamente sem noção, calças culote de estampa floral e uma tiara combinando. Não havia serviço de catering, DJs ou tendas montadas no jardim. E minha mãe levou a mim e minhas duas irmãs para a igreja no banco de trás do Renault 5 azul-marinho dela (mas ele era Turbo, tá?).

Em casa, passamos o restante da manhã dando banho no cão e espiando, disfarçadamente, o que acontecia nas festas de confirmação da vizinhança. Há muitos enfeites de flores. E balões. Lego Man acha que viu uma fonte de chocolate no gazebo do jardim de uma outra vizinha, certamente para algum dos seus netos sortudos. Morta de curiosidade e me dando conta de que não consegui ser convidada para nenhuma cerimônia e festa de confirmação (nenhuma das que vão acontecer neste mês, pelo menos), volto a entrar em contato com Pernille, a especialista em integração cultural, que nos ajudou com a história do *hygge* em janeiro, para saber mais sobre isso.

– A confirmação é muito importante – me diz ela. – É uma tradição!

Ah, lá vem esse papo de novo. De vestir fantasias e fazer um bolo específico no *Fastelavn* em fevereiro, passando pelos bonecos de papel feitos em casa junto com um bolo específico para a Páscoa, até os biscoitos em formato de coração, os elfos horrorosos, os porquinhos de marzipã e os bolos específicos do Natal, há um ritual (e um bolo específico) para praticamente tudo na Dinamarca. As festas tradicionais e os costumes e os comportamentos fielmente seguidos que fazem parte deles parecem dar aos dinamarqueses uma sensação de segurança, estabilidade e até mesmo de *pertencer* a algo. Recentemente li um estudo da Universidade de Minnesota que descobriu que ter rituais pode tornar as coisas mais divertidas, então não posso deixar de pensar que os dinamarqueses querem saber o que fazer e quando fazer. *É exatamente igual aos hobbies*, penso. *Só que nesse caso não são apenas as noites e as semanas que são planejadas com antedecência, mas o ano inteiro!*

Os dinamarqueses acham tranquilizador ter coisas para organizar e preparar, e as festas tradicionais dão a eles um monte de coisas que devem ser feitas da mesma maneira reconfortante, ano após ano. O desconhecido se torna conhecido.

– É como se a *tradição* fosse a nossa religião – diz Pernille. – Algo que é realmente importante para a maioria dos dinamarqueses.

A confirmação não é uma exceção nessa história toda, e tem o seu próprio conjunto de regras e rituais.

– A maioria dos dinamarqueses recebe a confirmação por volta dos 14 anos numa grande cerimônia na igreja junto com até outros quarenta adolescentes. É um dia muito especial e divertido. Todos ganham roupas novas, há bandeiras por toda a parte e a igreja fica lotada de familiares e amigos – diz Pernille. – Depois da cerimônia, tiram-se muitas fotos, há um almoço de três pratos, com música e discursos, e depois há uma festa com muita diversão e distribuição de presentes. Os dinamarqueses estão ficando um pouco materialistas hoje em dia em relação à confirmação. Era bem diferente vinte anos atrás quando eu fiz a minha!

– Quando eu fiz, também – falo e conto a ela a história das calças culote e da tiara com estampa floral, e concordamos que fomos privadas de algo importante e que a juventude de hoje não sabe os privilégios que tem. Depois do desabafo, volto ao trabalho: – E quanto se gasta numa festa de confirmação na Dinamarca hoje em dia?

– Muito – responde ela. – Com ambos os pais trabalhando em tempo intregal e vários casais se divorciando hoje em dia, há com frequência uma parcela de culpa envolvida nesse aumento dos gastos. É como se os pais dissessem aos filhos: “Nós não podemos passar muito tempo com você, mas vamos lhe dar uma festona!

Vamos fazer um curativo na nossa relação, ok?!" Além disso, muitos pais dinamarqueses têm dificuldade de dizer não. Os adolescentes que fazem a confirmação hoje recebem muitos presentes. É como se fosse um casamento.

Ela me diz que é uma tradição dar dinheiro como presente, uma quantia suficiente para ser gasta com diversão (comida e bebida incluídas). Quanto mais chegado você for à sua família, mais eles vão ter que abrir a carteira. Se o familiar decidir que prefere dar um presente mesmo, ainda assim vai gastar dinheiro. Os itens mais pedidos na lista de presentes dos adolescentes que vão fazer a confirmação na Dinamarca hoje em dia são iPhones, laptops, relógios, joias e viagens, e a maioria dos adolescentes dinamarqueses pode receber presentes de confirmação de até 17 mil coroas (ou 3.200 dólares) de acordo com uma pesquisa feita pelo Banco Nordea. *Um pouco demais para a igualdade dinamarquesa*, penso. O comércio capitaliza com a temporada de confirmação, colocando avisos onde se lê "Não esqueça, você pode trocar seus presentes de confirmação só até 1º de junho" e fazendo propaganda de cartões, ternos, vestidos, sapatos e, claro, bolos específicos para a ocasião. E todo o dinheiro recebido como presente é imediatamente usado pelos adolescentes dinamarqueses na "Blue Monday". Não, não é aquela música do New Order, mas a segunda-feira seguinte à cerimônia religiosa, quando os recém-confirmados não vão à aula, para irem às compras. A maioria compra roupas e aparelhos eletrônicos e depois vai exibir o que comprou para os amigos, bebendo quantidades exageradas de sidra, minhas fontes são seguras.

– E o que mais? – arrisco. – Quero dizer, a coisa toda de Deus? Ele (ou Ela) fazem parte disso?

– Bem... – começa Pernille, num tom que significa "não muito".

A confirmação na Dinamarca é, fico sabendo, a confirmação da promessa que Deus fez aos seres humanos, a promessa de sempre cuidar deles, feita pela primeira vez no batismo. Em outras palavras, o sacramento da confirmação para os dinamarqueses é quando Deus diz sim para você, e não ao contrário. Olhando por essa perspectiva, não parece importar muito se você pretende frequentar a igreja ou não, nem mesmo se você acredita em Deus.

– O medo de Deus não faz parte da religião protestante dinamarquesa – explica Pernille. – A confirmação não é um sacramento na Igreja Luterana, mas um rito de passagem da infância para a adolescência, então todos podem fazê-lo – e até posso ouvir minha avó revirando no túmulo. – A maioria das famílias dinamarquesas vê a confirmação como uma celebração da chegada à adolescência. Nós não somos um país muito religioso. Os pais não pressionam os filhos para que eles sejam confirmados. Alguns dizem aos filhos: "Se você não quiser fazer a confirmação, vamos fazer uma festa e você vai receber presentes de qualquer maneira." Desse jeito, eles têm certeza de que os filhos só vão ser confirmados se realmente quiserem. Essa outra festa foi chamada de "nãofirmação" e tem muito mais diversão e presentes do que a versão tradicional. Apesar disso, muitos adolescentes optam pela parte da igreja também.

– Acho que é por um exercício de autonomia – diz Pernille. – Essa é uma das primeiras escolhas que os adolescentes dinamarqueses podem fazer por si próprios, e encorajá-los a fazerem escolhas como indivíduos é algo muito importante na Dinamarca.

Mais importante, parece, do que a religião em si, pelo menos para a maioria dos dinamarqueses.

Tomo um chá com Manu Sareen, clérigo da igreja na Dinamarca, para ver se ele se importa com isso, mas ele também parece extraordinariamente relaxado com esse negócio de "fé".

– Os dinamarqueses têm uma abordagem interessante em relação à religião – diz Manu. – Não existem muitos países onde uma proporção tão alta da população seja membro de uma igreja. Somos 4,4 milhões de membros numa população de 5,5 milhões. No entanto, a maioria das pessoas simplesmente aceita isso como algo dado e não se preocupa muito com a fé.

A maioria dos dinamarqueses entra para a Igreja quando nasce, já que os pais têm que registrar os bebês na igreja local a menos que façam uma solicitação especial para um procedimento secular. Muitos sentem uma obrigação cívica de pagar impostos para a igreja, até 1,5% do salário dependendo da região, como se esse fosse apenas mais um imposto que deve ser pago para que a Dinamarca continue a ser a grande nação que é. O resultado disso é que o país tem uma Igreja luterana estatal financiada por impostos, mas apenas 28% dos dinamarqueses acreditam em algum tipo de vida após a morte, de acordo com o Centro de Cuidados Paliativos do país (nos Estados Unidos, 81% da população acreditam), e apenas 16% acreditam em paraíso (esse número cresce para 88% nos Estados Unidos). Uma pesquisa feita em 2004 pelo jornal *Berlingske* mostrou que um em cada cinco dinamarqueses se identifica como ateu ou ateia.

Digo a Manu que acho isso fascinante. Vários estudos relacionam religião e felicidade, e pesquisadores da Universidades de Columbia provaram que a fé pode até mesmo curar a depressão. No entanto, apesar dos índices de felicidade muito altos e da alta porcentagem de membros da Igreja, a Dinamarca é dos países menos religiosos do mundo, com uma baixa frequência às igrejas, escolas seculares e instituições civis, e uma população que regularmente reafirma o seu ateísmo (ou, pelo menos, o seu agnosticismo) em pesquisas e eleições nacionais.

– A maioria das pessoas não vai à igreja, a não ser para batismos, casamentos, funerais e no Natal – diz Manu.

Em contraste com o restante do mundo cristão, a Páscoa não é lá grande coisa na Dinamarca. Quarenta e oito por cento dos dinamarqueses acham muito importante ficar junto com a família na Páscoa, mas apenas 10% mencionam as palavras *igreja* e *mensagem cristã* de acordo com o site oficial do país. O Departamento de Estatística da Dinamarca revelou, numa pesquisa em 2013, que apenas 3% da população vai à igreja regularmente. O resultado dessa apatia religiosa generalizada é que as congregações têm que se esforçar muito para manter o mesmo número de membros e várias igrejas já fecharam as portas pelo país afora. Algumas que se transformaram ao longo dos anos ainda estão bem. Há igrejas locais que oferecem "serviço com espaguete", uma missa seguida de um prato de massa, da qual você pode sair em menos de uma hora.

– Na Dinamarca, as igrejas simplesmente estão ali para servir os indivíduos – diz Manu. – É como nosso sistema de seguridade social: está ali para o caso de se precisar dele.

É como se a rede de segurança do país se estendesse também para a religião, e é a maneira dinamarquesa de fazer as coisas, mais do que idas regulares à igreja, que mantém o país tão alegre e otimista. Manu me assegura que isso é o que deixa mais feliz e cheio de energia e esperança.

– Numa escala de felicidade de zero a dez, eu diria que sou um nove e meio. Tenho tudo que preciso. Não me falta nada.

Psicólogos da Universidade da Colúmbia Britânica em Vancouver, no Canadá, descobriram que uma nação mais bem educada e mais rica é a que menos acredita num ser superior. O Índice Global de Religião e Ateísmo também avalia que a pobreza é o indicador-chave da tendência de uma sociedade para a religião, de modo que os países mais pobres tendem a ser os mais religiosos. A única exceção à regra? Os Estados Unidos. Apesar de serem um país rico, lá não existe um serviço público de saúde de qualidade, nem estabilidade no emprego, e o sistema de seguridade social é fraco e inconsistente. Isso significa que os Estados Unidos têm mais em comum com os países em desenvolvimento do que gostam de pensar. Os pesquisadores da Universidade da Colúmbia Britânica sugerem que as pessoas são menos propensas a precisar do conforto de um deus se elas vivem num país estável, seguro e próspero. Isso ajuda a explicar por que a Dinamarca e suas primas escandinavas, a Suécia e a Noruega, são apontadas regularmente como os países menos religiosos do mundo. Os escandinavos não têm que pedir a um deus para que tudo fique bem porque... o Estado cuida disso. Em outras palavras, os dinamarqueses não têm muito pelo que rezar. E porque eles não têm uma cultura de frequentar igrejas, as novas gerações estão cada vez menos inclinadas a dedicar uma parte dos domingos a ir à missa. Pesquisas da Universidade de St. Mary, na Inglaterra, mostram que existem apenas 3% de chance de uma criança ser religiosa se nenhum dos pais for.

Mas porque a natureza não gosta nem um pouco do vazio, ainda há a necessidade intrinsecamente humana de procurar respostas para as grandes e perturbadoras questões da vida, que a religião tenta "elucidar" para quem acredita. Para os dinamarqueses, é quase como se essa necessidade fosse preenchida pela noção de partilhar os mesmos valores: uma sociedade homogênea, amistosa, e uma *fé* inquestionável, quase religiosa, na maneira dinamarquesa de fazer as coisas.

Manu é também ministro para a Igualdade de Gênero, e por isso pensa as questões religiosas de um ponto de vista relativamente progressista.

– É uma combinação engraçada, igualdade de gênero e Igreja – admite ele, mordendo uma cenoura que pegou do prato de legumes crus que foi servido como um acompanhamento pouco habitual para o nosso chá. – Quando falamos de igualdade de gênero, estamos defendendo os direitos humanos, mas algumas vezes a prática da religião vai contra os direitos humanos, como, por exemplo, no caso do aborto. Quando há conflito, deve-se avaliar cada situação em si.

Manu colocou essa estratégia à prova quando pressionou para que a lei da blasfêmia na Dinamarca fosse abolida com um editorial no jornal *Politiken*, no qual escreveu: "A liberdade de expressão e os direitos humanos são muito mais importantes do que o perigo de que alguém se sinta ofendido quando se faz uma brincadeira ou um deboche com uma religião."

Como a maioria dos dinamarqueses não leva a religião tão a sério assim, eles ficam surpresos quando outros povos levam (você se lembra da questão do processo de abate do mês passado?) A liberdade de religião existe na Dinamarca desde que a constituição foi assinada em 1849. Desde então, todo mundo é livre para praticar sua fé e qualquer tipo de discriminação religiosa é contra a lei.

Todos os residentes na Dinamarca são livres para usar vestimentas e símbolos religiosos, do crucifixo ao Hijab, o véu das muçulmanas, em espaços públicos bem como no Parlamento e nas escolas. O Islã é a maior "religião das minorias", com 3,7% da população (de acordo com o Departamento de Estado americano). Existem 22 comunidades islâmicas na Dinamarca com o direito de deduzir a contribuição financeira para uma comunidade religiosa do seu rendimento sujeito à tributação. Todo mundo parecia conviver muito bem até 2005, quando o jornal dinamarquês *Jyllands-Posten* publicou doze tirinhas sobre o profeta Maomé. Isso colocou fogo numa grande controvérsia internacional, bem como em protestos violentos, boicote a produtos dinamarqueses em vários países e o incêndio da embaixada dinamarquesa em Damasco, na Síria, e do consulado da Dinamarca em Beirute, no Líbano.

Isso deixou muitos dinamarqueses perplexos, porque eles não podiam entender por que as pessoas ficaram tão chateadas. Como Viking me disse:

– Eram só tirinhas no jornal, que a maioria das pessoas joga no lixo no dia seguinte...

Mas tipos mais conservadores interessados em reduzir a entrada de imigrantes no país usaram esse incidente para lançar uma campanha "em defesa dos valores dinamarqueses". O partido de extrema direita, Danske Folkeparti, ganhou novos adeptos como resultado dessa campanha e, desde então, vem pedindo a suspensão da entrada de imigrantes. O partido vem crescendo de forma regular e ganhou quase 27% dos votos nas eleições europeias de 2014, dobrando o número dos seus representantes no Parlamento Europeu.

Mas essa não é a visão da maioria. Helle Thorning, a primeira-ministra do Partido Social Democrata, está conseguindo segurar as rédeas do país desde 2011 e representa uma forte frente para os ideais escandinavos tradicionais de uma nação liberal. No seu último discurso, na noite de Ano-novo, a rainha Margrethe aproveitou a oportunidade para chamar a atenção dos dinamarqueses sobre os perigos de se pensar de forma estreita e incitou a nação a ter respeito por outras culturas. "A Dinamarca é um país com muitas pessoas diferentes", disse ela. "Alguns sempre viveram aqui, outros vieram para cá. Mas nós somos todos partes de uma mesma sociedade e partilhamos as mesmas circunstâncias, as grandes e as pequenas, as boas e as más."

Os dinamarqueses têm a reputação de ser uma nação tolerante, como Christian, o "economista da felicidade", me disse logo no início do projeto, e em 2013, a Dinamarca estava no centro das comemorações do 70º aniversário dos 7 mil judeus que sobreviveram à ocupação nazista. A operação de resgate para levar os judeus dinamarqueses em segurança pela fronteira da Suécia foi praticamente um sucesso total, com 90% das pessoas salvas (para se ter uma ideia, apenas 30% dos 140 mil judeus holandeses e 60% dos judeus noruegueses sobreviveram). Para os dinamarqueses, fazer frente ao nazismo defendendo a democracia – uma ideia totalmente incompatível com o antissemitismo – era considerado crucial.

A tolerância reconhecida por todos é fonte de grande orgulho nacional. Acho que os dinamarqueses que encontro precisam das desculpas mais simples para mostrar todo o sentimento patriótico em relação a seu próprio país. Ter nascido na Dinamarca é visto como uma sorte inquestionável, e mesmo ter uma tênue associação com o país é percebido como Algo Bom. Muitas empresas incorporam uma referência à Dinamarca em seus nomes comerciais, porque "dinamarquês" é sinônimo de ser algo excelente em geral e de alta qualidade. Entrei num grupo do Facebook que se dedica a registrar esse fenômeno e encontrar o maior número possível de marcas com essa referência – foram 357 na última contagem –, incluindo a DanAir, DanFish, DanCake, DanDoors e minha favorita, a DanLube (que seria algo como lubrificantes dinamarqueses).

Começo a me perguntar se todo esse patriotismo tem também um impacto sobre o bem-estar da nação. Será que amar o seu país e ficar continuamente se lembrando do quão fabuloso é o lugar de onde você veio contribui para um alto nível de satisfação com a vida? Dou uma pesquisada e descubro que se sentir bem em relação ao seu país já foi cientificamente provado como sendo uma das coisas que mais fazem uma pessoa feliz, de acordo com pesquisa publicada na revista *Psychological Science*. Um Estudo dos Valores Europeus também descobriu que quanto maior o sentimento de orgulho nacional, mais é provável que alguém relate altos níveis de bem-estar pessoal.

– Então não é de se admirar que os dinamarqueses sejam tão felizes – digo a Lego Man. – Quase 90% deles dizem que sentem "orgulho" ou "muito orgulho" de seu país – leio na tela do meu laptop.

Outro estudo do Programa Internacional de Pesquisa Social perguntou quantos dinamarqueses concordam com a declaração "Meu país é melhor do que os outros países". Atordoantes 42% de dinamarqueses responderam "sim, meu país é melhor do que os outros". Em comparação, outros países liberais com sistemas de seguridade social fortes registraram taxas bem mais baixas, com apenas 7% dos holandeses acreditando que o país deles é melhor e 12% dos suecos propensos a tecer elogios à sua pátria amada.

Agitar as bandeiras – tanto literal quanto metaforicamente – é quase algo obrigatório por aqui. A despeito de suas crenças, agitar a cruz branca sobre um fundo vermelho é algo que une a todos, os social-democratas e os membros do Danske Folkparti, os luteranos e os ateus. Seja tremulando majestaticamente ao fundo de um programa de televisão qualquer e nas janelas das casas, seja decorando mesas de trabalho nos escritórios, enfeitando pratos, ou sendo hasteada nas comemorações de aniversários ou usada para vender algum produto, a bandeira da Dinamarca será colocada em qualquer coisa que fique no país durante algum tempo.

A *Dannebrog*, como é conhecida, é uma das bandeiras nacionais mais antigas do mundo, e diz-se que ela foi vista pela primeira vez caindo do céu no século XIII. Conta a lenda que os soldados dinamarqueses estavam quase perdendo a Batalha de Valdemar em junho de 1219 quando tiraram um tempinho para se reunir e rezar, pedindo ajuda. E eis que, em vez de mais artilharia ou mais soldados, ou a paz declarada, Deus lhes enviou a... *Dannebrog.* A flâmula vermelha e branca caiu do céu e foi habilmente pega pelo rei dinamarquês antes que caísse no chão encharcado. As pessoas começaram a dizer que essa oferenda divina fez o exército real alcançar a vitória – mas, em vez de valorizar a Deus que lhes mandou a bandeira, parece que os dinamarqueses colocam mais fé e lealdade na bandeira mesmo.

Ao descobrirmos a história do talismã dos céus, ficamos entusiasmados quando achamos um mastro quase soterrado por teias de aranha nos fundos do nosso galpão (obrigada, inquilinos que nos precederam!). Nós o levamos para fora e o consertamos antes de tentar colocá-lo de pé, ao vento, como naquele jeito amador de construir um celeiro *amish* no filme *A testemunha* (Lego Man: "Eu sou Harrison Ford!" Eu: "Claro... Claro...") Nós conseguimos colocar um mastro de quatro metros e meio de pé, a uma distância segura do nosso carro, da nossa janela e do cão e descobrimos, para nossa alegria, que ele se encaixa perfeitamente num buraco que até agora tínhamos tomado por um ralo desativado. Como nunca tínhamos tido um mastro antes (eu sei, isso é um problema de Primeiro Mundo...) , nós só nos demos conta de que a polia precisava de um pouco de óleo quando ele já estava de pé, de modo que tivemos que retirá-lo do buraco e colocá-lo no chão novamente. Num acesso de patriotismo assimilado, encomendei uma bandeira da Dinamarca pela internet. (Os inquilinos que nos precederam nem pensaram em nos deixar a deles. Mal-educados.)

– E isso é só o começo – digo a Lego Man, animada. – Podemos colocar bandeiras diferentes quando recebermos visita! Ou a da caveira com ossos cruzados para dar uma festa à fantasia de pirata! E podíamos *criar o nosso próprio brasão*!

Ele me lança um olhar que me diz que eu provavelmente tomei café demais de manhã, antes de ceder e concordar que eu compre algumas outras, "apenas para ter".

* * *

No fim de semana seguinte, uma amiga da época da universidade vem ficar aqui em casa. Fico comovida quando os amigos fazem o esforço de nos visitar, isso significa mais para nós do que eles podem supor. Voos para Dinamarca não são caros – dá para conseguir um ida e volta de Londres numa companhia aérea mais em conta por 50 dólares –, mas imagino que sair da sua zona de conforto e escolher vir para Billund por alguns dias pode não ser a primeira opção das pessoas para um feriado qualquer. Tem os que são aventureiros o suficiente para se arriscar a fazer isso por qualquer coisa, então quero tornar as coisas especiais e recompensar nossos intrépidos hóspedes com a estada mais divertida possível. O convidado de honra desta semana está vindo passar apenas algumas noites, incluindo a noite do que fomos orientados a chamar de "o grande aniversário" dele, algo que até o momento ele vinha negando. Ele nasceu na Suíça e é muito educado e muito bonito também, e toda vez que o vemos, ele me dá uma caixa de chocolates quase obscena de tão grande. Amigo Suíço é *sempre* bem-vindo. Então sinto que devo fazer algo especial para comemorar aquele marco de sua vida e que seja vago o suficiente para nos manter na lista de presentes de Natal, caso ele ainda esteja planejando insistir que tem "apenas 39". Vou fazer um bolo e Lego Man vai comprar umas biritas. Então tenho um *insight*.

– Podemos colocar uma bandeira para ele! – exclamo alegremente, depois de beber dois cafés, no sábado seguinte.

– O quê?

– Uma bandeira da Suíça! Como os dinamarqueses fazem nos aniversários! E podemos hasteá-la no nosso mastro para que seja a primeira coisa que ele veja quando chegar!

– Não podemos apenas colocar uma bandeira da Dinamarca? Elas são até parecidas...

– Não! – tento ser enfática com a boca cheia de *muesli*. Incapaz de falar sem que o *muesli* voe para todos os lados, aponto para uma matéria no site da BBC sobre como o presidente da Suíça foi saudado pelo primeiro-ministro da Ucrânia com a bandeira da Dinamarca. – Não é a mesma coisa, de jeito nenhum! – consigo falar, com a boca cheia de grãos. – E não... – respondo, antecipando a sua próxima sugestão –, não podemos usar um pouco de tinta. Temos que fazer direito.

Coloco o endereço da loja de bandeira no GPS e tiro a caneca meio cheia de café das mãos de Lego Man, começando a vestir meu casaco quando ele percebe que não tem outra escolha a não ser concordar.

Duas horas mais tarde estamos desdobrando uma bandeira da Suíça para começar a hasteá-la antes da chegada do nosso convidado. A bandeira suíça, como o primeiro ministro ucraniano, Arseniy Yatsenyuk, descobriu um pouco tarde demais, é ligeiramente diferente da *Dannebrog*, com uma cruz branca mais gorda bem no centro de um retângulo vermelho. Nós a hasteamos e ficamos admirando o nosso trabalho enquanto a bandeira balança ao vento.

– Parece um canivete enorme – murmura Lego Man melancolicamente, voltando aos seus dias de caçador-coletor nos escoteiros. Ele começa a ficar com os olhos enevoados, por causa dos bons tempos que não voltam mais, quando lembro a ele que horas são e digo que temos que ir andando.

Lego Man faz a saudação solene dos escoteiros para a bandeira, depois entramos no carro e vamos para o aeroporto pegar Amigo Suíço.

Quando voltamos a No Meio do Nada, estou meio alta por conta da interação social mais açúcar (abri logo a "caixa de chocolate para abrir os trabalhos" que Amigo Suíço me deu "só para a viagem"). A primeira coisa que vemos quando viramos na estrada da nossa casa é a bandeira, se agitando alegre contra o céu azul brilhante.

Mas antes que eu pudesse apontar meu dedo sujo de chocolate e dizer "Olhe lá, hasteamos a bandeira do seu país!", nos damos conta da reunião de cavaleiros barbados em volta do nosso mastro, por assim dizer.

– É um comitê de boas-vindas? – pergunta Amigo Suíço.

– Talvez eles estejam admirando a *nossa bandeira nova* – sugere Lego Man, balançando a cabeça como quem diz "está vendo só?".

Amigo Suíço entende a homenagem, leva a mão ao peito e diz que está muito comovido.

– Os velhos também fazem parte? É algum tipo de tradição dinamarquesa de boas-vindas?

– Hã... não.

Quando saímos do carro, os Senhores Barbados e seus amigos também folicularmente bem dotados vem na nossa direção, em massa, como num filme de zumbis. Só que mais devagar.

– Olá! – cumprimenta Lego Man, tentando parecer animado.

Um dos barbados franze a testa e faz uns sons guturais que não consigo decifrar. Eu estou quase mandando meu costumeiro *Undskyld, jeg ikke forstår* ("me desculpe, não estou entendendo nada") quando ele vocifera outra frase e pego as palavras Schweiziske ("suíça"), *forbudt* (proibido) e *Dansk flag* (bandeira da Dinamarca). Então, o cabeça do grupo, Senhor Barbado nº 1, aponta para o alto, com o rosto muito vermelho.

– Será que ele quer que você retire a bandeira do mastro? – pergunta Amigo Suíço.

Faço uma mímica que quer dizer "Vou descobrir que regra quebramos agora e prometo tirar a bandeira do mastro, se estivermos desobedecendo à lei", fazendo de conta que digito num teclado imaginário e depois baixando a bandeira com as duas mãos levantadas, movimentando uma corda também imaginária (nada mau, hein? Mímica: um dos meus talentos inúteis), e nós conduzimos Amigo Suíço até a soleira da porta.

Quando estamos seguros do lado de dentro, Lego Man se pergunta em voz alta por que diabos alguém teria alguma coisa contra a bandeira da Suíça.

– A Suíça é neutra! – diz ele, pegando a chaleira e colocando canecas em cima da bancada da cozinha. – Tudo o que os suíços fizeram foi relógios maravilhosos e um chocolate dos deuses!

– E Roger Federer! – acrescento. – Quem é que não gosta do Roger? O cara que fez cardigãs para homem serem *cool*... Pelo amor de Deus!

– E tem também a Ursula Andress – continua Lego Man, colocando água fervente dentro de um bule que também está em cima da bancada, antes de mergulhar alguns saquinhos de chá lá dentro.

– Ursula o quê? – pergunta o Amigo Suíço.

Lego Man coloca o bule na mesa e olha para ele horrorizado.

– A do biquíni branco? Em *007 contra o satânico Dr. No*.

Meu marido está olhando para ele como se estivesse reconsiderando a possibilidade da nossa amizade, quando alguém bate à porta. O Senhor Barbado nº 1 está de volta. E dessa vez trouxe um suplente, um terceiro septuagenário também coberto de pelos.

– Oi, desculpe, estamos tentando entender a.. hã... questão da bandeira – começo, meio impotente, enquanto ele levanta as mãos, palmas viradas para cima e fecha os olhos. É frustrantemente impossível ter uma conversa com alguém que está de olhos fechados. É como se ele já estivesse longe e nada do que você pudesse dizer fosse interessá-lo. Mordo minha língua e espero.

– Como você não fala dinamarquês muito bem – diz por fim o Senhor Barbado original –, tomamos a liberdade de traduzir e imprimir as regras sobre bandeiras na Dinamarca.

Senhor Barbado nº 3 me entrega uma folha de papel A4. Quando a pego, fico surpresa de ver que o papel está duro e brilhante.

– E vocês plastificaram as regras também?

Senhor Barbado nº 3 acena com a mão como se dissesse “não foi nada de mais”.

– Ele tem uma máquina – acrescenta Senhor Barbado nº 1, como explicação.

– E você fez isso *agora mesmo*?

– Fiz. É importante fazer as coisas certas – diz Senhor Barbado nº 3, impaciente.

– Não é culpa sua não conhecer as regras – fala Senhor Barbado nº 1, adotando um tom mais conciliatório. – Mas agora você vai poder conhecê-las. E isso não acontecerá novamente.

– Não – digo, concordando com ele, como uma garota de escola metida em encrenca, ou um político tentando responder a uma pergunta embaraçosa num programa de televisão.

– Você vai ver que a bandeira da Dinamarca é algo muito importante para nós – continua Senhor Barbado nº 1. – Se você tiver alguma outra pergunta, é só me procurar.

– Certo. Tá ótimo. Obrigada. Como é o seu nome mesmo?

Mas ele se vira e vai embora sem me dizer o nome dele. De novo.

Quando Lego Man e Amigo Suíço param de rir, leio as regras plastificadas em voz alta:

Protocolo da Bandeira do Ministério da Justiça

É essencial ☺ (os dinamarqueses, como pude perceber, adoram emojis, principalmente para diluir o impacto depois de terem dito algo que pode ser entendido como uma crítica, uma falta de educação ou uma reprimenda) *que as regras da bandeira sejam seguidas corretamente.*

É proibido de um modo geral neste país hastear uma bandeira que não seja a Dannebrog *(com exceção das embaixadas e consulados de Estados estrangeiros).*

É preciso ter uma autorização prévia da polícia para hastear uma bandeira de um Estado estrangeiro com exceção das bandeiras dos países nórdicos (bem como das Nações Unidas e da União Europeia).

Não se autoriza o hasteamento de uma bandeira estrangeira nos dias em que a Dinamarca comemora qualquer evento nacional (como durante a temporada de confirmação, por exemplo).

Em outros momentos, pode ser dada a permissão para o hasteamento de bandeiras estrangeiras JUNTAMENTE com uma bandeira dinamarquesa de PELO MENOS mesmo tamanho e disposta de maneira não menos evidente. Caso contrário, considera-se que isso seja um ato de dominação de um Estado sobre o outro, o que pode resultar numa declaração de guerra...

Faço uma pausa na leitura.

– Isso é muuuito dramático!

– Imagine só o poder que você tem nas mãos sem ter a menor noção disso – diz Amigo Suíço, tomando um gole de chá, claramente se divertindo com tudo aquilo.

Permissões são condicionais e podem ser revogadas a qualquer momento. Não seguir as regras é ILEGAL e pode resultar em MULTA.

P.S. Também é ilegal na Dinamarca profanar bandeiras de nações estrangeiras, mas É permitido queimar a bandeira dinamarquesa.

– O quê? – me interrompe Lego Man.

– É o que essa folha plastificada diz... – e continuo:

...é permitido queimar a bandeira dinamarquesa. Porque queimar uma bandeira estrangeira pode ser entendido como uma ameaça ao país. Queimar a Dannebrog, *por outro lado, não acarreta questões internacionais, e por isso é permitido. Na verdade, de acordo com a tradição dinamarquesa queimar é a maneira adequada de descartar uma bandeira deteriorada.*

– Como se deteriora uma bandeira? – pergunta Amigo Suíço. – Agitando muito?

Estamos perplexos.

A bandeira da Dinamarca não pode ser hasteada antes do nascer do sol ou antes das 8 horas (o que acontecer primeiro) *e deve ser retirada do mastro antes do pôr do sol.*

A bandeira deve ser hasteada vigorosamente e baixada com cerimônia.

A bandeira não deve nunca tocar o solo, porque isso significa que uma guerra irá começar na Dinamarca.

– Caramba! Tem um risco enorme de começar uma guerra com esse negócio de bandeiras – me interrompe de novo Lego Man.

Digo a ele que como o orçamento dinamarquês para defesa é de 1,3% do PIB e é notoriamente muito fácil escapar do serviço militar, provocar uma guerra é a última coisa que queremos carregar em nossas consciências, e leio a frase que falta.

Esperamos que você se divirta hasteando a bandeira da Dinamarca! ☺

– Extraordinário! – diz Lego Man, pegando três garrafas de cerveja na geladeira, ao decidir que toda a animação dessa tarde está pedindo algo mais forte que chá. – Quem iria imaginar que corremos o risco de ser processados ou de incitar um conflito militar internacional, tudo num só dia?

– Ainda assim, foi um gesto bonito. Fiquei muito emocionado – afirma Amigo Suíço, tomando um gole de cerveja. – Acho que não havia outra maneira de saber como os dinamarqueses levam a bandeira deles a sério.

Na Inglaterra, hastear a Cruz de São Jorge se tornou meio uma piada – um símbolo da Liga de Defesa Inglesa ou dos *hooligans*, os torcedores fanáticos do futebol. A bandeira escocesa, a Cruz de Saint Andrew, indica a afiliação ao Partido Nacional Escocês (também conhecido como BDSM, o acrônimo para Bondage, Dominação, Sadismo e Masoquismo, isso vai depender das suas preferências). A bandeira tricolor da Irlanda significa o Dia de São Patrício, o Guiness e pubs temáticos. O dragão da bandeira de Gales me faz pensar em rúgbi, ou algum tipo de coro de vozes masculinas. Durante a Olimpíada de 2012 em Londres, a Union Jack (como os ingleses chamam a própria bandeira por causa desse super-herói, uma versão britânica do Capitão América, cujo uniforme era a bandeira inglesa) reviveu brevemente seu papel como símbolo do orgulho nacional, em vez de ser uma declaração política suspeita. De repente, voltou a significar Stephen Fry, as séries de comédia com aquele típico humor britânico, biscoito de gengibre e Churchill. Da noite para o dia, passou a ser bem legal ter orgulho da Inglaterra – por umas duas semanas, pelo menos. E isso foi bom. Então não posso deixar de pensar que os dinamarqueses devem ter razão em alguma coisa com toda essa referência à bandeira.

Lego Man e eu dobramos com cuidado a bandeira suíça e mandamos nosso solteirão de quase 40 para casa com ela e com um pacote com um monte de coisas da Dinamarca para que ele se lembre desse fim de semana. Nós não vamos hastear a Union Jack nunca ("E pode esquecer a bandeira dos piratas", declara Lego Man me olhando), mas estou considerando em adotar a *Dannebrog* durante o tempo em que estivermos aqui. Já estamos completando cinco meses e começo a me sentir mais adaptada – possivelmente, até mesmo *relaxada. O que deve ser um passo a mais na direção do contentamento*, digo a mim mesma. E se orgulho nacional e festas tradicionais realmente podem nos tornar mais felizes, então quero um pouco disso também. Posso não ter nascido e me criado na Dinamarca, mas vou fazer o melhor que puder durante este ano para viver como uma dinamarquesa de verdade. Assim quem sabe eu possa adotar alguns costumes e tradições locais e coisas das quais possa me orgulhar enquanto estou aqui. Quem sabe eu não posso ser uma patriota dinamarquesa honorária. Então decido viver segundo aquele mantra da letra de um *folk-rock* que serviu para tudo nos anos 1970 e "amar quem está comigo". Por um ano mais ou menos, em todo o caso.

O que aprendi neste mês:

1. Você pode atear fogo na bandeira da Dinamarca, mas hasteá-la antes das oito da manhã é crime.
2. Uma religião não pode fazer você feliz, mas festas tradicionais e bolos específicos, feitos para cada uma delas podem.
3. Os pais dinamarqueses são extraordinariamente compreensivos e generosos.
4. Patriotismo é bom.
5. O cão precisa de mais aulas de adestramento.

6. JUNHO

Apenas uma mulher

O mar brilha convidativamente. O céu sem nuvens é azul-cobalto e Lego Man deu para usar shorts em tons pastel, como um figurante de um vídeo do Wham!, aquela dupla *pop* dos anos 1980, na qual George Michael começou a carreira. Isso só pode significar uma coisa: o verão finalmente chegou em No Meio do Nada. E, no entanto, surpreendentemente, é neste mês que minha busca pela felicidade recebe um duro golpe.

As coisas começam de forma bastante promissora. Observar triângulos brancos de barcos a vela oscilando de um lado para o outro ao sair da marina, deitados em espreguiçadeiras bebendo *spritzers* gelados, dá a impressão de que estamos na Côte d'Azur (*na baixa estação*, é claro, não vamos nos entusiasmar demais...). Para meu espanto, aqui faz calor. Calor de verdade. Como se a falta de poluição (ou de qualquer tipo de drama ou excitação) permita que o sol brilhe com mais intensidade. A terra irradia calor e toda a Jutlândia parece ser vista através de um filtro do Instagram. Nós somos obrigados a comprar uma barraca para não nos queimarmos no jardim, mas notamos que os dinamarqueses sedentos de sol ao nosso redor preferem passar bronzeador no corpo e se expor até suas peles ficarem curtidas como couro.

Viver à beira-mar de repente não parece mais algo triste e adquire uma alegre sensação de férias. Nós acordamos todas as manhãs e calculamos imediatamente quantas horas faltam até podermos ir brincar na praia. E como estamos bem ao norte e fica claro até as onze da noite, há umas boas sete horas de sol no fim de um dia de trabalho. Nossa cidadezinha calma à beira-mar agora está agitada com banhistas, churrasqueiros, canoeiros e marinheiros aproveitando um segundo turno de lazer depois de um dia não muito duro no escritório. Não tendo nunca me recuperado da vergonha de ter sido repreendida oficialmente por tentar cozinhar hambúrgueres numa bandeja de alumínio descartável num parque em Londres, num verão, não consigo me acostumar com o fato de que acender o fogo em qualquer lugar que você queira pareça ser perfeitamente normal aqui. Não só isso, mas a *kommune* (a prefeitura local) instalou mesas de piquenique, um gazebo e um depósito de lenha para ajudar o cidadão. Lego Man mal consegue acreditar nisso ("Lenha *de graça*? Não admira que os dinamarqueses sejam felizes!"), e não posso deixar de concordar que, quando se trata de gozar a vida, o esperto povo da Jutlândia parece ter tudo arranjado.

Cinco amigas da época da escola vêm se hospedar comigo e me deixo banhar pela familiaridade e pela dose concentrada de estrogênio que elas trazem. Nós falamos rápido – bom, pelo menos, não na velocidade que tenho adotado aqui, pronunciando devagar cada palavra para tentar ser entendida. Colocamos umas às outras a par das novidades. Comemos *snegles*. Tiramos fotos em grupo na fonte do cavalo pornográfico na Grande Cidade. E nos divertimos um bocado. Duas delas têm filhos pequenos, então há uma sessão diária de Skype antes da hora de ir para a cama das crianças, me fazendo lembrar do quanto também quero essa vida para mim. Adoro ser madrinha de duas crianças incrivelmente fofas, e estou bem contente em ser uma "tia especial", sem o parentesco das outras, mas não é a mesma coisa. Ainda tenho que engolir o nó na garganta que surge às vezes quando penso nisso. Mas estou realmente feliz em ter minhas amigas comigo por um tempo e, quando elas vão embora, me sinto animada, revigorada e pronta para passar mais um mês – ou seis – vivendo como uma dinamarquesa.

A Noite do Solstício de Verão é a grande festa deste mês, embora, de um jeito meio confuso, os dinamarqueses a transfiram para o dia 23, em vez do dia 21 de junho, para marcar a *Sankt Hans Eve* – a noite anterior ao dia de São João Batista. A festa é comemorada com uma grande fogueira que os dinamarqueses começam a construir um mês antes, de modo que na terceira semana de junho, a zona rural da Dinamarca está pontilhada de grandes montanhas de gravetos.

Lego Man, o cão e eu caminhamos pela praia, enfiando nossos dedos e patas na areia a caminho da nossa primeira festa de *Sankt Hans*. O ar cheira a fumaça e linguiças, e o cão, que vive para farejar e comer, está no paraíso. Os nativos estão todos do lado de fora e avisto os Senhores Barbados nº 1, 2 e 3. Digo *Hej* ao passar por eles e, milagrosamente, eles acenam em resposta. Eles *falam* conosco.

– Vimos que vocês agora estão fazendo tudo certo com a reciclagem... – comenta Senhor Barbado nº 1.

– ...Mas o seu cachorro ainda parece muito descontrolado – avisa Senhor Barbado nº 2, acendendo um cachimbo de Popeye e soltando uma baforada de fumaça.

Agradeço os comentários e seguimos em frente, não com muita facilidade, já que o cão parece ter ficado hipnotizado pelo fogo, como os homens das cavernas.

Vamos nos encontrar com Vizinha Simpática, com Viking e com minha *nova* amiga dinamarquesa que se parece um bocado com a *supermodel* Helena Christensen, só que loura (e ainda por cima, é simpática – eu sei, eu sei, a vida não é justa). Há também várias outras pessoas que cada um deles levou, e examino as provisões e a abundante quantidade de cerveja com que todos contribuíram para o piquenique. Enfiado na cesta de piquenique surpreendentemente bem equipada de Viking está um *tupperware* com uma massa que ele nos diz que é para *snobrød* ou "pão enrolado." Para comemorar o dia de São João Batista, os dinamarqueses enrolam tiras de massa ao redor de um espeto (eficientemente preparado com antecedência e bem encharcado de água) para cozinhar no calor da fogueira. Lego Man comete o erro de perguntar por quê, e recebe a resposta de sempre, em uníssono, como num coro grego: *É uma tradição!*

Um homem que se parece um bocado com Robert Plant começa a fazer um discurso com um microfone na mão, mas é interrompido pelos guinchos ensurdecedores do retorno. Ele dá uns tapinhas no microfone, o que só faz acrescentar um som surdo à cacofonia, e finalmente desiste e grita para ser ouvido.

– Quem é ele? – cochicho para Viking.

– Ah, é membro do Parlamento municipal. Em Copenhagen e outras cidades maiores teríamos alguém famoso discursando, mas aqui geralmente é um político ou um DJ de uma rádio local ou algo assim.

– Que chique... – murmuro, enquanto Viking se vira para dar toda a sua atenção a Robert Plant. – E, hã..., o que ele está dizendo? – pergunto. Meu dinamarquês ainda deixa muito a desejar e palavras ditas em voz baixa no sotaque rural da Jutlândia estão muito além da minha capacidade de compreensão.

– Ele só está narrando o que está acontecendo. Em seguida vamos cantar.

– Ah, que bom... – diz Lego Man, enquanto uma senhora de idade avançada se aproxima para distribuir partituras. – E o que vamos cantar?

Viking suspira de leve e eu imagino se ele está arrependido de ter ficado amigo de um casal de ingleses burros. Ele aponta para a partitura em sua mão:

– Essa aqui, que se chama *Vi elsker vort land*, ou “Nós amamos nosso país”.

Claro que sim!, penso.

Uma mulher que claramente tomou sol demais quando era jovem e agora se parece com um sagui cor de mogno começa a tirar, com uma das mãos, alguns acordes num teclado elétrico, enquanto fuma um cigarro com a outra. A multidão começa a cantar e Mulher Sagui canta junto, tentando não incendiar a partitura ao virar as páginas.

Tento me concentrar na música, apesar de nunca ter ouvido nem melodia nem letra, mas me distraio com um garoto que começa a escalar a montanha de gravetos, arrastando atrás dele uma espécie de espantalho dançarino de flamenco. Depois de colocar a triste oferenda no topo da pilha de gravetos, ele começa a dar socos na cara dela. Quando o garoto desce, uma mulher coloca mais palha na base da fogueira e acende o fogo com uma tocha. As chamas começam a lamber os gravetos, iluminando o boneco no alto da pira. Vejo um chapéu cobrindo uma cabeleira de lã e uma espécie de capa sobre um vestido vermelho de babados. Algum engraçadinho também achou bom desenhar uma cara infeliz na bola de papel machê que é a cabeça.

– Faz alguns anos que não abro a minha Bíblia do Rei James que usava na escola de freiras – cochicho para Lego Man –, mas tenho certeza de que João Batista foi decapitado, e não queimado vivo. E ele não era um dançarino de flamenco *famoso*...

Viking ouviu e disse:

– Mas não é São João quem está lá em cima. Hoje é só a véspera do Dia de São João.

– Certo... Então quem é *ele*? – digo, apontando para o rosto infeliz do boneco debaixo do chapéu de feltro que explode em chamas, fazendo a multidão gritar de alegria.

– *Ela* – me corrige ele. – É uma feiticeira.

Nesse momento, a cabeleira vermelha da infeliz criatura pega fogo e baforadas pretas de fumaça começam a subir na direção do céu. Há palmas e gritos, e algumas pessoas capturam o instante com as câmeras dos seus celulares.

– Vocês ainda *queimam feiticeiras*? – pergunto, horrorizada.

– Só esta noite – tenta explicar Viking. – É para isso que servem as fogueiras. É uma...

– Não fale... É uma *tradição?!*

– Como você adivinhou?

– Só um palpite.

– E o soco na cara – pergunta Lego Man – também faz parte da tradição?

– Não, esse garoto é levado – responde Viking.

– Certo. E a roupa de dançarina de flamenco?

– Acho que foi o que tinham.

Uma rajada de vento sacode as chamas da fogueira e logo a “feiticeira” malvestida não passa de um aramado escurecido pelo fogo num espeto. Algumas pessoas aplaudem e Garoto Levado e seus amigos riem feito loucos. Todos começam a cantar novamente e somos encorajados a nos reunir em volta da fogueira moribunda para assar nossos *kebabs* de pão, mas perdi o apetite.

Vizinha Simpática, notando minha consternação, tenta me consolar.

– Temos que queimar a feiticeira para afastar os maus espíritos – diz ela, como se isso fosse a coisa mais natural do mundo.

– Certo...

– As feiticeiras estão em polvorosa perto da Noite do Solstício de Verão. Então queimamos algumas delas para que o resto vá para a Alemanha...

– *O quê*?!

Isso está ficando cada vez mais esquisito.

– Para Bloksbjerg, nas montanhas, onde todas as feiticeiras se reúnem.

– *Por quê?*! Por que elas iriam para a Alemanha? – pergunto, e penso: *Para comprar cerveja e queijo mais baratos?*

Vizinha Simpática encolhe os ombros, e então Viking anuncia, já visivelmente embriagado:

– Não sei... Porque é a *Alemanha*. Coisas ruins acontecem lá!

Parece que essa é a melhor explicação que eles podem oferecer para uma certa xenofobia em relação ao vizinho poderoso ao sul.

Nesse ponto, começo a receber de Viking uma aula semiembriagada de história na beira do mar. Ele estudou o assunto na universidade, mas Vizinha Simpática e Helena C. o corrigem de vez em quando, com medo de que fiquemos com uma impressão inteiramente distorcida do país deles.

Fico sabendo que a queima das "feiticeiras" na Dinamarca começou no século XVI, quando a Igreja tinha grande prazer em julgar e condenar mulheres à morte na fogueira. A prática terminou oficialmente em 1693, quando Anne Palles, de 74 anos, foi queimada por ter "enfeitiçado" um oficial de Justiça, causado a morte súbita de uma mulher com quem o marido dela tinha dançado e sido responsável pela colheita fraca numa fazenda na qual ela tinha feito xixi uma vez.

– É mesmo?! Essa última parte é verdade? – pergunto, desconfiada, mas todos dizem que sim, enfaticamente. Ao ouvir essa revelação urinária, o cão começa a gemer baixinho, consciente de que ele já fez muito pior em várias fazendas por aqui. Ele se afasta das brasas e se esconde atrás das pernas de Lego Man.

– Então, como você vê, deixamos de queimar mulheres de verdade há muito tempo! – diz Viking, terminando alegremente sua aula. – E virou moda queimar feiticeiras de *palha* depois de 1900.

– Isso não significa nada – tenta me tranquilizar Vizinha Simpática. – É só...

– *Tradição?!*

– *Isso!* – responde o coro, visivelmente embriagado.

– Mas pensei que a Dinamarca fosse um lugar incrível para a igualdade de gênero. Com uma história longa e ilustre de defesa dos direitos das mulheres – comento, ainda não suficientemente bêbada para desistir do assunto.

– Claro – diz Viking, encolhendo os ombros. – Mas não dos direitos das *feiticeiras*!

– Você sabe que feiticeiras não existem, não é mesmo?

Todo mundo ri e Lego Man entra como conciliador.

– Não se preocupe, estamos falando de centenas de anos atrás. E as coisas mudaram muito desde então, certo?

– Bem... – começa Vizinha Simpática, fazendo uma careta que a deixa parecida com uma boneca de massinha de *Wallace & Gromit*.

– O quê?

– Bem, sabe todos esses prédios grandes vermelhos que há por aqui?

– Os antigos hospitais? – pergunto, achando que ela está se referindo às instituições de tijolos vermelhos dos anos 1920 que estão por toda a parte e que agora são habitadas por aposentados barbudos.

– É-é... – responde ela, parecendo um pouco insegura. – Só que eles não eram exatamente *hospitais*...

– Não eram? Foi o que a corretora nos disse.

– Não. Eles eram instituições. Para deficientes mentais – e me pergunto se deveria sugerir delicadamente o uso de um termo mais politicamente correto, mas ela continua: – Aqueles lá eram os prédios para os homens – diz, apontando para os prédios enormes mais afastados da praia. – Foram construídos por Christian Keller, um famoso médico dinamarquês. O cara cuja estátua fica no alto da colina, sabem qual é?

– Aquele com um bigode enorme?

– Ele mesmo. Mas as mulheres... – ela respira fundo – bem, vocês já repararam numa ilha no caminho de Funen para Zealand?

Funen é a ilha a leste na península de Jutlândia, e a Zelândia, a que está ainda mais a leste, e onde fica Copenhagen e, como descrevo para familiares e amigos, “onde está a diversão”. Mesmo com meu péssimo senso de direção, sei do que Vizinha Simpática está falando. Isso é curioso.

– Sei, sim! Nós já passamos por ela algumas vezes. Por quê?

– Bem, o nome daquela ilha é Sprogø, para onde as mulheres deficientes eram mandadas. Só que nem sempre havia algo de errado com elas...

Fico sabendo que Sprogø era usada para o confinamento de mulheres consideradas “patologicamente promíscuas”, “moralmente retardadas”, “sexualmente frívolas” ou acusadas de *løsagtig* (comportamento indecente). A instituição fundada por Christian Keller em 1923 era essencialmente uma prisão para mulheres que faziam sexo sem serem casadas, que tinham amantes ou um filho fora do casamento. Não que trancá-las numa ilha só de mulheres evitasse necessariamente outras travessuras. Sprogø estava sempre cheia de visitantes masculinos que esperavam encontrar "mulheres fáceis", embora, ao que parece, ninguém achasse que homens à procura de sexo fossem um problema.

– E quando esse lugar fechou?

– Ah, nos anos 1960.

Fico chocada. Sei que isso não é exclusividade da Dinamarca. O Asilo Magdalene em Londres ficou ativo até 1966, e a última Lavanderia Magdalene, na Irlanda, só fechou nos anos 1990. As duas instituições abrigavam "mulheres perdidas". *Mas na Dinamarca*? Eu tinha achado que os dinamarqueses haviam evoluído mais cedo – que as coisas eram um pouco mais iguais por aqui. Percebo que não sei tanto quanto pensei que soubesse sobre o que é ser mulher na Dinamarca.

A festa continua até o sol finalmente se pôr às onze da noite e a lua aparecer, brilhando tão forte que parece ser meio-dia. Nós subimos a colina até nossa casa logo depois e olho para baixo, para os restos da fogueira, brilhando e se juntando a dezenas de outras ao longo da costa, como um colar de pérolas.

Naquela noite, sou atormentada por sonhos de mulheres semicarbonizadas em fogueiras, que saem em direção à Alemanha, até que acordo às três da manhã com um raio de sol que atravessou uma fresta da nossa cortina e agora está queimando minhas retinas. O Solstício de Verão, no estilo dinamarquês, significa apenas quatro horas de escuridão por dia, e embora essas longas noites de verão sejam bem-vindas, eu poderia passar sem esse despertar prematuro, acompanhado do coro do alvorecer.

Protegendo os olhos e praguejando, passo a mão por cima da mesinha de cabeceira à procura da máscara que ganhei no avião e que passei a usar de manhã cedo. Eu a coloco, ajeito o travesseiro e tento dormir de novo, mas agora o meu cérebro já despertou e, em vez de voltar a dormir, fico ali deitada, pensando. Em todo tipo de coisa. Sou boa nisso.

Por que os pássaros acordam tão cedo? Quando o sol se põe aqui no verão eles devem estar exaustos, ou será que não? Qual a melhor loja para comprar sutiãs aqui? Quem foi que decidiu que depilação era uma boa ideia? Quando foi que as mulheres começaram a votar na Dinamarca? E, por fim, a pergunta mais importante. *E se nascer mulher na mundialmente famosa progressista Escandinávia não for melhor do que nascer em outro lugar qualquer?* Ao perceber que não tenho respostas para essas perguntas, faço planos de descobrir.*

Aarhus, a segunda maior cidade da Dinamarca, abriga um dos poucos museus de história das mulheres do mundo. Embora não esteja no nível dos museus do Instituto Smithsonian, ele ostenta um conjunto interessante de artefatos e de material de arquivo, traçando a vida daquelas que nasceram com dois cromossomos X ao longo dos séculos. Naquela sufocante manhã de segunda-feira, vou até a Grande Cidade no meu tomate móvel sem ar-condicionado, na esperança de me tranquilizar a respeito do destino das mulheres na Dinamarca. Uma senhora prestativa, de óculos de aro de tartaruga, me acompanha numa visita à coleção empoeirada do museu e me faz um rápido relato histórico da mulher nórdica. Fico sabendo que as mulheres foram admitidas nas universidades dinamarquesas em 1875, e que os países escandinavos foram os primeiros em termos de sufrágio universal de mulheres, com a Finlândia dando o pontapé inicial em 1906, seguida da Noruega em 1913, Dinamarca e Islândia em 1915, e Suécia em 1919. Na Dinamarca, Suécia e Noruega, os partidos políticos estabeleceram cotas de gênero

* Para sua informação, os pássaros cantam logo cedo para defender seu território de invasores, mas cochilam bastante durante o verão na Escandinávia, para aguentar o longo dia de trabalho (segundo pesquisa da Universidade de Western Ontario e do Instituto de Ornitologia Max Planck, respectivamente). Os antigos egípcios abriram o caminho para a depilação com cera, como nós a conhecemos, usando açúcar (uma sujeirada, não experimente) – e não há nenhum lugar decente para se comprar sutiãs perto da minha casa.

voluntariamente nos anos 1970, encorajando tantas mulheres a entrarem na política que as cotas foram, desde então, abandonadas na Dinamarca porque não havia mais necessidade de nenhum estímulo. No momento em que estou escrevendo este livro, as mulheres representam mais de 40% do Parlamento dinamarquês, bem como lideram ambos os partidos da coalizão. Também descubro que os dinamarqueses sempre foram progressistas quanto aos direitos das mulheres, legalizando o aborto em 1973 e a igualdade salarial em 1976. Como aprendi em fevereiro, na Dinamarca as políticas públicas visam a tornar o emprego acessível a todos, incluindo licenças-maternidade e paternidade generosas.

Aqui as famílias têm fantásticas 52 semanas de licença para dividir quando têm um bebê. As mães geralmente tiram quatro dessas 52 antes do parto e, pelo menos, catorze semanas depois. Isso parece bastante sensato, já que ter um tempo decente de licença-maternidade torna as crianças mais saudáveis e diminui as taxas de depressão pós-parto, segundo pesquisa do Instituto Nacional de Pesquisa Econômica nos Estados Unidos. Os homens também tiram quinze dias de licença assim que o bebê nasce, e o restante do tempo de licença é dividido entre os pais do jeito que desejarem. Como a maioria dos homens tira licença-paternidade na Dinamarca, eles costumam criar vínculo mais rapidamente com seus filhos e também aprendem a fazer todas as coisas que, tradicionalmente, são feitas pelas mães.

O próximo passo é conseguir a obrigatoriedade de um tempo maior de licença-paternidade. A Noruega foi o primeiro país a estabelecer uma cota de licença-paternidade para pais em 1993. Antes disso, apenas 2%-3% dos pais noruegueses tiravam algum tempo de licença. Hoje, os pais noruegueses têm catorze semanas de licença e 90% dos pais a utilizam, e 15% deles escolhem trabalhar menos tempo durante a semana depois disso, para passar mais tempo com a família. Estudos mostram que o aumento da licença-paternidade na Noruega fez uma diferença real na atitude das pessoas em relação aos papéis de gênero, e os meninos que nasceram depois de

1993 ajudam mais nas tarefas domésticas do que os que nasceram antes. Na Suécia, os pais tiram dois meses de licença-paternidade, recebendo 80% do salário.

Se algum dia nós tivermos um filho, não posso deixar de pensar, *a Escandinávia seria um ótimo lugar para isso...*

Há também um subsídio estatal, pago diretamente a qualquer mãe que tenha filhos menores de 18 anos, não importa qual seja a renda dela, bem como benefícios concedidos a pais solteiros e a filhos de viúvos ou viúvas.

Depois que têm filhos, 78% das mães dinamarquesas voltam ao trabalho – uma taxa bem mais alta do que a média geral de 66% da OCDE. Isso porque o governo subsidia o cuidado das crianças e o famoso equilíbrio entre vida pessoal e profissional na Dinamarca torna mais fácil administrar carreira e vida familiar aqui do que em outros lugares. O que tem sido definido tradicionalmente como sendo "trabalho da mulher" é tão valorizado aqui quanto o que tem sido tradicionalmente definido como sendo "trabalho do homem" – e ambos os sexos fazem um pouco de cada.

Poder ir e vir durante o dia (o lado bom de ser freelancer) é sempre um exercício antropológico interessante, e na Dinamarca vejo mais homens pela rua do que via na Inglaterra. Isso não acontece porque eu esteja procurando especificamente por eles, que fique bem claro, mas porque eles estão *lá*, geralmente com uma pessoinha junto. Há pais empurrando carrinhos ou criancinhas nos balanços no meio do dia, esperando para pegar seus filhos na creche às três e meia da tarde ou andando rápido nos corredores do supermercado com um pé de alface numa das mãos e uma criança pequena na outra. Homens fazendo o tipo de tarefas domésticas que na maioria das vezes vemos mulheres ou avós fazendo na Inglaterra e em outros países. E isso parece ser *algo muito bom*. Estudos da OCDE confirmam que os homens escandinavos estão se envolvendo mais do que nunca nos cuidados com os filhos e fazem uma quantidade maior de tarefas domésticas do que seus colegas britânicos. E fico contente de descobrir uma pesquisa da

Universidade de Missouri, mostrando que homens e mulheres são mais felizes quando dividem responsabilidades domésticas e a educação dos filhos. Presto bastante atenção nessa informação, para depois contar a todas as minhas amigas que são mães e sugerir que elas imprimam essa pesquisa e a colem na geladeira.

Além desses pais dedicados, examino também as lojas em Aarhus. Para fins de pesquisa, obviamente. A moda feminina exposta nas vitrines é bastante homogênea, colorida, mas dentro de um padrão escandinavo chique e sexy. Mas ela não é extremamente sensual, ou tamanho PPP. As mulheres que vejo ao meu redor não são magras como um palito. Ao contrário, elas têm uma aparência forte. São verdadeiras vikings. Na padaria perto da minha casa (em outras palavras, no meu segundo lar), um raro turista americano que passou por lá recentemente disse para a moça atrás do balcão: "Você parece uma mulher viking!" Tudo bem, isso foi meio esquisito, mas se alguém tivesse dito isso para mim na Inglaterra, eu teria achado que a pessoa estava me chamando de gorda. E até de *masculinizada*. E isso seria visto como *algo ruim*. Mas a moça da padaria ficou verdadeiramente satisfeita e agradeceu a ele pelo "elogio". Ser vista como uma mulher forte na Dinamarca é uma honra. Até mesmo na capital, Copenhagen, onde a moda é importante. Não vi ninguém com aquela aparência de heroína chique, esquálida, angulosa e pálida, com que me acostumei em Londres, nem com o físico sarado das nova-iorquinas. Ser magra demais não é considerado particularmente desejável na Dinamarca. Aqui as mulheres comem.

Passo por crianças na rua cujo gênero é quase indistinguível, sem as roupas com as cores convencionais. Isso me lembra que o último catálogo da maior cadeia de lojas de brinquedos da cidade deixou de lado as convenções sociais e mostrou meninos brincando com Barbies e meninas brincando com trenzinhos na capa. As crianças podem escolher o que querem aqui, não importa seu gênero.

Sentindo-me de novo segura de que a Dinamarca é um bom lugar para ser mulher, mas querendo saber mais a respeito disso, converso com Helena C. e Mãe Americana a respeito do assunto, convidando-as para um café (e um *snegle*, naturalmente) no dia seguinte. Estou preparada para encarar uma conversa meio morna a respeito da irmandade em defesa das mulheres da minha nova pátria espiritual, e as coisas começam de forma bastante positiva. Mãe Americana fala sobre as oportunidades que existem na Dinamarca para as mulheres que querem ter filhos mas também querem uma carreira, e me diz que quando teve o primeiro filho nos Estados Unidos, todos acharam que ela tinha "muita sorte" de conseguir três meses de licença, não remunerada.

– Ter meu segundo filho na Dinamarca foi um sonho em comparação com a minha primeira experiência nos Estados Unidos – afirma ela. – Fiquei de licença um ano e, nesse ano, fui promovida no trabalho.

Helena C. me diz que meninos e meninas são tratados de forma igual e têm as mesmas oportunidades na escola, e Mãe Americana admite que não se veem "muitas meninas cheias de frescura por aqui". Na Dinamarca, *Jeg kan gøre det selv* ou "Eu posso fazer isso sozinha" é algo que elas aprendem desde que começam a falar. Fico impressionada. Mas então a conversa toma um rumo menos incrível.

– Portanto, sim, tudo isso é muito bom para mães e filhos, mas você devia ouvir algumas das piadas que se contam sobre mulheres, bom, pelo menos lá no meu escritório – diz Mãe Americana.

– Por exemplo?

– Deixe eu escolher um bom exemplo... – responde ela. – Ontem um cara do meu departamento fez uma "piada" sobre mulheres no volante numa grande apresentação que fizemos para clientes. Esse tipo de piada não seria permitido nos locais de trabalho nos Estados Unidos. Tudo bem, lá as mulheres ainda não *recebem* tanto quanto os homens para fazer o mesmo trabalho. Aqui você pode estar certa de que vai receber o mesmo salário de um homem no mesmo cargo, mas é como se os dinamarqueses pensassem: "Bem, já resolvemos a questão importante, então que mal faz uma piadinha?"

Helena C. concorda com essa avaliação dos seus compatriotas e me fala da versão dinamarquesa de um programa de tevê da BBC em que mulheres nuas ficam paradas, em silêncio, diante de homens inteiramente vestidos que dissecam verbalmente os corpos delas.

– Eles falam sobre tudo, desde os pelos pubianos até as cicatrizes de cesárea – me conta ela.

– Que legal!

O apresentador do programa é Thomas Blachman (que também é um do jurados na versão dinamarquesa de *The X Factor*). Ele justificou seu "programa de mulheres nuas" para a imprensa dinamarquesa na época como sendo um serviço cultural para fazer "os homens falarem sobre a estética do corpo feminino sem permitir que a conversa se tornasse pornográfica ou politicamente correta". Talvez porque a maioria das mulheres nunca teve a sorte de ter sua aparência criticada por homens desconhecidos antes... Ah, não, espere aí, acho que me enganei...

Sobre a questão da objetificação da mulher, Mãe Americana me diz que foi abordada por meninas adolescentes na Grande Cidade, no fim de semana anterior. Elas faziam uma exibição de *pole dance* se preparando para um evento nacional.

– E distribuíam folhetos convocando "famílias com crianças, idosos, jovens, casais e solteiros, todos são bem-vindos!", mas se contorciam como se estivessem fazendo *striptease*!

Elas também já ouviram dizer que as empresas ainda discriminam mães e futuras mães em entrevistas na Dinamarca. Não é raro que os entrevistadores perguntem a idade de uma candidata, seu estado civil, e se ela tem filhos ou não, ou pretendem ter. O Ato de Tratamento Igual diz que não deve haver nenhuma discriminação baseada em gênero, e se um candidato a emprego ou um empregado se sentir injustamente tratado, cabe ao empregador provar que não houve discriminação. Mas alguns sindicatos para os quais telefono para fazer uma matéria para um jornal inglês me dizem que mulheres dinamarquesas que estejam grávidas ou de licença-maternidade têm sido regularmente demitidas por seus empregadores, e algumas, inclusive, não foram contratadas com base na chance remota de que elas *poderiam* ter filhos no futuro. Em 2012, perguntava-se nas entrevistas a uma em cada oito enfermeiras recém-formadas se tinham, ou planejavam ter, filhos, segundo o Sindicato das Enfermeiras. Uma delas recebeu a seguinte justificativa: "Não podemos contratá-la já que você vai entrar em licença-maternidade em breve." O Sindicato de Trabalhadores do Comércio e Serviços informou que 17% das mulheres afiliadas foram questionadas sobre planos de ter filhos em entrevistas de emprego, e para as advogadas, o cenário ainda é mais sombrio: 20% delas dizem que suas carreiras sofreram reveses por causa dos filhos. Alguns sindicatos chegam a relatar casos de empresas demitindo mulheres que estavam fazendo fertilização in vitro.

Estou começando a perceber que nem tudo é cor-de-rosa na minha idílica Escandinávia, e decido recrutar alguns especialistas para me ajudar a entender melhor o estado da igualdade na Dinamarca. A primeira delas é Sanne Søndergaard, uma das maiores comediantes da Dinamarca e uma feminista convicta.

– A maioria das dinamarquesas se sente feliz por ter nascido aqui e as mulheres na Dinamarca não têm que fazer tantas concessões quanto em outros lugares do mundo, como nos Estados Unidos e na Inglaterra – diz Sanne, quando nos encontramos para um café e uma sessão de discussão de direitos civis. – Mas nem tudo é perfeito. Nós não falamos muito sobre sexismo na Dinamarca, mas existe, sim, uma cultura sexista aqui. Nós precisamos reconhecer isso e não esquecer da questão, senão iremos simplesmente reproduzir esse modelo, tanto os homens como as próprias mulheres.

Comento a história da *pole dance* e ela fala sobre os anúncios de cirurgia plástica que tem visto nos ônibus de Copenhagen.

– Esses anúncios ficam circulando pela cidade o dia inteiro, com mulheres com os seios nus, enormes, incentivando as outras mulheres a "terem seios novos!". A filha de uma vizinha, que tem 9 anos, me disse noutro dia que queria ser um menino para não ter que "arranjar seios novos um dia". Essa foi a mensagem que ela e as amiguinhas captaram daqueles anúncios espalhados por toda parte, que para ser mulher de verdade você precisa de seios enormes, empinados e falsos. Isso é muito triste!

Algumas coisas assim têm se introduzido na cultura liberal dinamarquesa nos últimos anos, Sanne me diz.

– É como se as pessoas aqui *admitissem* que somos iguais, então todos podem ser sexistas o quanto quiserem. Como a Dinamarca foi a primeira a tratar de diversas questões de igualdade, como direitos dos gays e leis sobre aborto, acho que também estamos sendo os primeiros a sentir a reação.

O braço dinamarquês do Everyday Sexism Project [que ainda não chegou ao Brasil] foi lançado em 2013 e tem registrado as contribuições de mulheres na Dinamarca que desejam compartilhar on-line suas experiências com sexismo cotidiano – desde comportamento inapropriado até publicidade com estereótipos de gênero e sexistas. Pergunto a Sanne se houve a mesma quantidade de *tweets* anônimos e abusivos dirigidos às mulheres que falaram sobre desigualdade como houve na Inglaterra, e ela ri.

– O Twitter não é tão popular na Dinamarca como em outros países, então não há tantos psicopatas por aqui ainda, só uns espertinhos, que entendem de tecnologia. Isso é bom. Normalmente, quando eu sou xingada no Twitter, o teor é mais condescendente do que ameaçador, embora eu não saiba dizer qual prefiro...

– Como assim?

– Todo mundo pode *ver* uma ameaça de estupro e processar o agressor criminalmente, mas não dá para fazer nada contra alguém que está *apenas* tentando mostrar que é superior a você em 140 caracteres.

Bom argumento.

Entro em contato com Sara Ferreira do Everyday Sexism na Dinamarca para perguntar a ela qual tem sido a reação ao site até agora.

– As mulheres que se inscreveram dizem que é um alívio – afirma Sara – admitir que o sexismo ainda é forte mesmo num país como a Dinamarca, onde o nível de igualdade de gênero parece invejável, visto de fora. Não somos cegas, sabemos que as mulheres de outros países estão em situação bem pior do que aqui. Mas, mesmo assim, as mulheres só puderam votar na Dinamarca nos últimos cem anos. Não faz muito tempo, éramos consideradas cidadãos de segunda classe. Temos que ficar alertas e conscientes para não cairmos nos velhos modelos. É um grande problema quando mulheres jovens, e homens também, que não têm a perspectiva histórica, pensam erroneamente que são "livres" para fazer o que querem, sem enxergar que as forças estruturais e culturais ainda estão agindo.

Um dos principais problemas estruturais é a discriminação de gênero dissimulada. Mesmo que minha pesquisa sobre meninos e meninas na Dinamarca não seja nem um pouco científica e não seja válida para a apuração de dados, percebo que os estudantes estão recebendo orientações diferentes quanto à carreira dependendo do sexo. Mais meninos são direcionados para engenharia (79% dos engenheiros da Dinamarca, atualmente, são homens, de acordo com a Sociedade Dinamarquesa de Engenharia) e as meninas são incentivadas a cursar humanidades.

Converso com Manu, o ministro para a Igualdade de Gênero e Clérigo da Igreja da Dinamarca, e pergunto a opinião dele a respeito de tudo isso. Ele é surpreendentemente franco, concorda que há um problema e diz que planeja tratar dele em breve.

– Fizeram uma palestra sobre profissões na escola da minha filha – diz Manu –, e depois perguntei se ela tinha achado que engenharia poderia ser uma opção, porque eu acreditava que ela poderia gostar de ser engenheira. Ela me disse que nem sabia o que era engenharia! Os orientadores vocacionais das escolas precisam realmente mostrar às meninas e aos meninos todas as opções que eles têm, assim como nós, pais, para rompermos os estereótipos de gênero.

A indicação de uma mulher para o posto mais alto da política na Dinamarca ajudou nisso, Manu me diz. Helle Thorning-Schmidt foi primeira-ministra de 2011 a 2015, e chegou ao poder derrotando seus oponentes e uma imprensa bem corrosiva. O jornal *Politiken* escreveu que ela era "bem vestida demais para os Social-Democratas, inexperiente demais para se tornar chefe do país e fria demais para conquistar o coração do povo", uma crítica que ninguém jamais faria a um político homem. Ela logo foi apelidada de "Gucci Helle", porque adora uma roupa de grife, e também foi atacada por seu próprio partido por ser bonita demais. Helle manteve um silêncio digno por algum tempo antes de destruir um sujeito inoportuno e particularmente repulsivo numa reunião ministerial com a frase: "Meu caro, não podemos todos ter uma aparência de merda." Eu amo a ex-primeira-ministra da Dinamarca!

– Foi importante ter Helle como modelo – diz Manu. – Assim como o fato de eu ser o primeiro ministro de Estado de pele escura (os pais de Manu são da Índia) irá, espero, ajudar outros imigrantes a ver que fazer uma carreira política na Dinamarca é possível. Ter tido Helle no mais alto cargo do país é uma inspiração para as meninas. Podíamos sempre dizer a elas que as mulheres podem chegar ao topo na política, mas enquanto não vissem isso acontecer, não parecia real. Saber que você pode chegar ao mais alto cargo político do país é uma mensagem muito poderosa para uma menina dinamarquesa.

O que ele me diz faz todo sentido para mim. Crescer como filha única de mãe solteira com Elizabeth II no trono e Margaret Thatcher como primeira-ministra me fez achar que as mulheres governavam o mundo. E me lembro que eu nem acreditei quando li sobre um primeiro-ministro num livro da biblioteca da escola, aos 10 anos, de tão certa que estava de que esse era um papel exclusivamente feminino e que não era nem permitido aos homens se candidatarem a ele. Crescer numa bolha de ilusão sobre o poder das mulheres foi uma vantagem e tanto – nunca me ocorreu que houvesse algo que eu não pudesse fazer. Com Helle governando o país até muito recentemente e com a rainha Margrethe no trono, milhares de pequenas dinamarquesas deviam estar tendo a mesma sensação de que tudo era possível para elas. Sinto um arrepio de entusiasmo só de pensar.

– É praticamente certo que homens e mulheres são iguais aqui – diz Manu, passando protetor labial e me dando a impressão de ser um exemplar perfeito do metrossexual moderno. – Isto faz parte do nosso DNA. Ser mulher na Dinamarca significa ter boas oportunidades e não precisar escolher entre família e carreira.

Isso é tranquilizador. Mas a parte do "praticamente" pode estar começando a causar alguns problemas, porque o sistema não está funcionando para todo mundo.

Um estudo publicado em 2014 pela agência da União Europeia que trata dos Direitos Fundamentais verificou que a Dinamarca estava no topo da lista quando se tratava de violência contra as mulheres, com 52% das dinamarquesas entrevistadas dizendo que tinham sido vítimas de violência física ou sexual – bem acima da média da União Europeia de (ainda horríveis) 33%.

– Os números do relatório são chocantes – admite Manu, quando eu toco no assunto, mas ele faz questão de destacar o fato de que os vizinhos escandinavos da Dinamarca, também elogiados por sua igualdade de gênero, tiveram um resultado igualmente elevado. Na Finlândia, 47% das mulheres disseram que já tinham sido vítimas de violência, e na Suécia foram 46%. Em comparação, a Polônia registrou a porcentagem mais baixa de mulheres vítimas de violência, 19%, e a Inglaterra, 44%. Isso pode ter algumas explicações estruturais e culturais – diz Manu. – As mulheres dinamarquesas estão muito presentes no mercado de trabalho. Isso é positivo, mas também pode deixá-las mais vulneráveis. O silêncio em torno da violência contra as mulheres aqui também é muito menor do que costumava ser. A violência não é mais uma questão privada. As dinamarquesas não se calam mais. Diferentemente de países onde ainda se esconde a violência e onde ela é uma desonra para a própria mulher.

Apesar da afirmação de Manu de que falar sobre violência doméstica não é mais tabu na Dinamarca, houve um silêncio conspícuo na imprensa dinamarquesa quando o relatório foi publicado. A única pessoa a se manifestar publicamente e comentar o relatório foi Karin Helweg-Larsen, do Observatório Nacional sobre a Violência contra as Mulheres da Dinamarca. Ela apareceu em quase todos os meios de comunicação importantes do país, dizendo que o relatório não estava correto e que era inútil comparar mulheres dinamarquesas liberadas com mulheres da Croácia, da Bulgária ou do sul da Europa, onde, ela sugeria, a violência pode ser considerada normal.

Ligo para Karin e peço a ela para explicar isso melhor, e ela me diz:

– Não é comum comparar dados de diferentes nações sobre a violência porque as definições mudam de país para país. A violência contra as mulheres não é tolerada *de forma alguma* aqui, e desde o ano 2000 tem havido campanhas contra a violência para garantir que a violência doméstica não seja vista mais como uma questão privada. Trabalhamos duro para mudar essa ideia e a percepção das pessoas, para que todos entendam que a violência é algo que não será tolerado em nenhuma circunstância. E as campanhas deram resultado. As estatísticas mostram que a violência está diminuindo.

Os números do governo dinamarquês mostram que 26 mil mulheres com idades entre 16 e 74 anos relatam já terem sofrido violência de um parceiro antigo ou atual, ou seja, houve uma queda em relação às 42 mil que fizeram esse mesmo relato no ano 2000.

Mas uma rejeição tão veemente das conclusões do relatório da União Europeia ajuda mesmo as mulheres na Dinamarca? Isso não poderia permitir que os dinamarqueses se deitassem sobre seus próprios louros e pensassem, convencidos, *ah, tudo bem, o problema da violência doméstica não existe realmente aqui?*

– Não – insiste Karin. – Foi importante para mim contestar esses números porque se os aceitarmos, então fica fácil demais para o resto da Europa, como a Croácia, por exemplo, dizer: "Bem, nem adianta elaborar um plano nacional em favor da igualdade de gênero ou para reduzir a violência doméstica porque isso não funciona nem na Dinamarca ou na Escandinávia."

É pouco provável que Karin vá passar férias na Croácia por agora, mas ela pode ter razão.

– É perigoso usar esses dados da União Europeia – continua Karin – para, digamos, reduzir o financiamento de abrigos para mulheres vítimas de violência. Em vez disso, nós precisamos assumir a responsabilidade e lutar por melhorias.

Isso é algo com que todas as mulheres com quem falo na Dinamarca concordam. Mas existe uma outra teoria a respeito do motivo pelo qual as dinamarquesas relataram níveis de violência tão altos. Sanne diz:

– Existe muita violência *em geral* na Dinamarca.

Isso é uma surpresa para mim, já que nunca testemunhei qualquer tipo de agressão desde que vim morar aqui. Mas Sanne explica que é porque eu não sou jovem e não saio para me divertir num sábado à noite.

– Os rapazes frequentemente são agredidos na noite – explica Sanne. – Há muitas brigas, e se você tenta apartar uma delas, apanha também. Nós simplesmente estamos batendo mais uns nos outros. E bebemos muito. Como a ideia de que somos todos iguais realmente existe, talvez alguns homens pensem "bem, talvez não seja uma coisa tão má bater numa mulher". As mulheres não são o sexo frágil na Dinamarca. Nós batemos em todo mundo. Eu mesma me meti em muitas brigas quando era jovem. As mulheres também brigam entre si.

Pergunto a Viking se foi um "galo de briga" quando era jovem na Jutlândia e ele diz que sim:

– Nós brigávamos muito. Claro, havia muito bebida envolvida, mas é, brigamos muito aqui.

Então de onde vem esse impulso?

– Ninguém sabe ao certo – me diz Sanne. – Há vinte anos é contra a lei bater nos filhos aqui, mas nós temos uma cultura muito violenta – admite ela. – Nós somos vikings. Não sei se há algum estudo que mostre que nós, dinamarqueses, somos simplesmente mais violentos de uma forma geral. Acho difícil comparar a violência contra as mulheres na Dinamarca com outros países. A violência contra as mulheres é horrível, mas a violência contra os homens também é. Se a violência contra homens também é pior na Dinamarca do que em outros países, então nós precisamos trabalhar a nossa cultura viking da virilidade.

Não há estudos examinando especificamente se os escandinavos são mais violentos do que o resto da Europa (ainda), mas os números do próprio governo dinamarquês sugerem que a violência contra homens não é algo raro. O relatório mais recente mostra que 8 mil homens entre 16 e 74 anos foram vítimas de violência física, um número que aumentou 25% desde 2005.

– De qualquer maneira, a violência é um problema de gênero – diz Sanne –, porque a raiz da violência é a cultura de dominação masculina. A agressão tem como base uma ideia bem específica de virilidade. E quando essa ideia se une à ideia sexista de que o que os homens fazem é *certo*, infelizmente algumas mulheres vão imitar esse comportamento.

Esse vislumbre do lado mais sombrio da vida na Dinamarca fez com que eu me sentisse um pouco perdida. Em vez de viver na "Dinamarca, o país da igualdade, dos doces maravilhosos, do equilíbrio invejável entre vida pessoal e trabalho e de um sistema de seguridade social generoso", passei a viver na "Dinamarca tão problemática quanto qualquer outro lugar do mundo e possivelmente habitada por pessoas agressivas acima da média".

Já sou crescidinha o suficiente para saber que até mesmo o paraíso tem lá seus defeitos, mas esse parece ser um bem grande e não sei como lidar com ele. É como descobrir que sua simpática tia-avó é uma racista radical, ou seja, as partes boas não podem nunca compensar as más.

Pergunto a Sara como ela lida com isso, e ela relata o imenso progresso do Everyday Sexism Project.

– Um senso de comunidade e de empoderamento faz com que as mulheres se sintam mais fortes e menos sozinhas. A desigualdade estrutural e cultural ainda é um problema sério na Dinamarca, que pode apenas não ser tão óbvio quanto em outros países. Mas, felizmente, como nós estamos vendo, há muitas mulheres e homens de todas as idades que querem mudar isso.

A comediante Sanne também é otimista em relação ao futuro das mulheres aqui.

– É como se finalmente estivéssemos conseguindo ter uma nova onda de feminismo no país, e já não era sem tempo. A Dinamarca só precisa ter colhões, talvez seja melhor *ovários*, e fazer algumas mudanças para tomar a dianteira em termos da qualidade da igualdade de gênero.

Ela está notando que mais e mais homens vão aos seus shows de stand-up e se dizem feministas.

– Eu também estou encontrando um monte de caras feministas nos shows em Copenhagen e Aarhus, e Odense e Herning também.

Então Sanne é uma dinamarquesa feliz, apesar de todo o trabalho que ainda precisa ser feito em prol da igualdade de gênero?

– Numa escala de zero a dez, eu me daria nota oito – me diz ela.

E Sara?

– Eu provavelmente também me daria oito – concorda ela.

Ok, então.

Não posso perdoar minha tia-avó racista, ou esquecer tudo o que descobri este mês. Mas se Sara e Sanne conseguem continuar otimistas, então acho que também consigo. Eu me inscrevo no site do Everyday Sexism da Dinamarca e decido fazer o que puder para ajudar, escrevendo sobre todas as injustiças que encontrar e dizendo a todos os dinamarqueses que eu ouvir sendo grosseiros a respeito das mulheres que dirigem para desistir. Imediatamente.

– Você está bem? – pergunta Lego Man, com um certo cuidado, quando volto para casa. Ele passa a mão na barba do jeito que costuma fazer quando está nervoso, porque sabe que tive um mês difícil.

– Acho que sim – respondo.

– Ainda está valendo?

– Como assim? Não entendi...

– Ainda está valendo fazer o que combinamos, viver um ano inteiro com os dinamarqueses?

Olho para ele, com aqueles olhos azul-turquesa grandes arregalados e com a testa franzida, as rugas de expressão cortadas por uma cicatriz, na altura das sobrancelhas, no estilo da do Harry Potter, que ele conseguiu num acidente quando era escoteiro. (Outros ferimentos sofridos a serviço de Baden-Powell incluem um dedo parcialmente decepado, dentes quebrados e um ombro deslocado. Meus pobres sogros viviam com medo de receber um telefonema da emergência do hospital dizendo: "Estamos com seu filho aqui. De novo.") Estendo a mão e acaricio o braço dele, alisando aqueles pelos louros, quase brancos, como se fossem os de um gato. Digo a ele que, por enquanto, não vou pôr um ponto final nessa nossa aventura.

É nesse momento que Lego Man resolve me contar que seu contrato de trabalho foi estendido, que sabe que aquela não é uma boa hora, diz ele, mas o que eu acharia de ficar mais tempo na Dinamarca?

– Tipo, digamos, por mais um ano...?

Levanto as sobrancelhas e lanço um olhar que quer dizer: *Você está de brincadeira comigo?! Tem certeza de que vai me perguntar isso logo agora?* Ele me assegura de que não precisamos decidir ainda. Que temos alguns meses para pensar no assunto. E que ele preparou algo especial para o jantar. Algo que será servido em ramequins.

O que aprendi neste mês:

1. A Dinamarca não é exatamente o paraíso em termos de igualdade de gênero que tem a fama de ser.
2. As feministas na Escandinávia ainda têm trabalho a fazer...
3. ...mas felizmente há algumas pessoas incríveis fazendo tudo o que podem para melhorar as coisas.
4. E há leis em vigor para fazer com que seja melhor ser mulher na Dinamarca do que em muitos outros países no mundo.
5. Estou morando numa terra de doidos. Mas acho que eu já sabia disso...

7. JULHO

Sair de férias & pular a cerca

Ainda está quente. Quente de verdade. São cinco e meia da tarde e estou voltando de carro para casa depois de uma entrevista. Quase fico cega com o sol e me esforço para não sair da estrada várias vezes. Os raios luminosos descem abrasadores do céu e, ao mesmo tempo, são refletidos pelo imenso espelho líquido do mar, me atingindo de todos os ângulos e tornando os meus óculos escuros inúteis. Estou pingando de suor. A ventilação do carro solta apenas um ar morno e, quando chego em frente à nossa casa, respiro até com uma certa dificuldade. Há ondulações de calor subindo do asfalto e o abafamento geral me deixou tonta.

Ao abrir a porta que parece estar derretendo de tanto calor, sinto a umidade do ambiente e o odor das madressilvas abundantes este mês. Senhores Barbados nº 1, 2 e 3 estão trabalhando em seus jardins e acenam um *hej* quando passo. Noto com interesse que os habitantes de No Meio do Nada passaram a usar shorts curtos no auge do verão. Eu nunca tinha visto tantos corpos septuagenários à mostra antes. E eles também apreciam uma medalha pendurada no pescoço, de forma bem visível. Tudo se tornou por aqui está parecendo *Costa del* Nada.

Dentro de casa, está igualmente quente e o termostato no corredor registra uma agradável temperatura de ferver o sangue de 33 graus. As casas de paredes de vidro, tipicamente escandinavas, ao que parece, não são *nada boas* para barrar o calor do verão. Encontro Lego Man já de volta do trabalho e sem camisa. Ele está cercado de guias de viagem, com um gim-tônica numa das mãos e passando a tela do laptop com a outra.

– O que você está *fazendo*? – pergunto, um tanto horrorizada ao ver o quanto seus padrões decaíram. Ele não tira os olhos do laptop, então pego o que sobrou do gim e dou um grande gole antes de notar que ele não desceu tão bem quanto deveria, e o devolvo.

– Temos que deixar o país – diz ele, franzindo a testa.

– Por quê? – pergunto, mas ele já está de pé, vasculhando as gavetas do aparador atrás dos nossos passaportes.

– O que foi que aconteceu? Algum problema no trabalho? – pergunto, temendo imediatamente o pior.

– Não, está tudo bem no trabalho – ele responde. – Nós só temos que ir para algum lugar fora da Dinamarca. Logo.

– O quê?! – A vida com Lego Man, infelizmente, nunca é um tédio. – Estão transferindo você? Pensei que você gostasse daqui! No mês passado você queria ficar mais um ano! E agora quer ir embora?

Estou só no meio do meu projeto, penso. *Sei que fiquei meio desanimada no mês passado, mas não posso ir embora agora. Como vou saber por que os dinamarqueses são a nação mais feliz do mundo? Ainda não tive meu primeiro Natal branco. Ainda nem provei todos os doces que este país tem a oferecer...*

– Você quer dizer voltar para a Inglaterra?

– Se você quiser – diz ele –, mas eu estava pensando num lugar mais ensolarado. Talvez no Mediterrâneo.

– Você quer morar no Mediterrâneo?!

Isso é novidade.

– Não *morar* – diz ele, olhando para mim como seu eu fosse louca. – Ir para lá de férias! Não há literalmente ninguém no escritório este mês e Lars me disse que se não reservarmos algo logo, não haverá mais lugar em nenhum voo.

O colega de Lego Man, Lars, se tornou nossa fonte de todo conhecimento a respeito dos hábitos dinamarqueses. Nós estaríamos perdidos, ou pelo menos muito mal informados, sem ele.

– Ah... – respiro aliviada.

– Eu sabia que um monte de gente viajava em julho, mas não entendi que o país inteiro vai fechar as portas – explica Lego Man. – A maioria das pessoas no meu escritório tira quatro semanas de férias.

Como os italianos, os dinamarqueses gostam de tirar férias em massa, e escolhem o mês de julho para apertar o botão de "pausa" na vida normal e debandar para outros países. Eu me pergunto se essa necessidade de viajar está entranhada no espírito dinamarquês desde que os vikings se lançaram em águas internacionais no século VIII. *Talvez o desejo de viajar tenha um papel importante nos índices de felicidade fantásticos do país*, penso. O filósofo britânico A.C. Grayling descreveu as viagens como algo que "expande a mente e o espírito", e cientistas da Universidade de Pittsburgh descobriram recentemente que férias regulares diminuem em 30% o risco de morte por doenças cardíacas. Também há evidências de que tirar férias reduz a pressão arterial e o estresse, segundo pesquisa da instituição beneficente Nuffield Health da Inglaterra. O que leva você a ser mais feliz. Lego Man convenceu a si mesmo (ou então Lars o convenceu, isso não ficou muito claro) que férias longas são outra razão para os dinamarqueses serem tão felizes e meu marido está decidido a viajar de férias no verão, no estilo dinamarquês.

– Eu estou fazendo uma pesquisa para ver o que ainda está disponível. A França e a Grécia estão fora de questão – me diz ele com um aceno de cabeça na direção de dois guias Lonely Planet que foram atirados longe, do outro lado da sala, quando ele descobriu que não havia mais nenhum voo disponível do aeroporto de Billund. – Da mesma forma que as Ilhas Canárias – e clica no mouse para fechar uma janela ofensiva na tela – bem como Tenerife, Espanha e Portugal.

Os dinamarqueses, Lars informou a ele, amam experimentar como turistas a exuberância do estilo de vida do sul da Europa durante as férias, antes de voltar para suas vidas mais organizadas na Dinamarca.

– Ah, espere aí...

Lego Man examina a única janela ainda aberta na tela antes de se recostar na cadeira e tomar um gole de gim.

– Bingo!

– Você encontrou algum lugar? – pergunto, espiando sobre o ombro dele enquanto ele balança a cabeça.

– O que você acha da Sicília?

Parece que nós dois gostamos realmente da ideia de ir para a Sicília. Então fazemos as reservas, arrumamos as malas e partimos dois dias depois. As ruas estão virtualmente vazias no caminho para o aeroporto, já que o resto do país embarcou uma semana antes, e quando deixamos o cachorro na *dyrepension* ou "hotel de animais" (um canil mais animado), ficamos sabendo que os donos também estão viajando.

– Um mês na Namíbia – nos diz a filha adolescente deles –, mas não se preocupem, eu e meu namorado estamos tomando conta das coisas...

Isso não me deixa muito segura, mas o cachorro sai correndo alegremente para brincar com os outros animais e parece não se importar por ser deixado aos cuidados da "professora substituta" ou algo que o valha, então vamos embora enquanto está tudo bem.

Quatro horas depois, estamos sentados no porto de Castellammare, vendo os italianos brigar, se beijar, conversar, rir, posar, passear e andar para cima e para baixo em lambretas. Buzinas ecoam, gatos maltrapilhos vagam pelas ruas e mulheres idosas de proporções generosas e olhos enrugados sobem vagarosamente os degraus da pequena cidade até suas casas para se sentar em bancos na sombra. Nós comemos queijo pecorino, salame e tomates cujo sabor dá a impressão de que eles são feitos dos mais puros raios do sol. Cheiros de comida deliciosos saem de todas as casas e meus sentidos se aguçam. Há barulho e cor e paixão em abundância. Aquilo ali é a antítese da simples e organizada Dinamarca, e nós apreciamos a diferença.

Eu tinha esquecido a falta que sentia da *confusão*, do *barulho* e do *caos*. A segurança e a estabilidade e "saber exatamente o que vai acontecer" na Dinamarca são coisas maravilhosas – de verdade – na maior parte do tempo. Mas tira um pouco da excitação da vida. Na Dinamarca você não vai ver uma policial feminina, obscenamente glamourosa, parar um motociclista para dar uma bronca nele e depois mandá-lo embora. Você não vai ver a colega dela preenchendo um tíquete de estacionamento para um Fiat 500 todo ferrado cujo motorista simplesmente parou no meio da rua, e em seguida retocar o batom no espelho lateral desse carro e sair rebolando com seus saltos altos, no estilo Beyoncé. Mas na Sicília, tudo isso faz parte de uma terça-feira comum.

Nossa primeira semana de férias é uma alegria. Caminhamos nas montanhas, nos deitamos na areia da praia e nadamos numa extensão infinita de mar azul-turquesa. Mas, na segunda semana, começamos a perder a animação. Em Londres, nós nunca tivemos o luxo de poder tirar duas semanas de férias. Mesmo quando nos casamos, só conseguimos uma semana e meia para o grande dia em si *e* uma lua de mel rápida (eu sei, eu sei, estou reclamando de barriga cheia, mas é verdade, fazer o quê?). Nunca, durante todo o nosso relacionamento, passamos duas semanas juntos sem a diluição de família, ou dos amigos ou de algum tipo de *trabalho*. E agora que temos a oportunidade de fazer isso... Bem... É meio estranho.

Parece uma admissão de fracasso dizer em voz alta que passar duas semanas com o companheiro da sua vida num cenário de sonho pode não ser algo tão idílico assim. E, no entanto, Lego Man e eu *achamos* muito difícil.

Vejo as famílias se divertindo na praia e não posso deixar de imaginar se as coisas seriam diferentes se tivéssemos filhos. Se essa viagem teria mais significado se tivéssemos um filho, experimentando tudo pela primeira vez. Lego Man me pergunta o que estou pensando, mas sei que contar a verdade só irá deixá-lo triste. Então digo que parece que o nariz dele está muito queimado (sou ou não sou uma companheira de férias prestativa?). Meu marido concorda relutantemente em aplicar um filtro fator 30 e tento me livrar da melancolia. Não há sentido em pensar nisso agora. Por ora, somos só nós. Mas fico imaginando como será a vida se formos só nós, para sempre. Eu me pergunto como iremos lidar com isso. Se isso vai ser suficiente para mim. E o que farei se não for.

A segunda semana não começa nada bem. Na segunda-feira, estamos repetindo conversas e comentando sobre os outros para ter o que falar durante o jantar. Começo a pensar com ternura no trabalho e a imaginar quando vou poder voltar para ele. Acabo de ler todos os livros que trouxe comigo e fico olhando, de olhos arregalados, para os quadrados vazios no calendário do meu iPhone, calculando quantos dias faltam para voltarmos para casa.

Nós nos ajustamos à semana de trabalho mais curta na Dinamarca e ao fato de passarmos mais tempo juntos do que antes, mas parece que agora estão testando a nossa resistência, estendendo o nosso tempo de convivência para 24 horas por dia. Estamos juntos *o tempo todo*. Nossas rotinas e hábitos não podem nos poupar de nós mesmos aqui e começo a me sentir irritada na panela de pressão mal refrigerada de nosso quarto de hotel. Em pouco tempo, as queixas insignificantes que mantemos guardadas no dia a dia começam a surgir como ervas daninhas raivosas.

– Você deixou a tampa da privada levantada de novo – começo uma noite, quando estamos nos preparando para sair.

Lego Man bufa de raiva quando passa por mim para abaixar a tampa.

– Você vai com essa roupa? – pergunta ele em seguida, me olhando de cima a baixo.

– Vou. Por quê? O que há de errado com essa roupa?

– Ontem você ficou reclamando o tempo todo desses sapatos.

É verdade. Mas eles são bonitos. Muito bonitos. E combinam com o meu vestido.

– Hoje não estão machucando – minto, dando algumas voltas, já dolorosas, pelo quarto como um cavalo num show de circo para demonstrar o quanto eles são confortáveis.

– *Tudo bem* – diz ele, revirando os olhos sem tentar disfarçar. – Mas vê se pelo menos leva um casaco esta vez?

Um casaco não vai combinar com o vestido. Um casaco vai fazer com que eu pareça gorda e vai acentuar a barriga, ligeiramente inchada, que estou notando em mim desde que chegamos aqui. Não tenho a menor intenção de levar um casaco.

– Ainda está quente lá fora – respondo.

– Está, mas esfria depois que o sol se põe. E você sempre fica com frio. E eu sempre acabo tendo que dar o *meu* casaco para você. E aí eu fico com frio.

Isso também é verdade. *Droga.*

Concordo em levar uma echarpe para o caso de sentir frio e então me sento na cama do quarto de hotel, pronta para sair, enquanto Lego Man enrola mais um pouco. Olho significativamente para o meu relógio, vendo os números chegarem cada vez mais perto da hora da nossa reserva para o jantar.

– Já estou pronta – digo, torcendo para uma resposta do tipo: *Ótimo! Eu também! Vamos!*

Só que isso não acontece. Lego Man gosta de deixar as coisas para a última hora, como se a vida fosse um desafio do Top Gear. Mesmo antes de nos mudarmos para a Dinamarca, a capital da pontualidade da Europa, eu gostava de chegar na hora. A vida, na minha opinião, se torna desnecessariamente estressante se você está correndo o tempo todo. Um pouco de planejamento pode assegurar que você chegue na hora, tranquila e zen (pelo menos, o objetivo é esse). Lego Man não compartilha desse raciocínio.

Na metade do nosso ano na Dinamarca, meu medo de chegar atrasada aumentou. Agora sempre fico nervosa toda vez que Lego Man e eu temos que ir a algum lugar, com medo das discussões que vamos ter e da sabotagem que ele vai fazer à minha tentativa de chegar na hora no nosso compromisso. Isso faz com que pegar aviões, comparecer a compromissos sociais e até mesmo encontrar pessoas para tomar um café sejam um motivo para briga em potencial. E esta noite não é uma exceção.

– Temos que sair logo, senão vamos perder nossa reserva – tento dizer, na voz mais neutra possível.

Não há resposta, então suponho que ele não me escutou lá do banheiro. Repito o que disse, um pouco mais alto.

– Eu disse que temos que sair logo, senão... – mas ele me interrompe.

– Pelo amor de Deus, estamos na *Itália*! *Nada* acontece na hora aqui! RELAXE!

É uma verdade estabelecida universalmente que é impossível relaxar quando lhe dizem pra fazer isso. Em vez disso, nós dois ficamos bufando de raiva cada um no seu canto, até ele estar finalmente pronto para sair. Saio mancando com meus sapatos assassinos e ele vem atrás, esquece a chave, volta e torna a sair com um casaco grosso que insiste que eu leve. Durante o jantar, as desavenças matrimoniais mais triviais vêm à superfície.

Eu: – Por que você sempre joga a roupa suja ao lado do cesto de roupa suja? Por que não pode simplesmente colocar a roupa suja dentro do cesto?

Ele: – Você deixa um monte de cabelo no chuveiro.

Eu: – Você deixa toalhas molhadas em cima da cama.

Ele: – Você come todo o chocolate do meu cereal enquanto estou no trabalho, depois finge que o fabricante não está colocando a mesma quantidade de pedacinhos de chocolate que costumava colocar.

Nós dois estamos certos. Nós dois somos ridículos. Nós discutimos a maior parte do dia seguinte antes de declarar uma anistia até o fim da semana, quando tomamos um avião para casa e fazemos planos para sair de casa imediatamente. Cada um para um lado. Lego Man vai pegar o cachorro no canil enquanto vou tomar um café na casa ao lado. Fazendo uma autópsia da nossa viagem com Vizinha Simpática, eu a coloco a par dos pontos principais das nossas brigas domésticas.

Ela ri antes de explicar, gentilmente, que isso é inteiramente normal:

– Todo mundo briga nas férias de verão, porque passamos tempo demais juntos – diz, e estou começando a me sentir um pouco melhor quando ela acrescenta: – Me separei do meu marido depois de três semanas na Toscana, no ano passado. Foi tempo demais sem ter onde me esconder.

– Puxa, sinto muito...

Eu não fazia ideia de que ela tinha sido casada.

– Não, está tudo bem. Nós agora somos amigos. Além disso, todo mundo se divorcia na Dinamarca.

– É mesmo?

– Ah, é sim. Julho é o mês dos divórcios. As pessoas ou brigam nas férias e percebem que não se amam mais, ou então são pegas na traição com mensagens de texto ou e-mails porque estão longe dos amantes por muito tempo. Meu ex e eu éramos do tipo que brigava apenas. Na próxima semana é nosso aniversário de divórcio – acrescenta ela, alegremente.

Dou um sorrisinho nervoso, sem conseguir compreender como ela consegue se mostrar tão calma e à vontade a respeito do seu aniversário de divórcio, e fico aliviada quando ela muda de assunto para me contar dos seus planos de viagem pelo resto do mês (Noruega, depois França, depois Nova Iorque, me informa ela com a maior naturalidade).

Quando chego em casa, abro a internet e descubro que dois terços dos casais acabam brigando durante as férias de verão, segundo uma pesquisa de 2012 feita pelo Ebookers, um site de reservas de passagens aéreas e hotéis. *Isso significa que dois terços dos casais nossos amigos que publicam fotos de si mesmos tomando coquetéis em piscinas no maior amor estão enganando a si mesmos*, penso para me consolar. *Ou estão bêbados.*

Ligo para alguns advogados dinamarqueses especializados em divórcio para testar a teoria de Vizinha Simpática de que as brigas nas férias normalmente provocam processos de divórcio e finalmente consigo falar com Anja Corde, advogada com escritório em Copenhagen. Eu pergunto a ela se Vizinha Simpática está certa.

– Ouvi dizer que há mais pedidos de divórcio na Dinamarca em julho porque os casais são obrigados a passar muito tempo juntos. Isso é verdade?

– É, sim – concorda ela, uma das principais advogadas de divórcio da Dinamarca. – Há mais pedidos de representação em julho e nós ficamos sempre muito ocupados depois das férias.

Parece que a Dinamarca tem a quarta taxa mais alta de divórcio da Europa, e morar na Dinamarca pode prejudicar seriamente a saúde do seu casamento. Os últimos números da Departamento de Estatística nacional mostram que 42,7% dos casamentos terminam em divórcio. Também há uma alta no número de imigrantes que se divorciam, mesmo quando isso vai contra suas tradições culturais. Um estudo feito pelo Centro Nacional de Pesquisa Social verificou que a taxa de divórcio de imigrantes turcos na Dinamarca aumentou de 3% para 12% nos últimos vinte anos. Cagdas Saglicak, presidente da Alevi Association na Dinamarca, chamou isso de "transformação das novas gerações", à medida que mais descendentes de turcos estão ingressando no ensino superior. O partido de direita Dansk Folkparti e o partido político mais à esquerda da Dinamarca, o Red-Green Alliance, afirmam que isso é um exemplo da integração bem-sucedida dos imigrantes na sociedade dinamarquesa, que os leva a romperem com as normas de seus países de origem. O divórcio na Dinamarca *é* algo corriqueiro. E embora passar pelo sofrimento emocional do fim de um casamento provavelmente não esteja na lista de desejos de ninguém, ele é tão comum que qualquer estigma que possa ainda estar ligado ao divórcio em outro lugar não existe aqui.

– Por que isso? – pergunto a Anja. – Por que o divórcio é tão *corriqueiro* na Dinamarca?

– Acho que como a maioria das mulheres trabalha e muitas crianças já ficam a maior parte do tempo em creches e escolas, hoje em dia é muito fácil se divorciar e conseguir uma boa ajuda financeira do Estado – diz ela.

E, além disso, como ambos os sexos recebem um salário decente na Dinamarca, as mulheres não dependem financeiramente dos maridos. A maioria das mães logo volta a trabalhar depois de ter filhos, e o Estado paga três quartos dos custos com uma criança, então não existe a obrigação financeira de ficar juntos se o casamento não estiver dando certo.

Os dinamarqueses também se casam mais tarde. A maioria dos homens está beirando os 35 quando são fisgados, e as mulheres têm em média 32 anos (em comparação, na Inglaterra, os homens têm 30, e as mulheres, 28, e nos Estados Unidos, 28 e 26 respectivamente). É como me explica Vizinha Simpática:

– Você se diverte um bocado com seus amigos desde a adolescência até os 30. Depois escolhe um deles para se casar. E se sentir que a diversão acabou com o tempo, então é hora de mudar.

Pedir o divórcio na Dinamarca também é reconhecidamente muito fácil.

– Se as partes concordam com o divórcio – diz Anja –, você preenche um formulário pela internet e de uma a três semanas depois, o seu requerimento vai ser examinado, e a certidão de divórcio, enviada para você – explica ela.

E, além disso, é barato.

– Um divórcio não litigioso custa 900 coroas (cerca de 170 dólares).

Mas como é que tantos divórcios podem contribuir para essa história de dinamarqueses felizes? O fim de um casamento, junto com o luto e a mudança de casa, não é um dos acontecimentos mais estressantes na vida de uma pessoa?

Pergunto a Anja como a Dinamarca pode estar no topo do ranking de felicidade mundial apesar de tantos divórcios e ela me diz com simplicidade:

– É porque nós temos igualdade e liberdade.

Uma taxa deprimentemente alta de divórcios sugere pelo menos que os dinamarqueses têm escolhas. Eles podem tomar as rédeas do próprio destino e agir caso suas vidas não estejam do jeito que eles esperam. Eles são livres, e a liberdade torna as pessoas felizes, mesmo que o divórcio não o faça.

Pergunto a Anja se ela se considera um desses dinamarqueses felizes das pesquisas, apesar de lidar com pessoas em processo de divórcio o dia todo.

– Eu me dou nota oito numa escala de zero a dez – me diz ela. – Tenho uma vida boa, gratificante e satisfatória.

E esses divórcios todos também não fazem os dinamarqueses não quererem mais se amarrar. A Dinamarca é o país número um da Europa em casamentos, segundo o Departamento de Estatística da Dinamarca. Então o segredo da felicidade doméstica, no estilo dinamarquês, parece ser: se você não está feliz com a pessoa ao lado de quem acorda quase todas as manhãs, é hora de mudar. Se você quer outra coisa (ou outra pessoa), vá em frente. E como diz Vizinha Simpática:

– Os dinamarqueses gostam *realmente* de casar, então não nos importamos de fazer isso mais de uma vez. Além do que, a maioria das pessoas aqui é muito liberal.

Digo a ela que isso foi algo que percebi. Minha mãe ficou revoltada na última vez que veio nos visitar, quando passamos por uma loja com vários vestidos de noiva para grávidas na vitrine. ("Bem, será que essas mulheres não poderiam ter esperado um pouco?", foi a reação indignada dela.) Muitos dinamarqueses têm filhos antes de casar. Os dinamarqueses também não se importam nem um pouco com a nudez em público. Existem desde mergulho sem roupa até aulas de CrossFit com todo mundo pelado (sério!), e há um grande número de praias de nudismo ao longo da costa. Estas últimas são tão comuns que meus sogros tiveram uma experiência e tanto quando se afastaram demais de uma praia indicada no Lonely Planet.

Filmes pornográficos são exibidos regularmente em canais públicos de tevê, e uma pesquisa recente da YouGov, empresa líder mundial de pesquisas na internet, sobre comportamento sexual em treze países europeus constatou que os dinamarqueses consomem mais conteúdo com classificação X (só para adultos) do que qualquer outro país pesquisado. Os dinamarqueses são tão liberais que até saíram de suas casas *hygge* no primeiro dia útil depois do Natal de 2013 para assistir à *première* do épico sexual de cinco horas de duração do diretor Lars Von Triers, *Ninfomaníaca.* Porque nada exprime mais o significado do Natal do que um falo do tamanho de uma tela de cinema.

Aqueles que não gostam de filmes pornôs ainda podem dar crédito às produções audiovisuais por terem impulsionado suas vidas sexuais graças ao "sexo Disney". Toda sexta-feira, as crianças dinamarquesas do país inteiro se sentam para assistir a uma hora de desenhos animados da Disney às sete da noite, e um monte de pais usa esse tempo para "cultivar um ao outro", como diz Helena C., enquanto os filhos estão distraídos. Todo pai ou mãe com quem eu falei me disse que o "sexo Disney" é uma invenção fantástica (apesar do nome suspeito).

– E o que é mais importante, ele acontece numa hora da noite em que nós ainda temos uma *boa* chance de ir para a cama e não cair no sono... – acrescenta Helena C.

Até o clero é bem animado por aqui quando se trata de sexo, e escrevi uma história para um jornal inglês sobre um padre da Zelândia que fez uma missa, falando sobre os prazeres da carne para estimular a procriação. Apesar de tudo isso, a taxa de natalidade na Dinamarca vem caindo nos últimos trinta anos. Com apenas dez bebês nascidos por mil habitantes, o governo, o clero e o comércio estão fazendo tudo para animar os dinamarqueses a *transarem.* Uma companhia de viagens dinamarquesa está veiculando uma campanha para incentivar mais casais a viajar juntos em feriados e encorajando-os a "*Fazer sexo pela Dinamarca!*". O anúncio diz que os dinamarqueses fazem 46% a mais de sexo quando estão longe de casa, o que significa que 10% da população foram concebidos durante as férias. (Embora não, é claro, se os casais ficam fora por muito tempo. Uma semana = tempo de transar. Duas semanas = divórcio iminente.) Para fazer mais dinamarqueses transarem, a companhia está oferecendo um "desconto de ovulação" para mulheres que colocarem a data da sua última menstruação na hora da reserva para que eles possam calcular o momento mais fértil para fazer uma pequena pausa. Depois da viagem, quem enviar uma foto do teste de gravidez positivo recebe um prêmio de três anos de fornecimento gratuito de fraldas. Não, isso não é invenção. Isso é a maneira de os dinamarqueses fazerem alguma coisa. Ah, e no caso de tudo isso soar um tanto hétero-orientado, os casais gay também são encorajados a se envolver porque "a diversão está em participar".

O sexo está por toda parte na Dinamarca, e começa cedo. A educação sexual é obrigatória desde os anos 1970, e aos 6 anos as crianças dinamarquesas aprendem como são feitos os bebês durante um evento curricular chamado "Semana do Sexo", que acontece todo mês de fevereiro. Aos 10 anos, elas aprendem sobre limites, como ser cuidadoso na internet e sobre a vacina contra o vírus HPV. Os pré-adolescentes dinamarqueses aprendem sobre homossexualidade, bissexualidade e heterossexualidade, e como a Dinamarca foi o primeiro país do mundo a reconhecer legalmente parcerias de casais do mesmo sexo e o primeiro país da Europa a permitir mudanças legais de gênero sem esterilização, a ênfase em inclusão já é bem antiga.

Aos 13 anos, eles sabem muito sobre masturbação, controle da natalidade, doenças sexualmente transmissíveis, aborto e abuso sexual. Atores e atrizes populares dinamarqueses participam de vídeos sobre saúde pública para serem usados em aulas de educação sexual, e as discussões em classe, aparentemente, são francas e amplas. *Uau*, penso, *toda uma geração que não precisa descobrir sobre o sexo lendo aqueles livros juvenis temáticos ou as páginas engorduradas do exemplar da biblioteca da escola de* O amante de Lady Chatterley... Para alguém que frequentou um colégio religioso só para meninas, isso parece incrivelmente progressista. Tive uma professora de biologia que ficava vermelha como um tomate quando se mencionava estame, quanto mais menstruação.

– E as turmas são todas mistas, certo? – pergunto a Helena C. diante de alguns *snegles*.

– Claro. Nós não separamos os sexos. Isso seria repressão – responde ela, acrescentando que suas filhas ainda pequenas têm uma visão incrivelmente esclarecida a respeito do sexo.

Isso pode até ser verdade, mas era muito mais fácil eu me concentrar nas aulas de geografia quando não estava sentindo palpitações libidinosas por Marco Terrinoni, do colégio dos meninos que ficava ao lado do nosso.

A idade legal para se fazer sexo consensual na Dinamarca é 15 anos, e depois que os dinamarqueses começam, eles não param mais. Uma recente pesquisa sobre saúde pública verificou que 90% dos dinamarqueses entre 16 e 95 anos disseram que uma boa vida sexual era "vital" para eles – o que significa que homens e mulheres ainda estão mandando ver perto dos 100. Segundo os dados numéricos do AgeForum, o número de divórcios e casamentos entre dinamarqueses de mais de 60 anos dobrou nos últimos dez anos, com muitos deles encontrando novos amantes on-line. O site de encontros Seniordate.dk agora tem 68 mil membros, e o Seniorcontact.dk tem 34 mil usuários.

Solteiros podem dormir com quem quiserem sem serem julgados, e aqueles que estão num relacionamento também não são obrigados a fazer sexo com a mesma pessoa para sempre. Uma pesquisa da YouGov mostrou que 32% dos dinamarqueses haviam sido infiéis (igualando-os aos finlandeses pela coroa de "nação mais infiel da Europa") e 51% admitiram transas de uma só noite. A maioria dos dinamarqueses resolve o problema de querer dormir com outra pessoa fazendo isso em segredo, ou se separando e recomeçando a vida. Mas para um número cada vez maior de curiosos sexuais na Dinamarca, existe uma outra opção – e, aliás, ela fica literalmente na minha rua.

No fim da tarde, o cão começa a latir para a porta da frente. Isso só pode significar uma coisa: seu algoz, o garoto entregador de jornal, está se aproximando. O cão e eu brincamos diariamente de "*quem vai pegar o jornal primeiro?*" e, nessa tarde, eu ganho, salvando o tabloide local do seu destino habitual de ser rasgado e distribuído liberalmente por toda a casa.

Examinando as páginas cheias de letras na esperança de que este possa ser o dia em que minhas aulas de dinamarquês apresentem resultados e milagrosamente transformem os conjuntos de consoantes e vogais misteriosas numa língua legível, fico contente ao encontrar algumas palavras que reconheço. Além de uma ameaça de greve e um desconto especial em pizzas, há também uma chamada com as seguintes palavras:

Tucan Club: Swing & Bem-Estar Sexual!

Desde que me mudei para No Meio do Nada, ofertas de *fast-food* e ameaças de passeatas de sindicatos têm sido a apoteose da excitação na minha região. A simples ideia de estar morando no olho de um furacão de *troca de casais* esse tempo todo é estarrecedora. Minha primeira reação deixaria minha mãe e a professora que corava do meu colégio orgulhosas, mas me sento com uma xícara de chá e um biscoito. Em seguida, procuro no Google.

Parece que o Tucan Club é o mais antigo estabelecimento de troca de casais. O clube foi fundado pelo casal Mie Hansen e Torben Nielsen para "a realização de sonhos e desejos secretos" mediante "a expansão dos limites da sexualidade convencional", de acordo com o resumo no seu website.

Mesmo depois de umas férias um tanto tensas, não tenho a menor vontade de trocar Lego Man pela cara-metade de outra pessoa. Mas estou curiosa (só fazendo o meu trabalho, verdade).

– E se a troca de casais for um dos segredos da felicidade dinamarquesa? – pergunto ao cão que parece ligeiramente desconfiado.

Ele olha para mim como que dizendo "*Será?*", depois se manda, ainda mal-humorado por ter perdido a chance de comer o jornal de hoje. Impassível, curiosa e em nome do trabalho jornalístico, pego o telefone.

– Entramos no negócio de troca de casais treze anos atrás – me diz Mie, no mesmo tom de voz que uma pessoa usaria para descrever como entrou para o negócio de sucos naturais. – Decidimos fundar nosso próprio clube e ele foi crescendo no boca a boca. Agora somos o maior da Escandinávia.

Mie explica que a maioria dos casais chega, dá uma olhada para ver se tem alguém que o agrade, depois faz "convites" para o que quer que tenha vontade de fazer.

– Não existe pressão alguma – diz ela –, e temos também uma discoteca, uma sauna e uma jacuzzi para os casais que ainda não estão preparados para uma troca. Então, quando eles se sentem prontos para experimentar, temos um monte de equipamentos para tornar as coisas mais divertidas.

A palavra "equipamentos" me lembra a piscina de um certo centro de lazer cheirando a cloro, mas Mie logo me esclarece a respeito e percebo, não pela primeira vez, que minha vida até agora tem sido *realmente muito tranquila*.

– Nós temos *pole dance*, balanços do amor, mesas ginecológicas...

– Como?

– Você sabe, aquelas cadeiras do consultório dos ginecologistas. Com perneiras.

– Ah... – respondo debilmente.

– E temos também quartos para aqueles que preferem privacidade, mas sem *glory holes*.

– Certo. E... hã... por que os quartos teriam *glory holes*?

Pergunto isso no momento exato em que Lego Man chega do trabalho. Ele deixa o laptop escorregar e cair no chão com o susto e levanta as sobrancelhas até o couro cabeludo. Tento dar a entender com mímica que *ele não precisa se preocupar, só estou entrevistando uma especialista em troca de casais* (o que não é nada fácil, mesmo com essa minha habilidade específica). Lego Man cai sentado numa cadeira para se recompor, enquanto Mie esclarece a história do buraco.

– Você sabe, *glory holes*, aqueles buracos que habitualmente ficam nas paredes para os caras enfiarem os paus.

Não sei por onde começar com essa informação, mas não me parece o momento certo para admitir que o meu “habitual” não inclui vaginas substitutas moldadas no reboco. *Meu Deus, eu sou muito careta*, penso, e resolvo alargar meus horizontes, e ficar longe de qualquer coisa que envolva perneiras. Lego Man, muito pálido agora, vai até a geladeira para se revigorar com uma bebida.

– Basicamente, as pessoas só fazem coisas com as quais se sentem confortáveis – continua Mie. – É bom experimentar com o companheiro porque aí você tem alguém em quem confiar ao seu lado e o outro casal entende a dinâmica do relacionamento. Meu marido e eu começamos assim e nunca mais olhamos para trás!

A troca de casais, aparentemente, se tornou algo muito comum na Dinamarca nos anos 1990, e a comunidade agora tem seu próprio centro destinado a essa atividade. Então, naturalmente, ligo para eles também.

– Os dinamarqueses são muito liberais – diz Jesper Christensen do Swingerguiden.dk, um site especializado no assunto. – A troca de casais na Dinamarca é realmente popular, especialmente se comparado com o resto da Escandinávia.

Cerca de 90 mil dinamarqueses dizem que participam de troca de casais regularmente, embora um número maior de pessoas ainda admita serem “curiosas”, e o site recebe 190 mil visitantes por ano. O Swingerguiden.dk promove encontros, atividades e até cursos para novatos que querem aprender a etiqueta da troca de casais. Dinamarqueses entusiastas promoveram a Semana Internacional dos Adeptos da Troca de Casais em 2008 com eventos e atividades em todo o país, e agora a semana anual acontece no mundo inteiro.

E não se trata apenas de troca de casais. O *dogging*, ou fazer sexo com estranhos em público, descobri recentemente, é outro hábito popular na Dinamarca. Mãe Americana quase caiu da sua cadeira Arne Jacobsen quando eu disse isso a ela, e fui obrigada a explicar o que a prática envolve e como nós britânicos somos os orgulhosos criadores dessa nobre tradição.

– Basicamente, ingleses reprimidos diziam às suas esposas que iam sair para passear com o cachorro e iam fazer sexo nos parques ou apenas assistir a outras pessoas fazendo.

– Então é por isso que leva *dog* no nome? – perguntou ela, incrédula.

– Bem, não sou uma expert no assunto, mas... – respondi, para deixar tudo bem claro – acho que é por isso, sim.

– E agora as pessoas fazem isso nos *carros*? E em *áreas de lazer*?

– De novo, não sou uma expert, mas sim, as pessoas fazem isso dentro de carros e em áreas de lazer. Aliás, tem gente que diria que isso, sim, é que é lazer, não é mesmo?

– E o que acontecia com os cachorros? – perguntou, parecendo genuinamente preocupada.

– Bem... – *se as freiras pudessem me ver agora*, não pude deixar de pensar: *uma embaixadora cultural em defesa do* dogging. – Suponho... – ousei dar um palpite – que nem todo mundo tinha um cãozinho de estimação, mas ainda assim gostavam de fazer sexo ao ar livre, então apenas usavam isso como uma senha. Talvez...

Mãe Americana pareceu satisfeita com isso embora tenha tido que terminar nosso café para ir buscar os filhos na creche. Resolvi não tomar isso como uma ofensa pessoal e convenci a mim mesma de que ela só precisava de tempo para digerir essa nova pérola a respeito do seu país de adoção. *Nós somos amigas há quatro meses*, digo a mim mesma, *ela não vai deixar que uma coisa insignificante como o* dogging *atrapalhe nossa amizade!*

Os dinamarqueses começaram a adotar a prática que teve origem na Inglaterra (eles nos deram os doces, nós lhes demos o *dogging*. De nada...) nos anos 1990. Uma recente pesquisa da YouGov publicada no *Copenhagen Post* mostrou que 41% dos dinamarqueses já tinham experimentado o *dogging* – a taxa mais alta para uma população na Europa. A terapeuta sexual dinamarquesa Joan Ørting explicou recentemente o gosto do seu país por uma boa sessão de *dogging* no jornal *Metroxpress*, dizendo: "Antigamente, os seres humanos transavam o tempo todo ao ar livre, então era mais natural para os nossos ancestrais deitar na grama do que numa cama. Isso é algo que estamos descobrindo agora e que está nos fazendo voltar às nossas raízes." *Ou em carros, em áreas de lazer e em acostamentos nas estradas.* De todo modo, o passatempo agora é tão popular que existem orientações on-line e listas de eventos futuros.

Pensando nisso dessa forma, tudo começa a fazer sentido. Saber que essas práticas são conduzidas de uma forma tipicamente dinamarquesa me ajuda a entender que não há nada de espontâneo no *dogging*, ou na troca de casais, ou em qualquer tipo de tendência sexual na Dinamarca. *Aulas? Eventos programados? Guia de "boas práticas"?* Os dinamarqueses podem ser maravilhosamente liberais, mas a maneira que eles praticam o *dogging* e a troca de casais se parece muito com a maneira que praticam qualquer outra atividade extra ou hobby. *Claro, pode haver equipamentos um pouco mais picantes e a necessidade de fazer sexo com estranhos,* penso, *mas, ainda assim, existem regras! É uma "diversão organizada"! Alguém, em algum lugar, está provavelmente tomando notas!* Uma proporção significativa dos meus colegas da Jutlândia pode muito bem estar praticando regularmente a troca de casais ou fazendo sexo oral nas trilhas dos parques. Mas, ao encarar isso apenas como outra forma de aula à noite, posso continuar a ir à casa dos amigos e deixar as chaves do carro em cima da mesa, sabendo que vou voltar com meu próprio marido. A menos, é claro, que eu tenha me inscrito para um evento organizado, com meses de antecedência, ou tenha frequentado algum tipo de curso. Com um certificado no fim. Mais tranquilizada, me apresso a acalmar Lego Man. E explico a ele a respeito dos *glory holes*.

Na manhã seguinte, depois de sonhar com cadeiras ginecológicas e paredes furadas como um queijo suíço, me sinto cansada e enjoada. Isso tem acontecido muito ultimamente. Tive até que me esforçar para experimentar todas as delícias da culinária da Sicília (algo muito estranho). Entretanto, apesar disso, continuo com uma barriguinha saliente, noto quando saio do chuveiro e estudo a mim mesma no espelho do banheiro. Tenho ficado tonta com frequência e a toda hora com vontade de tirar uma soneca. E zangada. E dengosa. Pensando bem, estou quase completando a lista dos sete anões. Eu tenho vontade de fazer xixi o tempo todo, mas às vezes não consigo nem me levantar. Por outro lado (o lado bom), meu peito está competindo com as próteses de silicone de algumas famosas, e meu cabelo está, sério!, maravilhoso. Pego o celular e recorro ao melhor amigo de todo hipocondríaco, o Dr. Google, para obter um diagnóstico, digitando "irritável", "inchada", "peitos grandes" e "náusea" na busca. Antes de ter a chance de processar essa lista de sintomas e aplicar qualquer tipo de lógica elementar, surgem diversas entradas com títulos como:

Parabéns, você está grávida!

Sintomas do primeiro trimestre

E:

Teste positivo? O que fazer em seguida...

– Ah... Meu... Deus...

– O que foi? – Lego Man está passando a ferro só de cuecas e meias no cômodo ao lado, enquanto come ao mesmo tempo uma tigela de cereais e tenta não pingar leite misturado com chocolate numa camisa branca limpa.

– Hum... nada, peraí.

Vou até o banheiro e começo a abrir e fechar gavetas, tirando de lá furiosamente um monte de caixas finas e retangulares. Estamos tentando há anos. Já fui a diversos especialistas que me receitaram uma variedade de hormônios, e nos últimos dois anos, primeiro ingeri e depois me injetei a minha dose diária deles. Gastei uma pequena fortuna tentando todas as terapias alternativas existentes, fiz centenas de exames e praticamente sustentei os farmacêuticos do meu bairro. Felizmente, ainda tenho um bom estoque.

Abro uma dúzia de caixas e faço xixi em todos os testes que minha bexiga permite. Três minutos depois saio do banheiro, brandindo dois punhados de testes de plástico brancos e cor-de-rosa como se fosse um Edward Mãos de Tesoura, reprodutivamente vitorioso.

– *Acho* que nós conseguimos... – digo, enquanto Lego Man limpa uma mancha marrom da camisa na pia da cozinha.

– Deu positivo...?! – diz ele, largando o pano de prato. – Você está...?

– Estou!

– Deu positivo...? Tem certeza?

– Ã-hã.

Ele se aproxima para checar cada um dos testes. E então nós dois choramos. Deixo a camisa branca que ele estava passando ainda mais molhada. Lego Man e eu fizemos um bebê. Sem troca de casais, sem *dogging* ou perneiras.

O que aprendi neste mês:

1. A Dinamarca fecha em julho.
2. Tirar férias é bom, mas se você ficar de férias tempo demais corre o risco de se divorciar.
3. Isso não tem nenhuma importância na Dinamarca. Todo mundo está se divorciando mesmo. E pode fazer você ficar mais feliz.
4. Os dinamarqueses fazem sexo. Um bocado. E são bem animadinhos e liberais.
5. É possível chegar aos 30 e tantos anos sem saber o que é um *glory hole*.
6. Ficar grávida pode deixar você muito mal-humorada (mas o seu cabelo fica maravilhoso).

8. AGOSTO

As crianças estão bem

Ao descobrir, num estilo bem dramático, que já estou bastante avançada nessa coisa toda de gravidez (não tive os sintomas mais óbvios, só para esclarecer – minha professora de biologia não era *tão* ruim assim), sou subitamente atirada no admirável mundo novo da maternidade.

Lego Man e eu estamos muito felizes e aliviados com o fato de termos, enfim, conseguido e gratos por isso estar acontecendo. Mas também estamos aterrorizados. As conversas lá em casa começam a ser do tipo:

Eu: – Nós vamos ter um bebê. Tem uma criatura viva crescendo. Dentro de mim. Como no *Alien*. E nós estamos num país onde ainda não sabemos nem falar a língua. E vou ter que expelir uma melancia em aproximadamente cinco meses. EU VOU TER QUE EXPELIR UMA MELANCIA. Ou vão fazer algo assustador comigo usando facas. FACAS!

Lego Man: – Agora eu nunca mais vou ser um astronauta. Ou James Bond...

Eu, momentaneamente distraída das minhas próprias aflições: – Mas você tentou mesmo ser astronauta ou agente secreto?

Lego Man: – Bem, não. Mas era bom saber que essas opções existiam.

Quero ser solidária, quero mesmo. Mas não consigo deixar de suspeitar que não foi só a paternidade iminente que privou a Nasa e o M16 dos serviços do meu marido.

Agora noto coisinhas rosadas e agitadas onde quer que eu vá e começo a ver os carrinhos de bebê costumeiramente deixados do lado de fora de cafés e restaurantes na Dinamarca sob um prisma inteiramente novo.

– Os dinamarqueses simplesmente *deixam* seus bebês na rua?! *Sozinhos*?! – pergunta Lego Man, sem conseguir acreditar, acabando de se dar conta desse fenômeno. – Você consegue imaginar isso acontecendo na Inglaterra? Ou, melhor, em qualquer outro lugar do mundo?

Repito a história que Mãe Americana me contou sobre a mãe dinamarquesa que deixou o bebê do lado de fora de um restaurante em Nova Iorque enquanto comia e foi imediatamente presa por negligência e abandono de menor.

– Meu Deus! Isso mesmo. Bom saber – é a resposta dele. A ideia de correr um risco desses com o seu próprio bebê parece bizarra, mas os dinamarqueses não pensam assim.

– Nós confiamos uns nos outros – diz Helena C., que, embora esteja alegre por mim, ficou um tanto aborrecida porque a amiga com quem ela toma vinho nos sábados à noite, de quinze em quinze dias, vai estar fora de combate por algum tempo. – É como se nos preparássemos sempre para um desfecho positivo. Pensamos "Vamos deixar os bebês do lado de fora, dormindo em seus carrinhos e tomando ar fresco, o que é bom para seus pulmões" em vez de imaginar o pior e pensar: "Se eu virar de costas por um segundo, o meu bebê pode ser roubado." Além disso, as pessoas não roubam bebês na Dinamarca.

Ah, a famosa confiança dinamarquesa no sistema, de novo, penso. *Nunca acontece nada de ruim na Dinamarca...*

Mas como Helena C. e os outros dinamarqueses acreditam que seus compatriotas são, de forma geral, "pessoas boas", "iguais a eles" e "dignos de confiança," eles se sentem seguros e se comportam como se vivessem num mundo sem perigos. Isso os deixa felizes e mais inclinados a agir pensando na comunidade como um todo. E então sua confiança é recompensada. E assim por diante – até se tornar uma profecia autorrealizável.

– Não existe outro lugar no mundo onde eu desejaria ser mãe – me diz ela –, e não gostaria de criar minha família em nenhum outro lugar. – Esta é uma afirmação de peso. Mas, na terra da Lego e de Hans Christian Andersen, as crianças parecem estar realmente no centro de tudo.

– Aqui tudo gira em torno da família – diz Mãe Americana quando acaba de me dar os parabéns, e pergunto a ela sobre sua experiência de criar filhos na Dinamarca. – É o melhor país do mundo para se ter filhos – afirma ela. – Foi tudo pensado para isso aqui, o que significa que as crianças dinamarquesas realmente são felizes!

Para provar o que está dizendo, ela me leva junto quando vai à creche na semana seguinte pegar seus dois filhos pequenos para que eu veja por mim mesma.

– Para você ir se acostumando – me diz ela. – Além disso, você tem que fazer inscrição numa creche praticamente assim que o bebê nascer, então você pode dar uma olhada e ver se quer mandar seu bebezinho para lá – diz, apontando para a minha barriga proeminente. Puxo minha blusa para baixo, constrangida, para desviar a atenção daquele... caroço.

Já sentindo um amor imenso pelo meu filho que ainda vai nascer, a ideia de entregá-lo a outra pessoa me parece estranha. Mas os dinamarqueses passam a maior parte da infância aos cuidados de pessoas que não seus pais.

Todo bebê nascido na Dinamarca tem um lugar garantido na creche desde os seis meses até o momento de ir para a escola, aos 6 anos. O *Vuggestue*, ou creche, recebe crianças até os 3 anos para serem cuidadas por *paedagoger*, ou educadores sociais, que precisam ter completado uma formação específica de no mínimo três anos. Existe também a opção de mandar as crianças com menos de 3 anos para uma *dagpleje* – uma babá ou cuidadora que não precisa ser qualificada e pode tomar conta de até cinco crianças em sua própria casa. Grupos de crianças e suas babás são uma presença familiar em parques e áreas de recreação, e as crianças são amontoadas em carrinhos de bebê com quatro lugares e levadas de volta para casa ou então colocadas dentro de um carrinho de madeira que é puxado por uma bicicleta. As mães dinamarquesas costumam se afeiçoar tanto às *dagpleje* dos seus filhos que sei de algumas mulheres que programam a concepção de futuros bebês de modo a coincidir com a disponibilidade de suas babás favoritas.

Dos 3 aos 6 anos, as crianças vão para o *børnehaven*, ou jardim de infância, onde uma equipe especializada as prepara para a "escola das crianças grandes".

Os dinamarqueses pagam entre 2.200 e 3.500 coroas (cerca de 400-635 dólares) por mês por crianças de menos de 2 anos e recebem em troca 45 horas de ajuda por semana. Os preços variam ligeiramente dependendo da *kommune*, ou do município, onde você mora e se o almoço está incluído. Existe ainda a opção de deixar as crianças na creche por 25 horas por semana, o que custa ainda menos. A partir dos 3 anos, o preço cai (para 1.730 coroas, cerca de 315 dólares para 45 horas por semana onde eu moro). Isso porque diminui a necessidade de cuidados individuais e, como Mãe Americana me diz:

– Eles já não precisam de tantas trocas de fraldas nessa altura, e dá para economizar algumas coroas. Pelo menos, é o que se espera...

Como já tinha ouvido histórias de terror de amigos na Inglaterra que tiveram que hipotecar suas casas ou vender órgãos vitais para pagar a creche dos filhos, achei os preços na Dinamarca surpreendentemente viáveis. Mas fico sabendo que é porque o Estado arca com 75% do custo. No momento em que escrevo, se sua renda anual for abaixo de 470.400 coroas (aproximadamente 92 mil dólares), você terá uma redução maior, e se você ganhar menos de 151.501

coroas por ano (cerca de 29 mil dólares), a creche é de graça. Há também um desconto para irmãos, então se você tiver mais de um filho, irá pagar o valor integral para a opção mais cara e metade do preço para os outros. Um pouco como aquelas ofertas do supermercado, leve 3 e pague 2.

– Pego meus filhos entre três e cinco da tarde, e eles já estão bem acostumados – me diz Mãe Americana enquanto, na segunda-feira seguinte, nos dirigimos à combinação de *vuggestue e børnehaven* que os filhos dela frequentam. – E como a maioria das pessoas com emprego fixo... – e ela me lança um olhar significativo, sabendo que as pessoas implicam comigo porque trabalho como freelancer na Dinamarca – ...trabalha de 8 às 16, isso funciona muito bem.

Nós viramos uma esquina e *ouço* a creche antes de vê-la.

– *Aaaaaaaaaaahhhhhhhhhhh!*

O barulho constante da algazarra das crianças vem de uma casa elegante, pintada de creme, logo adiante. Alguns homens saem da casa, empurrando carrinhos de bebê ou segurando mãozinhas grudentas.

– Muitos pais pegam os filhos na creche?

– É claro, aqui é a *Dinamarca!*

– São quatro da tarde. De uma segunda-feira. Isso seria impossível em Londres, a não ser em alguns poucos bairros elegantes de profissionais liberais mais ao norte da cidade.

Nós abrimos os portões de metal do jardim da creche e uma dúzia de cabecinhas louras aparece para nos receber, com os rostos rosados e cobertos por uma mistura de protetor solar, terra e areia, todos rindo loucamente. Olho em volta para o cenário dos Teletubbies diante de nós, com balanços, escorrega, caixas de areia e brinquedos por toda parte. Crianças de aparência quase selvagem correm pelo gramado, desviando das crianças menores que estão sentadas em círculo na sombra de uma árvore com um dos poucos adultos que consigo ver.

Mãe Americana digita um código num monitor preso na parede para registrar a saída dos filhos antes de irmos procurar por eles.

– Aqui ficam as cozinhas, onde se prepara comida orgânica fresca todos os dias – me diz ela no nosso minitour. – Tem também uma sala só para o kit de roupas variadas que temos que mandar para a escola por causa desse clima doido aqui – esclarece ela, e fico sabendo que o kit inclui uma capa de chuva, uma "roupa quente" (normalmente calça e jaqueta forradas), um chapéu de sol, botas de chuva, capacetes de bicicleta, coletes que refletem a luz e uma muda completa de roupa, "para o caso de emergência relativa a necessidades fisiológicas", complementa. – Mas isso é só no verão. No inverno, você precisa de roupa de neve, botas de neve, chapéus, capuzes e luvas de lã também.

Mais roupas especiais? Lego Man vai ficar radiante com isso.

– E aqui... – Mãe Americana abre uma porta que dá para um anexo de madeira – fica a sala da soneca.

Espio lá para dentro e vejo fileiras de bercinhos tipo carrinhos de bebê dos anos 1930, cada um com uma escadinha para ajudar as crianças que já sabem andar (ou mais pesadinhas) a subir neles.

– Uau. Retrô... – murmuro.

– É, e veja só isso – e ela coloca uma grade de madeira na entrada do bercinhos. – São grades para os que já andam. Para eles não fugirem quando deveriam estar dormindo.

A coisa toda parece meio primitiva.

– As crianças não se importam de ficar *atrás das grades*? – pergunto.

Mãe Americana dá de ombros:

– Funciona. Eles dormem maravilhosamente bem aqui.

Como os dois filhos dela não estavam dentro da casa, tornamos a sair para o jardim e finalmente localizamos a garotinha de Mãe Americana em cima de uma árvore (supervisionada, claro), enquanto o filho mais velho está ocupado atirando um aviãozinho de papel no telhado do bicicletário. O desafio seguinte são os sapatos.

Depois de encontrar três na caixa de areia e um debaixo de uma macieira, agora imagino que estejamos prontas para ir embora.

– Só mais um pouquinho de paciência – Mãe Americana me faz parar e grita para os filhos: – Esvaziar! – e as duas crianças obedecem e sacodem os sapatos e viram os bolsos do avesso, e um monte de areia cai formando pequenas pirâmides em volta deles. – Se não fizermos isso aqui, encontro muita areia por toda a casa. Mas assim mesmo tiro uma pá de areia quase todo dia – me diz ela.

As creches e jardins de infância na Dinamarca, concluo, são provavelmente a coisa mais divertida possível de se ter sem estimulantes artificiais envolvidos. É como *O senhor das moscas*, mas com final feliz. Ela coloca a menininha no carrinho, vamos até o portão de metal que separa o paraíso da diversão do resto do mundo. Pergunto ao menino o que ele fez hoje na escola, esperando uma resposta do tipo "cortamos e colamos papel" ou "pintamos o nosso rosto". O que eu não estou esperando é "fomos comprar um trator". Olho para ele espantada e depois me viro para a mãe, imaginando que aquilo seja uma fantasia.

– Ele foi *comprar um trator*?

– Fui sim – continua o menino, com naturalidade. – Tem uma menina na minha turma que ama tratores, então a turma toda foi até a loja para dar uma olhada.

– Ele está de gozação comigo?! – pergunto a Mãe Americana.

Será que crianças de 5 anos são capazes de tirar onda?

– Não, deve ser verdade. Tem uma menina na turma dele que gosta *mesmo* de tratores, e são só dois quilômetros até a loja mais próxima.

Adoro morar num lugar onde existe uma loja de tratores. Acho que, com sinceridade, nunca pensei antes de onde vêm os veículos das fazendas. E também adoro estar num país onde a escola faça um passeio tão singular desses, inspirado por uma criança.

– E a turma inteira foi? Sem que os pais soubessem?

Mãe Americana faz um gesto com a mão.

– Nós assinamos um papel quando as crianças entraram na creche, dizendo que os professores podem levá-las para passear, de modo que elas saem um bocado. Não é como nos Estados Unidos. Aqui eles não precisam de autorizações nem de seguro de vida nem de avaliações de risco para que as crianças saiam da escola.

Ela me conta que há passeios diários, e as crianças devem se vestir sozinhas, escolhendo as roupas apropriadas para ir a um determinado lugar.

– Outro dia eles chegaram em casa contando que tinham passado a manhã inteira vendo onde está a água na cidade, nas nuvens, nas poças e bueiros, e nas fontes...

– ...a do cavalo pornô?

– ...é, a fonte do cavalo pornô, e depois nas torneiras da própria escola. É legal eles fazerem as crianças pequenas pensarem sobre de onde vem a água. Eles os levaram também ao mercado para ensiná-los a "se comportar numa loja". Muito do que normalmente são os pais que devem ensinar aos filhos, como lavar as mãos, se comportar fazendo compras e até mesmo a andar de bicicleta com segurança, a creche e o jardim de infância ensinam às crianças.

Muitas creches e jardins de infância fazem mais do que sua obrigação. Na Jutlândia, muitas vão à casa das crianças que estão fazendo aniversário para uma hora de "bolo e caos". Um dos pais volta para casa no horário do almoço com algum tipo de comida, depois a professora chega com a turma e as crianças fazem o diabo durante cinquenta minutos, e depois voltam para a escola. Não há nenhuma competição para saber que pais contrataram o melhor animador para a festa ou deram os melhores brindes, e não há interferência no "tempo destinado à família" à noite e nos fins de semana. É apenas um aniversário tipo um ataque ninja relâmpago. Soube que a equipe de um jardim de infância em Funen está tão atenta às necessidades dos pais que oferece a eles "um tempo para o casal", tomando conta das crianças além do horário de trabalho, para permitir que mamães e papais possam sair para namorar.

Imagino o quanto tudo precisa ser organizado para que as coisas funcionem, mas Mãe Americana me diz que não é tanto uma questão de organização do dia, mas sim de "ritmo".

– Eles chegam, fazem um pouco de ginástica ou dança, tiram uma soneca, comem alguma coisa, depois saem para passear. As crianças sabem o que vão fazer, mas durante a maior parte do dia elas estão livres para brincar.

Parece maravilhoso. Eu talvez tenha que repensar meu plano de voltar como uma águia dourada na próxima encarnação. É melhor voltar como uma criança dinamarquesa. O começo da vida para os dinamarqueses parece ser ridiculamente feliz, e aí é só seguir em frente. Começo a me perguntar se a vida da criança dinamarquesa não estabelece, talvez, o modelo para todas as interações futuras, para uma vida de satisfação e bem-estar. *Será que encontrei o segredo da felicidade dinamarquesa? Será que é simplesmente assim que se fazem dinamarqueses felizes, desde o começo?*

– É claro que há muitas brigas, porque os professores tendem a não interferir muito – Mãe Americana interrompe meus pensamentos e estoura a bolha de bem-aventurança em que eu estava.

– Ah!

– É, claro, há manchas roxas e arranhões – continua ela –, mas as crianças geralmente ficam bem no fim. E elas sempre querem voltar no dia seguinte.

Coloco a mão na barriga protetoramente.

– Isso não assusta você? Saber que suas crianças podem estar brigando na escola? – pergunto, examinando os dois disfarçadamente, atrás de machucados, e sentindo uma onda de alívio quando vejo que suas peles macias e perfeitas estão intactas. Embora cheias de areia.

– Me assustou um pouco, no começo. Mas as crianças têm muita liberdade na Dinamarca. E acho que isso tem muito valor a longo prazo.

Numerosos estudos já mostraram que crianças criadas na Inglaterra e nos Estados Unidos hoje estão deixando de usufruir da diversão de ser criança porque são monitoradas o tempo todo e superprotegidas de tudo, de terra e poeira, de joelhos ralados, e ficam presas dentro de casa com seus iPads. Mas para as crianças que moram na Dinamarca, existe um modelo de educação que é mais para uma grande aventura. E as crianças que conheci até agora parecem ganhar muito com isso.

É claro que o sistema tem seus críticos.

– Isso não é liberdade, é indolência – me diz uma mãe dinamarquesa de três. – A equipe da creche do meu filho fica sentada tomando café enquanto as crianças fazem o diabo.

Uma outra estrangeira me diz que mães que não trabalham fora são desprezadas na Dinamarca:

– Todos esperam que o pai e a mãe voltem a trabalhar aqui. E parece que o fato de eu ter parado de trabalhar me torna uma pessoa menor.

Converso com o máximo possível de dinamarqueses e todos eles expressam o mesmo sentimento: "Mas por que você iria querer ficar em casa? Por que não iria querer que seus filhos tivessem outras crianças com quem brincar?" A maioria acredita verdadeiramente que mandar crianças de menos de 3 anos para a creche e o jardim de infância é fazer um favor a elas, permitindo que se socializem cedo. Ninguém consegue entender por que uma mulher não iria gostar de voltar ao trabalho, para um emprego de que ela provavelmente *gosta* e que paga um salário decente. A tarefa da mãe que fica em casa foi, de fato, assumida pelo Estado. Helena C. chega até a dizer que acha que as crianças dinamarquesas são melhores em termos de socialização do que as inglesas, porque elas aprendem mais cedo a lidar com seus pares.

– Mas e quanto à teoria do apego? – contraponho, bancando a Oprah. – As crianças dinamarquesas não crescem inseguras ou com problemas porque se sentem abandonadas ou algo assim?

Segundo o psicólogo britânico John Bowlby, a diferença entre adultos seguros e inseguros é determinada pelo tipo de cuidado que ele recebe entre os seis meses e os 3 anos. Não ter suas necessidades atendidas no início da vida por seu cuidador principal, geralmente a mãe, resulta em adultos carentes e inseguros que temem ser abandonados.

– Interessante – diz Helena C. quando falo sobre isso com ela –, mas a Dinamarca inteira foi criada assim e nós parecemos estar bem, não é? Ou você acha que somos todos inseguros?

Ela tem razão.

Encontro um artigo de Charlotte Højlund, especialista nos desafios da criação de filhos e mãe de sete. (É isso mesmo, *sete*. Um a mais do que um time de vôlei.) Penso que se alguém poderia me esclarecer mais sobre a maneira de criar filhos na Dinamarca e como isso produz crianças mais felizes, esse alguém é ela.

Charlotte é uma das mulheres de aparência mais jovem que jamais vi – e ela tem sete (*sete!*) filhos com idades entre 2 e 20 anos. Ela também escreve livros sobre os desafios da maternidade e a paternidade e aparece regularmente na tevê dinamarquesa como comentarista sobre criação de filhos. Então peço a ela para me dizer francamente: o sistema dinamarquês funciona?

– Acho que sim. Li sobre teoria do apego e compreendo que, em algumas culturas, as mães fiquem em casa com seus filhos até eles terem 2 ou 3 anos, e talvez isso seja melhor. Mas nós não podemos voltar no tempo. A maioria das mães dinamarquesas trabalha, e é assim que a nossa sociedade funciona.

Os dinamarqueses parecem mesmo estar se dando muito bem e, o que é interessante, todos os estudos que dizem que as "mães que trabalham significam o fim da civilização como a conhecemos" (estou parafraseando) tendem a vir dos Estados Unidos, e uns poucos da Alemanha ou da Holanda. Nenhum vem da Escandinávia, onde as mulheres voltam rotineiramente ao trabalho quando seus filhos têm menos de 1 ano de idade. Charlotte me diz que o desenvolvimento das crianças é levado muito a sério na Dinamarca e que, quando elas entram na creche, os pais não as deixam simplesmente lá e vão trabalhar como acontece em alguns países. Pelo contrário, trata-se de um processo planejado, gradual, em que os pais deixam os filhos sozinhos por dez minutos no primeiro dia, vinte minutos no segundo, e assim por diante, até chegar a um dia inteiro. O processo de "adaptação à creche" pode levar até três semanas. A *kommune* local paga por funcionários extras quando há alguma criança com necessidades especiais e um psicólogo infantil também é chamado se as crianças precisam de alguma ajuda específica.

– Existe também uma intranet e os pais recebem atualizações regulares a respeito das atividades dos filhos – me informa Charlotte, e depois confessa: – Na verdade eu poderia passar sem isso. Com sete filhos, minha caixa de entrada vive cheia!

Como eles não são os principais cuidadores dos filhos durante o dia, Charlotte acha que os pais dinamarqueses se esforçam mais durante as noites e os fins de semana.

– Muitos pais se sentem culpados por ficar longe dos filhos por causa do trabalho, então dedicam muito tempo aos filhos sempre que podem. Essa pode ser outra razão para a nossa taxa de divórcio ser tão alta – diz Charlotte, que também é divorciada. – Os pais têm que tirar tempo de algum lugar, e se não tiram dos filhos nem do trabalho, os relacionamentos acabam sendo prejudicados.

Terminei de ler um estudo da Open University na Inglaterra, sugerindo que casais sem filhos eram mais felizes juntos do que aqueles que tinham filhos. *Bem, agora é tarde demais*, penso, *o estrago já foi feito*. Mas, curiosamente, a pesquisa também revelou que mulheres com filhos eram mais felizes do que mulheres sem filhos. *Então o meu relacionamento pode dar com os burros n'água, mas vou ser mais feliz do que nunca? Bingo!* Resolvo não mostrar esse artigo ofensivo para Lego Man, mas me consolo com o fato de que as mães na Dinamarca devem ser as mais felizes do mundo.

E Charlotte é feliz?

– Claro! – diz ela. – Eu me dou nota nove numa escala de zero a dez. A Dinamarca é o melhor lugar do mundo para se ter filhos.

Fico contente ao ouvir isso, é claro, mas começo a suspeitar de que todo mundo com quem falo é um representante secreto da Secretaria de Turismo da Dinamarca. É isso. Ou então estou vivendo numa versão nórdica do *Show de Truman*.

Confortada e excitada com a perspectiva de dar ao meu filho ainda por nascer um início de vida tão bom, percebo que isso significa que já estou pensando em ficar aqui além da data prevista do meu parto, em janeiro. Nessa altura, o nosso ano na Dinamarca irá se prolongar quase sem que notemos. Seria mais fácil ficar aqui, racionalizo, apesar das barreiras da língua, apesar de ainda não saber exatamente como tudo funciona e das oportunidades diárias de ser repreendida até mesmo ao comprar leite ou estacionar o carro.

Viver como os dinamarqueses é mais simples do que minha existência anterior em Londres. Não é tão excitante, admito. Mas todas as regras, tradições e rituais significam muito menos preocupação e estresse. E acontece que estou contente com isso. Você pode simplesmente *estar* na Dinamarca. Mudar de país no fim da gravidez ou com um recém-nascido pode ser muito para mim, ou para o que meu estado recém-descoberto de zen está preparado.

Uma parte minha gostaria que eu tivesse o bebê com os amigos e família ao meu redor, num país onde pudesse entender a receita do médico e soubesse onde comprar roupas decentes para as novas medidas do meu corpo. Mas sei também que ter um filho talvez não fosse possível na minha antiga vida. Parece bastante provável que viver no estilo dinamarquês é pelo menos parte do que permitiu que isso acontecesse – então sinto uma dívida de gratidão para com o país. E se meus maravilhosos amigos da universidade continuarem a me enviar pacotes com DVDs de exercícios físicos para grávidas, revistas e links de lojas virtuais de roupas de gestantes, vou conseguir me preparar.

Estou começando a pensar na Dinamarca como sendo a minha casa. Quando damos notícias às pessoas pelo Skype ou pelo FaceTime (o pessoal da tecnologia precisa realmente trabalhar para inventar o "abraço virtual"), elas ficam perguntando "Você vai ter o bebê na Inglaterra, certo?", e eu respondo, meio na defensiva, "Também *existem* hospitais na Dinamarca, você sabe, né?".

A coisa mais difícil em ficar aqui seria tornar a minha mãe uma avó a distância. Ela sempre quis ter um neto e, se tudo correr bem, vou cumprir a minha parte no nosso trato em janeiro. Só que vou fazer isso a 900 quilômetros de distância. Tudo bem, aqui não é a Austrália, mas ela tem um emprego, uma *vida*, um relacionamento na Inglaterra. Não posso esperar que ela largue tudo e venha nos visitar o tempo todo. Ter o bebê aqui significa que ela vai perder muita coisa: passeios, hora do banho, o carinho que avós que moram perto de seus netos podem dar e receber. Ela terá que se contentar com retratos e vídeos. Digo a mim mesma que um ano assim pode não ser tão ruim. Mas mais tempo partiria o coração dela.

Ainda temos alguns meses para decidir o que fazer, então, exercitando o meu direito de ser terrivelmente britânica, não falo nada sobre o assunto e finjo que o problema não existe por ora, reprimindo minhas emoções. Eu me distraio com um pacote de crisps, um dos poucos alimentos que consigo manter no estômago atualmente. Estou dando parabéns a mim mesma pela minha nova estratégia de vida de *não* planejar nada que vá além das abundantes ofertas de creche quando sou convocada a testar o sistema escolar dinamarquês.

A partir dos 6 anos, as crianças dinamarquesas vão para uma *folkeskole* (escola pública) onde têm aulas com as mesmas vinte e poucas crianças pelo dez anos seguintes. Ter os mesmos colegas durante a maior parte do período escolar é visto como uma forma de ajudar as crianças a se sentirem protegidas e de oferecer um ambiente seguro e de confiança para que elas explorem os principais pilares da educação dinamarquesa: igualdade e autonomia. Como parte disso, os estudantes da Jutlândia estão aprendendo sobre cidadania, e eu fui contatada por um colega de Lego Man e convidada a dar uma palestra na escola da filha dele. Existe uma hipótese otimista de que como "estrangeira" e escritora, eu possa ser capaz de a) expressar meus pensamentos em frases concatenadas e b) lançar alguma luz sobre o modo como o resto do mundo vê a Dinamarca, então, envaidecida, aceito o convite.

Descubro que os adolescentes dinamarqueses parecem todos incrivelmente confiantes e relaxados, tratam seus professores com respeito, mas de igual para igual, e se manifestam em classe para debater e discutir sempre que têm oportunidade. Depois de um interrogatório completo, saio e busco a experiência de Karen Bjerg Petersen do departamento de pesquisa em educação da Universidade de Aarhus para saber mais sobre *a maneira dinamarquesa* na educação.

– Ensinamos as crianças a pensar e a decidir por si mesmas, não apenas a passar nas provas – diz ela, logo de saída. – A educação aqui busca desenvolver as competências sociais e cognitivas de uma criança e a aprendizagem com base na experiência. Nós as encorajamos a serem críticas em relação ao sistema.

Ela me diz que a educação e a democracia estão unidas uma à outra na Dinamarca desde a Segunda Guerra Mundial.

– As crianças começaram a ser encorajadas a *pensar* e a se opor à autoridade se não concordassem com o que estavam ouvindo. Isso se tornou uma prioridade depois da ocupação da Dinamarca pela Alemanha, e os dinamarqueses tinham muita consciência disso. Nós queríamos cidadãos que fossem democráticos e pudessem ter suas próprias ideias, então o autodesenvolvimento é uma parte importante do aprendizado aqui.

– Então Hitler levou os dinamarqueses a ensinar aos seus estudantes a questionar autoridade?

– Exatamente.

Toda essa ênfase na autonomia e na liberdade de expressão de uma criança pode parecer informal demais para alguém de fora. Digo a ela que achei estranho o fato de as crianças não usarem uniforme e se relacionarem com os professores sem nenhum tipo de reverência. Quando eu era criança, descobrir o nome próprio de uma professora era quase como um cálice sagrado, porque só as tratávamos pelo sobrenome, invariavelmente precedido de senhora ou senhorita. Quando descobríamos seus nomes próprios, sussurrávamos o nome umas para as outras e depois caíamos na gargalhada histericamente, deslumbradas com nossa ousadia, seguras de que a Sra. Plews, professora de economia doméstica, não nos assustaria tanto agora que sabíamos que o nome próprio dela era "Sue".

– As crianças dinamarquesas têm esse respeito por seus professores? Ou, quem sabe, até um certo medo deles?

– Ainda existe bastante *respeito* – me diz Karen –, mas a ideia é que mesmo que você seja uma criança, você ainda é igual como ser humano ao seu professor ou professora, mesmo que ele ou ela seja mais velho ou mais velha do que você. Um professor pode ter muito conhecimento, mas as crianças devem ser respeitadas como indivíduos.

Essa é uma ideia bizarra para uma antiga aluna de um colégio de freiras.

– Então não existe hierarquia entre alunos e professores?

– Correto. A Lei de Jante está muito presente – diz ela. – Todo mundo é igual e ninguém é melhor do que ninguém.

O mesmo vale para os alunos e seus pais, e Karen me diz que o presidente de uma empresa costuma mandar seus filhos para a mesma escola que um vendedor de loja ou uma secretária na Dinamarca.

– Nós não gostamos de nos exibir de nenhuma forma – diz ela. – Também somos um país rico, então é importante que, quando nossas crianças vão ao exterior, não saiam por aí dizendo "Façam do nosso jeito! Nós sabemos tudo!".

Ao contrário, as crianças dinamarquesas aprendem a tolerância que aprendi em maio. Durante toda a sua trajetória escolar, os alunos participam das "sextas *hygge*", quando se revezam levando bolos e a turma inteira conversa sobre alguma questão relativa ao bem-estar social ou emocional de todos.

– Meus dois filhos aprenderam sobre bullying nas sextas *hygge*. A professora explicou isso a eles de uma forma bem calma, deixando claro que todos têm o direito de se sentirem respeitados e iguais. Ela disse às crianças: "Vocês podem não gostar de todo mundo que conhecem, mas precisam respeitar todos."

A educação física é obrigatória uma ou duas horas por semana, mas as crianças praticam a maioria dos esportes depois da escola, quando os pais se oferecem para organizar clubes de tudo, desde tênis de mesa a dança, teatro, futebol e ginástica. O hábito do clube de lazer na Dinamarca começa cedo.

– Existem inúmeras possibilidades em termos de atividades para as crianças depois da escola, dependendo do interesse dos pais – diz Karen.

Conto a ela sobre Mãe Americana que é gerente de marketing durante o dia e agora ensina vôlei à noite e sobre outra escritora que faz bico como assistente de ginástica.

– É um sistema realmente bom e ajuda a ensinar às crianças que o trabalho voluntário é uma forma da pessoa dar a sua contribuição à sociedade – diz Karen.

Ele também pode contribuir para elevar o nível de felicidade dos pais. Pesquisadores da Universidade de Stony Brook e de Estado do Arizona, nos Estados Unidos, descobriram que o trabalho voluntário regula o estresse e libera hormônios que provocam bem-estar, como a oxitocina e a progesterona. E como mais de 53% dos dinamarqueses fazem alguma forma de trabalho voluntário, há um bocado de hormônios da felicidade flutuando por aqui.

Depois da *folkeskole*, as crianças podem sair ou continuar por mais três anos num *gymnasium*. Esse é o nome da etapa escolar seguinte, que não tem nada a ver com o local onde se pratica ginástica, mas se refere ao ensino médio deles. No *gymnasium*, os estudantes dinamarqueses se preparam para o exame de entrada na educação superior. Eles comemoram a formatura do *gymnasium* com um ritual hedonista de andar pela cidade em caminhões abertos – ou, aqui na nossa vizinhança, em tratores –, usando chapéus de marinheiro e tomando uma cerveja na casa de cada um dos colegas até todo mundo desmaiar, depois de vinte cervejas, normalmente na praia perto da nossa casa. Qualquer pai e mãe da Jutlândia que não souber onde está o filho, deve procurar em No Meio de Nada.

Todas essas experiências educacionais libertárias são completamente de graça para cidadãos dinamarqueses e europeus – e os dinamarqueses acima dos 18 anos são *pagos* para estudar e recebiam entre 906 e 5.839 coroas (de 163 a 1.051 dólares) por mês em 2014, dependendo da idade, do tipo de formação que você está fazendo, se você está ou não morando com seus pais e qual é a renda deles.

– Nós acreditamos que a educação é um direito de todos e que você não deve pagar por ela – esclarece Karen.

Dos 14 aos 18 anos, os adolescentes dinamarqueses também podem optar por frequentar uma *efterskole* (ou um "depois da escola"). É um colégio interno pago que geralmente tem como foco esporte, teatro ou artes plásticas. Cerca de 15% das crianças dinamarquesas vão para escolas particulares, embora na Dinamarca uma escola particular não seja tão particular assim. O governo paga dois terços da mensalidade e as escolas devem adotar algumas das diretrizes básicas do currículo nacional. Como seria de se esperar de um país que pensa o tempo todo em bem-estar social, muitos dinamarqueses se sentem mal com a ideia de pagar para dar uma vantagem aos seus filhos. Como o pai de um aluno de uma escola particular que eu conheço disse um tanto constrangido: "Isso é um pouco... contra a Lei de Jante."

A pequena cidade de brinquedo de Billund na Jutlândia possui sua própria instituição particular desde 2013, quando a Lego, o maior empregador da região, fundou sua primeira escola. Criação do bilionário dono da Lego, Kjeld Kirk Kristiansen, a escola foi fundada para atender à crescente força de trabalho internacional da indústria de brinquedos para quem a educação dinamarquesa era um passo longo demais. Misturando a ênfase em aprender brincando (estilo dinamarquês) com a necessidade de se preparar para o Internacional Baccalaureate, o diploma de ensino médio reconhecido no mundo todo, o colégio da Lego visava a dar aos filhos dos estrangeiros e dos dinamarqueses uma educação mais "transferível" internacionalmente.

– Achamos que a *maneira dinamarquesa*, com seu foco na liberdade e na criatividade, poderia dificultar as coisas para as crianças quando elas fossem para o mundo real – admite Pai Envergonhado Com Escola Particular. – Os dinamarqueses podem ser um pouco... *moles* com as crianças.

Essa é uma reviravolta interessante em relação à resposta extremamente positiva que obtive até agora sobre o sistema educacional dinamarquês. Com todo o rigor e regras e *severidade* dos meus tempos de escola, éramos encorajados a dar duro. Será que o enfoque dinamarquês, mais livre e relaxado, pode mesmo conseguir os mesmos resultados? Ou as crianças dinamarquesas estão deixando a escola felizes (o que é ótimo), mas mal preparadas para enfrentar o grande e vasto mundo?

Um documentário feito na Dinamarca em 2013 estabeleceu uma comparação entre uma turma de crianças chinesas e uma turma de crianças dinamarquesas da mesma idade e concluiu que a nação nórdica era um fracasso acadêmico. Os dinamarqueses ficaram furiosos. Muitos alegaram que os estudantes chineses tinham sido selecionados numa das melhores escolas do país e que tinham sido ensaiados antes da filmagem. Essas crianças, os críticos argumentaram, não poderiam ser comparadas a uma turma regular na Dinamarca, na qual o objetivo é criar livres pensadores. Mas ainda poderia haver uma preocupação de que os jovens e alegres dinamarqueses não estejam preparados para o ultracompetitivo mercado de trabalho internacional? Apesar da ênfase em "entender o que é cidadania", será que eles possuem mesmo as habilidades e a disciplina para sobreviver fora do país? Li sobre estudantes de uma escola em Copenhagen que são tão calmos e relaxados que assistentes sociais tiveram que começar a ir à casa deles para acordá-los de manhã e convencê-los a ir para suas *folkeskole*. Isso, eu concluo, é completamente insano.

Como Charlotte, a mãe de sete (*sete!*), vem percebendo as mudanças da maré na criação de filhos e na educação nos últimos vinte anos, volto a procurá-la para ouvir sua opinião a respeito do panorama atual.

– Na Dinamarca – diz ela – temos um sistema educacional em que os professores estão tão preocupados com o *desenvolvimento social* e a felicidade dos alunos quanto com os avanços da escola em comparação com outros países. E acho que isso é algo de que podemos nos orgulhar.

Mas ela concorda que alguns aspectos do sistema escolar podem ter perdido o rumo.

– No passado, os pais tinham a responsabilidade de educar os filhos e a escola era responsável pelo aprendizado deles – diz Charlotte. – Mas agora o Estado parece gostar de se encarregar das duas coisas.

Ela cita um memorando recente da escola dos filhos que aconselhava os pais dos alunos que estavam fazendo provas a "*a revigorá-los durante o estudo com chá e biscoitos*".

– É meio louco isso. Sou mãe, tenho sete filhos (*sete!*), mas não vou ficar correndo atrás deles com chá e biscoito!

Concordo inteiramente. Aliás, acho que eles é que deveriam trazer chá com biscoitos para *ela*, digo. Mas como normalmente os dois pais trabalham o dia todo e enchem os filhos de amor e carinho nas horas de folga, as crianças dinamarquesas podem acabar mesmo um pouco mimadas, confessa Charlotte.

– Temos um bocado de "pais *curling*" na Dinamarca, que fazem tudo pelos filhos e não dizem não para eles. Essa expressão vem daquele esporte muito popular aqui, o *curling*, e significa pais que "vão na frente dos filhos, varrendo quaisquer obstáculos para tornar a vida deles mais fácil".

Curiosamente, uma pesquisa publicada na revista *Social Psychological and Personality Science* verificou que pais que priorizavam o bem-estar dos filhos acima do deles próprios eram mais felizes e encontravam mais sentido na vida por causa de suas responsabilidades como pais. Então, talvez, os pais *curling* estejam fazendo isso para se sentirem melhor?

– Talvez – concorda Charlotte –, mas isso não faz nenhum bem aos nossos filhos a longo prazo, porque a vida não é assim.

– Então as crianças dinamarquesas, seus pais e seus professores precisam endurecer um pouco? – pergunto.

– Não sei se diria que eles precisam endurecer – afirma ela. – As crianças devem poder ser crianças o maior tempo possível, e acho que é bom que elas sejam incentivadas a ter sua própria opinião a respeito das coisas e encorajadas a refletir sobre suas ideias e crenças, por exemplo, "Do que é que eu gosto?", "O que eu quero fazer?", "Como eu me sinto sobre isso ou aquilo?", "Como posso resolver esse problema?".

Charlotte diz que, apesar de tudo, ela ainda confia muito na maneira dinamarquesa.

Karen, da Universidade de Aarhus, concorda.

– Nós nunca iremos para a China, mas tudo bem. O mercado de trabalho está mudando um bocado. Não temos mais muitas indústrias e não temos petróleo, não somos a Noruega. Mas o que temos entre os jovens é muita criatividade, então essa é a nossa maior prioridade.

Esse plano de ação parece estar dando resultado. A Dinamarca acabou de ser classificada em segundo lugar nos indicadores de talento mundial, vindo atrás apenas dos Estados Unidos (segundo um estudo feito pela empresa de consultoria em liderança Heidrick & Struggles International).

– Então o talento dinamarquês ainda é muito procurado? – pergunto a Karen.

– Com certeza. Nossos jovens podem aprender cada um no seu ritmo, mas no fim eles vão alcançar os padrões exigidos. E serão felizes ao mesmo tempo.

Karen me fala sobre as opções de educação superior na Dinamarca.

– Depois do *gymnasium*, os dinamarqueses costumam trabalhar ou viajar um pouco para aprender a respeito do mundo e seus problemas antes de entrar na universidade. Desse jeito você se torna um aluno melhor porque está mais maduro, sabe pensar por si mesmo, sabe debater, se interessa realmente pelas coisas e tem espírito crítico. Não está apenas regurgitando as opiniões dos seus professores ou dos seus pais.

Lembro do meu primeiro ano na universidade, aos 18 anos de idade, e de como achei difícil a transição entre a mera repetição das opiniões dos meus professores e um pensamento original, e não posso deixar de pensar que ela pode estar certa. Ir para a universidade é um luxo em muitos países, sem uma bolsa de estudos ou o crédito educativo. Mas os dinamarqueses têm tudo isso de graça *e* são pagos pelo privilégio. E como os estudantes na Dinamarca não têm preocupações financeiras, estão livres para escolher um curso no qual estejam realmente interessados, em vez de algo que possa garantir uma boa renda no futuro.

– Isso significa que eles normalmente vão até o fim do curso, estudam muito e gostam do emprego que conseguem na profissão que escolheram – diz Karen.

Foi exatamente isso que Lego Man me disse em fevereiro: as pessoas aqui não reclamam do trabalho porque quase todas estão fazendo algo de que gostam na sua área de interesse.

– Depois de terminar o bacharelado, você pode fazer um mestrado ou um doutorado – continua Karen. – Provavelmente ninguém vai terminar os estudos antes dos 20 e tantos ou 30 e poucos anos, mas terá uma rica experiência de vida quando entrar no mercado de trabalho.

Isso me parece idílico, embora ridiculamente generoso. Fico imaginando se todos ganham um carro de presente na formatura. E um pote de ouro... Mas, Karen me diz, nem tudo são flores no paraíso da educação superior.

– Há algumas pessoas que querem mudar o modo como o sistema funciona hoje e o tempo que as pessoas são pagas para estudar.

Alguns políticos estão dizendo que querem que as crianças terminem os estudos aos *24 anos*!

Ela parece indignada com essa ideia.

Como uma pessoa de 30 e poucos anos que teve que trabalhar como garçonete para pagar os estudos universitários, depois trabalhar em dois empregos para fazer uma pós-graduação e que *mesmo assim* só terminou de pagar o crédito estudantil do ensino médio no ano passado, fico verde de inveja com os estudantes dinamarqueses que têm tudo isso e mais um pouco *gratuitamente* e *para sempre*, bem, pelo menos ao que parece

– Mas ser pago para estudar tanto tempo é realmente viável? – pergunto.

A Dinamarca gasta mais proporcionalmente em educação do que qualquer outro país no grupo da OCDE, na qual estão 34 nações avançadas. Venstre, o maior partido da oposição, sugeriu em 2013 que o Estado cobrasse pela educação, mas foi acusado pelo partido no governo, o Social-Democrata, de "jogar com o bem-estar social e a igualdade (...) que nós construímos ao longo de várias gerações", e a proposta foi bloqueada.

– Vemos a educação como um investimento em nosso futuro – explica Karen. – É importante para nós e acho que torna os nossos filhos mais felizes.

Ela é apoiada pelos estudos da OCDE que mostram que os níveis de educação de um país podem influenciar o bem-estar individual, e que os dinamarqueses que possuem educação superior são mais felizes dos que os que não possuem. Os dinamarqueses pagam um dos impostos de renda mais altos do mundo – cerca de 56% para quem ganha mais –, mas o dinheiro é bem utilizado, pelo menos na opinião de Karen, educando os dinamarqueses de amanhã.

Pergunto a Karen o que ela acha de todo esse fenômeno de os dinamarqueses serem o povo mais feliz do mundo, e ela me diz que é muito feliz, sim.

– Tenho a minha família, meus filhos estão bem, estou satisfeita com a minha carreira e tenho um emprego muito bom. Eu daria nota oito ou nove numa escala de zero a dez para a minha vida.

– Por que não dez? – pergunto, provocando.

– Bem, você sabe, a Lei de Jante. Dizer dez não seria muito modesto, ou muito *dinamarquês*...

Crescer na Dinamarca, concluo, é algo bem agradável. Dos seis meses em diante, seu dia, sua semana e as estações têm um ritmo específico, celebrando cada tradição dinamarquesa. Quando as crianças ficam mais velhas, as escolas oferecem a mesma estrutura segura e protetora para que elas possam brincar e explorar o mundo. Deve ser reconfortante passar uma década inteira com os mesmos colegas de turma. Mesmo com a instabilidade da vida familiar devido às altíssimas taxas de divórcio na Dinamarca, a educação pode oferecer um santuário de segurança.

E entendo isso um pouco. Meus tempos de escola não foram de forma alguma perfeitos, mas a regularidade e a estrutura e a *uniformidade* deles eram, de certa forma, reconfortantes. Eram uma constante, quando a vida em casa não era sempre tão estável quanto os retratos da família perfeita mostrados em seriados de tevê. Minha mãe e eu fazíamos o possível para enfrentar juntas as dificuldades, geralmente com resultados pouco convencionais. Sabem quem foi expulsa de um restaurante aos 8 anos depois de ter posto fogo na mesa? Ou ia ao carnaval de Notting Hill quando suas coleguinhas participavam de gincanas ou frequentavam aulas de sapateado? Eu não trocaria essas experiências por nada hoje. Mas quando era criança, queria muito ser "normal". Eu queria uma vida "enfadonha". E a escola era um refúgio. Não importa o quanto a vida particular fosse esquisita, eu sabia que sempre haveria sanidade na segunda-feira de manhã. Haveria dois tempos de história com a querida Sra. Monro, recreio, campainhas, educação física (quer dizer, se esconder no vestiário durante aulas de atletismo no inverno ou dizer que está "menstruada" para se livrar da natação no verão), seguidos de conversas intermináveis na hora do almoço, que consistia em massa muito cozida com atum e suco de laranja fluorescente cheio de aditivos químicos.

E isso era na Inglaterra, penso. *Imagine como a escola deve ser divertida na Dinamarca, com toda essa ênfase em criatividade e brincadeiras e enrolação... Quero dizer, liberdade de "expressão"*... Começo a sonhar acordada.

– Se nós continuarmos vivendo como os dinamarqueses – digo a Lego Man quando ele chega em casa –, nosso futuro rebento vai ter uma educação completa, gratuita, até os 18 anos, quando então ele ou ela será pago ou paga para estudar numa das melhores universidades do mundo.

Mostro a ele um artigo de jornal que acabei de ler, dizendo que a Dinamarca é o quinto melhor país do mundo em termos de educação superior, segundo a Universitas 21, a rede mundial de universidades.

– Só o quinto?! – responde ele, antes de sair para dar uma corrida na praia com o cachorro. E me dou conta de que talvez já estejamos muito mimados pela Dinamarca.

O que aprendi neste mês:

1. As crianças dinamarquesas são mesmo muito sortudas.
2. Ser criança aqui é puro divertimento.
3. É possível ter uma aparência realmente maravilhosa depois de ter sete (*sete!*) filhos.
4. Ainda tenho muito que aprender sobre criação de filhos.

9. SETEMBRO

Açougueiros, padeiros & produtores culturais

Uma brisa suave levanta meu cabelo do pescoço quando contemplo o mar na direção da Suécia e respiro o ar salgado. O sol brilha e o céu está azul, apenas com algumas nuvens perfeitas, estilo aquela abertura dos *Simpsons* flutuando lá no alto. Passo os dedos por uma escultura de Henry Moore, o bronze aquecido pelo sol, enquanto um veleiro passa, aparecendo nos espaços entre as formas que fluem livremente.

– Aqui está o café. – Lego Man vem andando descalço pela grama verde e macia, carregando duas xícaras de papelão até a sombra de um carvalho. Eu me junto a ele, sentando-me de pernas cruzadas e saboreando a única bebida contendo cafeína que estou permitindo a mim mesma uma vez por dia. Quase posso sentir a adrenalina correndo pelas minhas veias e deixando meu cérebro de novo alerta.

– É *muito* bom.

– É, uma mulher me disse que o café daqui é legendário. Até Patti Smith ficou gamada nele quando esteve aqui.

– *Ficou gamada?*

– É.

– Ah, os hippies mandaram lembranças e disseram que querem suas gírias de volta...

Ele me olha zangado e volta a ler o guia turístico que estamos lendo nos últimos dias, marcando lugares. É nosso aniversário de casamento e nós estamos na pequena capital da Dinamarca, de apenas 550 mil habitantes, para comemorar. A maravilhosa Copenhagen acabou de ser eleita a melhor cidade do mundo pelo segundo ano consecutivo pela revista favorita de Lego Man, então nós estamos aqui para passar um fim de semana prolongado e nos reabastecer de cultura, de comida decente e de tudo aquilo de que Jutlândia tem nos privado. Passei algum tempo na cidade a trabalho nos últimos nove meses, mas nunca estivemos juntos aqui a passeio para saboreá-la – algo que prometo corrigir durante essas pequenas férias. Até deixei meu laptop em casa. *Isso* é que é amor.

Já visitamos o Museu Nacional, o imponente Royal Theatre, a ópera de aparência futurística e as exposições de Degas no Ny Carlsberg Glyptotek, o museu de arte fundado no século XIX pela maior cervejaria da Dinamarca. Fizemos a peregrinação à estátua da Pequena Sereia, passeamos pelo calçadão Langelinie e comemos "*smushi*", uma combinação dos famosos sanduíches dinamarqueses abertos *smørrebrød* com sushi. Em Strøget, visitamos o Jardim Botânico e vimos um monte de gente bonita andando de bicicleta ("Você não vê isso na Jutlândia", Lego Man mostra uma loura de pernas compridas pedalando uma bicicleta de vestido e saltos altos. Aponto para seu igualmente formidável companheiro, parecido com Viggo Mortensen, o Aragorn de *O senhor dos anéis*, e murmuro com apreciamento: "Hummmm").

Agora estamos no Louisiana Museum of Modern Art, ao norte de Copenhagen. Depois de nos empanturrarmos de Picassos, um Giacometti, Andy Warhols e nossa primeira prova dos pintores dinamarqueses Asger Jorn e Per Kirkeby, vamos para os jardins e ficamos vendo as crianças tentando escalar uma enorme escultura de Alexander Calder. *Deus abençoe a saúde e a segurança dos dinamarqueses...* Depois de terminarmos o café, rodamos mais um pouco por ali e damos com uma árvore enfeitada com tiras de papel. Havia uma mensagem escrita em cada tira, parecendo aquele

"Coma-me" no bolo em *Alice no País das Maravilhas*, com algum tipo de desejo ou esperança para o futuro. As mensagens variam do profundo (*paz mundial*) ao fantástico (*Desejo que meu gorila de brinquedo ganhe vida*). Antes de conseguirmos xeretar mais desejos de pessoas, somos encorajados a criar os nossos e nos entregam etiquetas brancas de bagagem e canetas hidrográficas para fazer isso.

– Vocês têm três desejos, dois pessoais e um político – nos diz uma mulher usando um monte de cachecóis coloridos.

Claro, até os desejos têm regras na Dinamarca. Aceitamos o desafio e Lego Man começa a escrever furiosamente. Também começo a escrever, mas fico surpresa ao ver que, quando chego aos desejos pessoais, fico empacada. Se alguém tivesse me perguntado o que eu desejava um ano atrás, eu teria dito, sem hesitação, "escrever mais" e "ter um filho". Por mais incrível que possa parecer, essas duas coisas já estão acontecendo. Não tenho mais uma agenda cheia de reuniões marcadas sobre orçamentos, estratégias ou recrutamento. Apenas escrevo, todos os dias. E, milagrosamente, vamos ter um filho em janeiro. *Será que estou*, hesito, com medo até de ousar pensar nisso, *será que estou... feliz? Do jeito que sou? No estilo dinamarquês?*

Lego Man já está amarrando seus desejos nos galhos mais altos da árvore, então rabisco algo sobre cuidar das pessoas que amo, depois acrescento como um pós-escrito, *mas ganhar na loteria poderia ser bom também*. Começo a amarrar minhas tiras de papel num dos galhos mais baixos quando Lego Man se aproxima.

– Então, quais são os seus desejos? – pergunta.

– As coisas de sempre – respondo. – Loteria, igualdade de gênero, o fim de todos os filmes do Nicholas Cage. E os seus?

– Ah, você sabe, coisas sobre o planeta.

– Legal – digo, enquanto voltamos para dentro.

Copenhagen é um lugar revigorante. Sei que provavelmente nós estamos aproveitando ao máximo porque só vamos passar pouco tempo aqui antes de voltar para No Meio do Nada, mas o simples fato de ter lindas obras de arte e esculturas e uma vista do mar na porta de casa deve fazer muito bem à alma.

Tento conversar com Lego Man enquanto andamos por ali, mas ele foi direto para o setor fortemente iluminado da loja de presentes da galeria, o que o deixou praticamente surdo para o mundo durante a meia hora seguinte. *Preciso de um guia cultural*, penso, *alguém para me pôr a par da "situação" aqui.* Preciso, basicamente, de um Melvyn Bragg, apresentador de programas de arte e cultura da tevê britânica, na Dinamarca.

Felizmente, o Melvyn Bragg dinamarquês mora e trabalha aqui perto. Adrian Lloyd Hughes (o pai dele é galês, mas a família se mudou para a Dinamarca quando Adrian tinha 3 anos) é locutor e apresentador na DR, a emissora de utilidade pública do país, e vem fazendo programas de televisão sobre cultura nos últimos trinta anos. Eu o localizo on-line e agendamos uma hora para conversar antes que Lego Man me flagre.

– Você está *trabalhando* na nossa viagem de aniversário de casamento? – pergunta ele, me olhando desconfiado.

– Não – minto, me sentindo culpada. Noto que ele saiu do meio de um monte de gente fazendo compras na lojinha com as mãos vazias. Isso é algo inédito, mas pode me dar uma certa vantagem. – Não tem nenhuma outra loja de design que você queira visitar na cidade? – *Bingo!* – Eu podia conversar com esse especialista em cultura enquanto você dava uma olhada por aí... – sugiro. Olhamos fixamente um para o outro por diversos segundos, nenhum dos dois querendo piscar primeiro.

– Ah, tudo bem, então – diz ele.

– Obrigada!

No dia seguinte, me encontro com Adrian. Digo a ele que estive no Louisiana e adorei, e ele lista uma série de galerias e museus que eu deveria visitar durante minha estada.

– Os melhores museus dinamarqueses se tornaram verdadeiros parques temáticos, com lojas e cafeterias – me diz ele. As ofertas culturais da capital sofreram uma plástica embelezadora em 1966 quando Copenhagen foi a Capital Europeia da Cultura. – É como quando você vai receber pessoas para jantar. Você se arruma, compra flores, limpa a casa e se prepara para apresentar ao mundo o que você tem de melhor. O mesmo aconteceu com Copenhagen. Depois tudo foi incorporado à infraestrutura da cidade para mantê-la em forma. Então como anda o cenário artístico da Dinamarca?

– Vai muito bem, na verdade – diz Adrian. – As artes têm muito apoio aqui e o grande *boom* da tevê e da arquitetura dinamarquesas (e da comida) pode ser visto como o resultado de três décadas de apoio financeiro.

Os teatros dinamarqueses são fortemente subsidiados, me diz Adrian.

– Se você comprar uma entrada, pode provavelmente calcular que o custo real é duas ou três vezes maior do que o preço que pagou.

Como consequência disso, os atores geralmente se apresentam para uma casa cheia. A Dinamarca também tem promovido novos escritores talentosos. Christian Lollike atraiu a atenção do mundo inteiro com *Manifesto em 2083*, sua peça baseada no assassino de Oslo, Anders Behring Breivik, e Thor Bjorn Krebs, que escreveu sobre soldados dinamarqueses na antiga Iugoslávia, também é celebrado em toda a Europa. Muitos dramaturgos vêm da escola de dramaturgia do Teatro Aarhus, onde são pagos para estudar (*naturalmente*) e têm a oportunidade de ver suas obras encenadas no segundo maior teatro da Dinamarca.

– O patrocínio privado também está crescendo na Dinamarca – acrescenta Adrian –, mas a maior parte dele vai para o balé, talvez porque mais empresas querem estar associadas a esse mundo de brilho e beleza do que a uma peça de teatro controversa sobre um assassino em massa norueguês.

A estratégia de entradas com desconto torna tanto a dança clássica quanto a contemporânea acessíveis a todos e Adrian diz que ela está mais popular do que nunca entre os jovens.

– Sempre que vou ver algo novo, atravesso fileiras cheias de alunos do ensino médio para chegar ao meu lugar.

A ópera também é pesadamente subsidiada, mas as entradas são vendidas a partir de cerca de 500 coroas (cerca de 90 dólares), então se você precisar de uma *baby-sitter* e tiver que estacionar o carro em algum lugar, vai gastar umas 2 mil coroas (ou 360 dólares) numa noitada – diz Adrian. O maior sucesso que surgiu na ópera dinamarquesa nos últimos anos foi Kasper Holten, agora diretor da Royal Opera House, de Londres, que causou o maior rebuliço com sua releitura do *Anel do Nibelungo*, de Wagner. – Ele o encenou com um traço feminista, tornando a produção uma questão de superioridade masculina *versus* superioridade feminina – diz Adrian. – O "anel" se tornou uma molécula de DNA e os protagonistas literalmente lutavam pelo futuro da humanidade. Foi um enorme sucesso.

A indústria cinematográfica da Dinamarca continua sendo uma das mais bem-sucedidas da Europa graças a uma política proativa de subvenções e apoio do governo. Os grandes nomes ainda em atividade hoje em dia são Susanne Bier, que dirigiu o filme indicado ao Oscar *Depois do casamento*, Thomas Vinterberg, diretor de *Longe deste insensato mundo*, e, é claro, Lars von Trier.

– A maioria dos dinamarqueses reconhece a genialidade dele, embora possamos achá-lo incrivelmente irritante – diz Adrian.

Von Trier foi responsável pelo Dogme 95, o movimento de realização de filmes que começou em 1995 junto com os colegas Thomas Vinterberg, Kristian Levring e Søren Kragh-Jacobsen. Seu objetivo era "purificar" a produção de filmes por meio de regras que pusessem um fim a tramas previsíveis, ação superficial e truques tecnológicos. As regras foram abandonadas mais tarde, mas o Dogme ajudou a legitimar a produção digital com orçamento baixo e consolidou a reputação de Von Trier como sendo uma figura controversa a ser respeitada.

É claro que a maior história de sucesso dos últimos anos foi a da tevê dinamarquesa. Pergunto a Adrian como isso aconteceu e ele me diz que não foi por acaso.

– Uma década atrás, você não seria capaz de encontrar uma série de tevê dinamarquesa que chamasse atenção de ninguém no estrangeiro. Então a Danish Broadcasting Company (algo como uma BBC dinamarquesa) entrou em ação com uma política de promover talentos locais, descobrindo em que os escritores gostariam de trabalhar e ajudando-os a desenvolver seus próprios projetos com enorme sucesso.

Com uma ênfase no realismo social, roteiros densos e uma palheta de cores característica e estilizada (isto é, "melancólica"), os dramas dinamarqueses *The Killing*, *Borgen* e *The Bridge* atraíram plateias no mundo inteiro e inspiraram *remakes* nos Estados Unidos e na Inglaterra.

– Eles foram a ótima notícia para a cultura dinamarquesa dos últimos tempos e revelam muito sobre nós e sobre o que é importante na Dinamarca – diz Adrian. – Por exemplo, a terceira temporada de *The Killing* mostrou um dinamarquês comprometendo sua própria família por cobiça.

No desenrolar da trama, os escritores deixaram muito claro que isso era *algo ruim* e o empresário rico sofreu as consequências. Noutro roteiro, o sistema político dinamarquês aparecia protegendo um homem culpado.

– Isso foi bem polêmico – diz Adrian –, mas mostrou que uma emissora pública se sentiu livre para criticar os que estavam no poder.

Cada uma dessas três séries vitoriosas tinha protagonistas femininas fortes, que eram ambiciosas, sexualmente ativas, complexas e imperfeitas, o que ajudou a mudar o retrato tradicional das mulheres nas telas.

– Tanto em *Borgen* quanto em *The Killing*, vimos mulheres tentando equilibrar casa e família, consciência e ambição, algo que acontece no mundo todo – diz Adrian.

No entanto, apesar dos sucessos locais, a Dinamarca tem um segredinho sujo relativo à tevê. Não, não é o programa da mulher nua que Helena C. mencionou, mas o simpático clássico britânico dos domingos na hora do chá, *Midsomer Murders*. Tanto Viking quanto Vizinha Simpática e Helena C. admitem serem fãs da cara enrugada do detetive Barnaby, que desvenda um mínimo de três assassinatos por episódio de uma hora, e a série britânica é um dos maiores sucessos na Dinamarca.

– Por algum motivo, *Midsomer Murders* é nossa série importada de tevê de maior audiência – admite Adrian, relutantemente. – Ela vem alcançando índices de audiência de 30%-40% nos últimos treze anos, desde que começou.

A série é tão popular na Dinamarca que para comemorar o aniversário do drama policial, os chefões da rede Independent Television, do Reino Unido, na qual a série é transmitida, reuniram produtores e elenco dinamarqueses de *The Killing* e de *Borgen* para um episódio especial.

– Acho que é porque as pessoas acham o programa calmante ou algo assim – diz Adrian. Digo a ele que Viking comparou a experiência de assistir *Midsomer Murders* a tomar sopa: "Não é a coisa mais excitante que existe, mas faz com que você se sinta aquecido e *hygge*."

Mas tirando o detetive Barnaby e seus inúmeros parceiros, Adrian faz questão de reiterar que a cultura dinamarquesa está em boa forma. Os subsídios do governo significam que a criatividade pode florescer e que estratégias de entradas a preços reduzidos levam mais dinamarqueses a galerias de arte, espetáculos de dança ou ópera, ao teatro e ao cinema. A estratégia da Danish Broadcasting Corporation de formar novos escritores consolidou a reputação da Dinamarca como uma força cultural a ser reconhecida e ajudou a popularizar o gênero *noir* nórdico internacionalmente.

– E tudo isso torna as pessoas mais felizes? – pergunto.

– Estou certo de que sim – responde dele. E um estudo da London School of Economics que explorou as cinco principais atividades que deixam as pessoas contentes o apoia. Depois do sexo e dos exercícios físicos, vieram ir ao teatro, a um espetáculo de dança ou a um concerto, representar e ir a uma exposição ou a museus.

Parece que a cultura pode mesmo deixar os dinamarqueses (ou, pelo menos, os habitantes de Copenhagen, que têm a sorte de morar perto da civilização) mais contentes. Curiosamente, os homens que gostam de arte, balé ou outra forma de expressão cultural se sentem ainda mais felizes e saudáveis, segundo um estudo de 2011 publicado na revista *Journal of Epidemiology*. Então Adrian é feliz?

– Eu me daria uma nota nove numa escala de zero a dez – responde ele. – Amo o meu trabalho, e o faria mesmo que não recebesse para isso. Tenho um belo apartamento, vou de bicicleta para todos os lugares, e meu único problema na vida neste momento é escolher entre comprar um piano de cauda Steinway ou um Blüthner. Estou falando sério, esses são problemas de Primeiro Mundo.

Existe algo que o tornaria mais feliz? Além de escolher o piano perfeito para o apartamento dele?

– Ter uma vista para o mar – diz ele na mesma hora. – Isso elevaria a minha nota para dez.

Resolvo não mencionar que moro em frente ao mar. Apenas lembro a mim mesma as coisas pelas quais devo ser grata.

Encontro Lego Man, embriagado de terapia consumista, e ele anuncia que conseguiu duas luminárias para nós. Estremeço, já imaginando o gerente do banco, Allan, com dois ls, nos repreendendo por esse gasto impensado. O lado bom é que meu marido diz que obteve várias recomendações sobre locais para almoçar.

– Foi estranho – diz ele –, todo mundo com quem eu falava achava que eu era um turista, mas quando eu dizia que morava na Jutlândia, eles faziam um gesto engraçado com a cabeça – e ele imitava um gesto de comiseração que já era bem familiar. – Depois disso, eles diziam "Sinto muito". Talvez eles não tenham entendido o que falei ou algo assim...

Não tenho coragem de dizer a ele que desconfio de que eles tenham entendido perfeitamente e que essa é a reação normal quando digo às pessoas que a) não nasci na Dinamarca ou b) que agora moro na Jutlândia. Em vez de arrancar de vez esse *band-aid*, me atenho a planejar nossas próximas refeições. Meu apetite voltou com força total e planejo aproveitar ao máximo a variedade e a qualidade que a capital tem a me oferecer. Encontramos restaurantes japoneses, mexicanos, libaneses, todos com *estrelas*, cafés que servem *legumes* e cardápios sem ilustrações. Para alguém que está *smörgås-entediada* com as opções de comida na Jutlândia (tirando os doces) já faz nove meses agora, isso parece o paraíso.

– Isso não parece nada com No Meio do Nada... – digo a Lego Man enquanto cheiro um prato enfeitado com trufas e cogumelos num dos restaurantes mais elegantes da cidade à beira do canal.

– Nenhum sinal de almôndegas de porco – concorda ele enquanto limpa os restos de um apimentado lombo de veado em volta da boca.

Copenhagen vem tendo um renascimento gastronômico nos últimos anos e um total de quinze estrelas Michelin foram dadas a treze restaurantes da cidade em 2013, mais do que qualquer outra cidade da Escandinávia. Entretanto, nenhum restaurante fora de Copenhagen exibe uma única estrela e a Jutlândia ainda é, em grande parte, um terreno baldio em termos de gastronomia. Quero saber mais sobre o motivo disso e se o grande sucesso culinário de Copenhagen teve algum impacto no orgulho nacional – e nos níveis de felicidade –, mas preciso de alguma ajuda. Entra em cena Bo Basten, *chef* no Meyers Madhus e amigo de um amigo *novinho em folha* de No Meio do Nada, a quem prometo procurar e dar um *hej*. Antes de se juntar a Claus Meyer do famoso Noma em seu mais recente empreendimento, Bo trabalhava num restaurante com duas estrelas do Michelin em Copenhagen e como *chef* da família real dinamarquesa. Em suma, o homem entende do que faz. Além disso, parece ter nascido de um cruzamento entre um hippie escandinavo e Jesus. Então quando Lego Man localiza outra loja de design onde quer nos levar à falência, aproveito o tempo para conversar sobre comida com Bo.

– Então – pergunto depois das preliminares (quer dizer, depois de fazer muita força para não dizer que ele se parece com Jesus) –, Copenhagen sempre foi um bom lugar de se comer?

Ele ri.

– Há! A resposta é não. Cresci nos anos 1970 e 1980 comendo comida em lata e legumes congelados. Os únicos temperos que a maioria das pessoas conhecia eram gordura, sal e açúcar. Se a comida dinamarquesa fosse um guitarrista, ele só conheceria três acordes.

– Um pouco como o pessoal do Status Quo?

– Isso. Nós comíamos *smørrebrød* e *junk food*.

Pelo que tenho observado, muitos dinamarqueses ainda comem assim. Até as pequenas cidades daqui parecem ter uma pizzaria ou uma *pølser* van, literalmente "van da salsicha", servindo a versão dinamarquesa do cachorro-quente – salsichas de um vermelho vivo corante, cozidas só na água e acompanhadas de pão, como profilaxia. Todo lugar também tenta me vender a abominação que é alcaçuz salgado, algo tão assustador que sinto como se alguém estivesse esfregando minha língua com uma lixa envenenada.

– E que tal o creme chantilly em lata? – pergunto. – Está em tudo! Quer dizer, quem é que come creme chantilly hoje em dia? Estamos num espetáculo de *strippers* dos anos 1980? – agora estou com toda a corda. – E todos essas espeluncas que vendem hambúrguer! – continuo, contando que li que os lucros do McDonald's sobem 10% ao ano na Dinamarca. As lanchonetes tradicionais que sobraram, me queixo, só servem sanduíches abertos ou almôndegas.

– Mas nos últimos dez anos as coisas mudaram um bocado – protesta Bo – pelo menos na capital.

Que sorte dos habitantes de Copenhagen, penso. De novo.

Bo continua:

– Os dinamarqueses costumavam se espelhar na cozinha francesa e italiana, mas agora podem fazer as coisas à sua própria maneira. Hoje em dia, mais e mais fazendeiros e produtores estão tentando elaborar produtos diferentes, com uma clara identidade nórdica.

Tudo começou em 2004 quando os *chefs* Rene Redzepi e Claus Meyer transformaram um antigo armazém em Christianshavn num restaurante e o batizaram com uma combinação das palavras dinamarquesas *nordisk* ("nórdico") e *mad* ("comida"). O Noma nasceu e a dupla jurou que fugiria dos ingredientes tradicionais do Mediterrâneo, o azeite de oliva e o *foie gras*, que eram usados nos melhores restaurantes na época, e favoreceria os produtos dinamarqueses. No mesmo ano, Meyer juntou outros *chefs* para estabelecer um conjunto de princípios para ajudar a comida nórdica a progredir. Assim como o Dogme 95 que teve como ponto principal voltar ao básico em termos de cinema, o Simpósio de Cozinha Nórdica, como eles chamaram a si mesmos, prometeu focar numa culinária mais natural, usando produtos locais, sazonais, frequentemente descobertos. Depois de um workshop de dezoito horas de duração, os *chefs* formularam o Manifesto da Nova Cozinha Nórdica. Em linhas gerais: expressar "pureza, frescor, simplicidade e ética", priorizando "ingredientes e produtos cujas características são particularmente excelentes em nossos climas" e ajudando a "promover produtos e produtores nórdicos".

O manifesto foi adotado por um monte de *chefs*, mas o Noma é que foi vital para a Nova Cozinha Nórdica, diz Bo.

– Um monte de gente riu do Noma, para começar. As pessoas diziam "como você pode cobrar as pessoas por servir formigas vivas para elas?" [um outro prato favorito era a torrada de ouriço-do--mar]. Mas isso realmente abriu os olhos das pessoas.

O Noma ganhou primeiro uma, depois duas estrelas no *Guia Michelin*, e foi considerado o Melhor Restaurante do Mundo quatro vezes desde 2010. A fama do restaurante não significou automaticamente fortuna, e o Noma ainda mal paga suas contas, empregando 68 funcionários para fazer apenas 45 *couverts*. Como se trata da Dinamarca, até o mais humilde dos garçons recebe um salário decente e há uma taxa adicional de 25% (conhecida como *moms*, em dinamarquês) em tudo. O Noma é um trabalho de amor, mas Rene Redzepi declarou recentemente ao jornal *Politiken* que achava que a Nova Cozinha Nórdica já tinha "cumprido o seu papel", e que agora ficariam apenas os restaurantes com preços mais acessíveis, o que afetou os supermercados da capital.

– Os supermercados de Copenhagen começaram a estocar produtos variados porque as pessoas estavam falando desses ingredientes diferentes – diz Bo. – Os *chefs* do Noma também combinaram a experiência que adquiriram no restaurante com uma filosofia própria, de modo que quando iam trabalhar em outros lugares disseminavam e desenvolviam o *ethos* da Nova Cozinha Nórdica.

Quero entender melhor o que é isso, então pergunto como ele começaria a ensinar alguém que, por exemplo, soubesse apenas fazer macarrão até os 20 e poucos anos de idade.

– Para mim – diz Bo – trata-se do caminho *mais fácil* para obter o *máximo* de prazer. Se você tem uma cenoura que é saborosa e fresca e tenra, coma-a crua. Não a cozinhe ou a transforme em purê. Comer alimentos da estação também é importante. Pense no que tem do lado de fora da sua janela e o que você mesma pode cultivar, e procure conhecer que produto local você pode conseguir em diferentes épocas do ano.

Digo a ele que, sempre que compro frutas e legumes aqui na Dinamarca, eles estragam mais depressa do que estou acostumada.

– Isso é porque nós não os enchemos de produtos químicos, o que é muito bom! – me ensina Bo. – Na Dinamarca preferimos frutas e vegetais frescos.

Aprendi a lição. Pergunto a Bo se ele ouviu falar que a Dinamarca é o país mais feliz do mundo e fico surpresa ao saber que não.

– Mas faz todo sentido. Eu me daria nota oito numa escala de zero a dez. Comer me faz feliz.

– Alguma comida em particular? – pergunto.

– Não posso citar nenhuma em particular – responde ele, horrorizado –, seria como escolher um filho favorito! Simplesmente amo todas as comidas.

Então o que faria ele receber uma nota dez em felicidade?

– Bem, eu gostaria de um carro novo – diz ele, antes de voltar atrás. – Não, já tenho tudo o que poderia querer. E realmente, eu me sinto mais feliz com filhos saudáveis e uma esposa fantástica do que me sentiria com um carro novo.

Digo a ele que isso é ótimo. Só espero que Lego Man diga a mesma coisa, embora desconfie que sua resposta talvez fosse alguma coisa na linha "de que tipo de carro estamos falando?".

Nós nos despedimos e ele me deixa com um lembrete de despedida.

– Da próxima vez que você for fazer compras, o mais importante é prestar atenção no que é próprio da estação. Produtos frescos são melhores!

Para manter o cenário de alimentos "frescos" da Dinamarca, a equipe por trás do Noma e do Manifesto da Nova Cozinha Nórdica criou o Laboratório de Comida Nórdica em 2008, um laboratório de pesquisa sem fins lucrativos para buscar novas técnicas e compartilhar descobertas entre estudiosos de alimentação. Trabalhando numa casa flutuante ancorada em frente ao Noma no porto de Copenhagen, a equipe do laboratório faz experiências com sabores e explora o que existe de comestível nas cercanias – com ênfase na exploração de novos recursos alimentares. Resolvo procurar em seguida Ben Reade, chefe do centro de pesquisa e desenvolvimento da culinária, a bordo da casa flutuante.

Ben, recém-chegado de uma viagem a Uganda, me diz que esteve investigando insetos comestíveis.

– Experimentei alguns grilos ótimos lá e aprendi como os nativos os cozinham – diz ele. – O objetivo foi conseguir inspiração para o que podemos fazer aqui e que insetos podemos criar especificamente para comer, como grilos, por exemplo, que são fáceis de criar. As pessoas não deveriam se recusar a comer insetos só porque não fazemos isso na nossa cultura neste momento. Alguns deles, especialmente os selvagens, são realmente deliciosos.

– Grande parte do que estamos usando são ingredientes que sempre tivemos na Escandinávia, onde são bem específicos, mas que mudam segundo as condições climáticas – diz Ben. – A comida dinamarquesa é muito sazonal. Isso não se refere apenas aos vegetais de raiz no outono, aos pratos de carne no inverno, aos peixes na primavera, aos camarões no verão etc. Podemos falar de *micro-estações* a cada semana.

Ben lista repolho, couve, maçã, batata, frutas vermelhas, centeio e outras raízes como alimentos especialmente bons na Dinamarca.

– Nós não temos esses alimentos por muito tempo, mas quando temos eles são fabulosos. A primeira vez que você come alguma coisa da estação, como aspargos ou lebre ou sabugueiro, é um momento realmente especial e algo pelo que você realmente vai buscar.

A dieta sazonal, *tradicional*, nórdica provou ser tão saudável quanto a famosa dieta do Mediterrâneo e pesquisadores da Universidade de Lund na Suécia verificaram que uma dieta rica em peixe, frutas vermelhas, pão integral de centeio e bons óleos (como o azeite mais apreciado pelos dinamarqueses, o azeite de colza), podem baixar os níveis do mau colesterol e proteger contra a diabete. Já foi provado há algum tempo que os ácidos graxos encontrados em peixes oleosos como o famoso arenque dinamarquês podem ajudar a combater a depressão, e novos estudos da Universidade de Aarhus também mostraram que a dieta nórdica tradicional pode ajudar a baixar a pressão sanguínea, algo que, sem dúvida, pode deixar os dinamarqueses mais felizes.

– Acho que o movimento nórdico realmente ajudou as pessoas a se lembrarem de todos os alimentos bons, saudáveis, frescos que temos aqui e que realmente são adequados para os climas nórdicos – diz Ben. – A lição que podemos tirar disso deve ser abrir os olhos para o que está ao redor, para a natureza à sua volta. O Noma foi uma mudança de percepção e um aprendizado sobre ser mais curiosos em relação à comida. E agora mais e mais restaurantes aprenderam e estão fazendo isso brilhantemente.

O que é ótimo para todos que vivem em Copenhagen. Mas as mudanças ainda não chegaram à Jutlândia. Parece que há três estilos distintos de culinária dinamarquesa em oferta: a "Nórdica

Nova" (interessante, experimental, que ganha prêmios, a do Noma e outros restaurantes), a "Nórdica Velha" (a das *pølsers*, pizzas e que abusa de creme chantilly) e a "Nórdica Tradicional" (saudável, sazonal, com muitos grãos e que agrada muito a todos os cientistas). Meu palpite é que a culinária "Nórdica Velha" ainda é adotada por 99% do país.

No caminho de volta para o nosso hotel, para arrumar a bagagem no carro e voltar para casa, combino de falar com a grande *chef* celebridade da Dinamarca para saber o que as pessoas *reais* estão comendo no dia a dia. Trine Hahnemann está à frente do movimento dinamarquês de cozinha caseira há anos. Digo a Trine que estou interessada no que o dinamarquês comum come, na Jutlândia, por exemplo.

– Jutlândia? Em que lugar na Jutlândia? – pergunta ela, então digo que moro em No Meio do Nada. – Conheço a região – afirma ela, com pena de mim. – Eu diria que você provavelmente mora exatamente na região mais carente em termos de alimentos de todo o país.

Me dá a notícia devagar, Trine...

– Mas o lado bom é que você tem alguns dos melhores produtores orgânicos de frango e ovos e cervejas bem perto de você na Jutlândia. Mas provavelmente não vê nenhum desses produtos onde você mora. Tudo tende a ser vendido para as cidades maiores, como Aarhus. A dieta padrão onde você mora é provavelmente menos "Nórdica Nova" e mais porco com batata.

Digo que ela acertou em cheio.

– E que coisa toda é essa com batata? Parece que os dinamarqueses são obcecados por elas!

– Isso é bem típico da Jutlândia – diz ela. – Não sei o que o pessoal lá acha que vai acontecer se não comer batata todo dia. Às vezes comem junto com arroz ou com centeio para dobrar a carga de carboidratos.

Interessante. Os carboidratos, como já foi demonstrado, elevam os níveis de serotonina, o elemento químico no cérebro que melhora o humor, segundo pesquisa do MIT. *Talvez os dinamarqueses estejam basicamente engolindo pílulas de felicidade com cada porção de batata que comem*, penso, enquanto Trine continua:

– E esses carboidratos são servidos, é claro, com carne de porco.

Eu estava imaginando quanto tempo demoraríamos para chegar na carne de porco. Desde abril, o mês em que aprendi sobre as maravilhas do mundo animal aqui, tenho pensado muito sobre os porcos. Todo cardápio que nos oferecem desde que chegamos à Dinamarca é saturado de carne de porco e nos serviram alguma variante de porco em todos os jantares para os quais fomos convidados. E, no entanto, em todo esse tempo, não vi um único porco em nenhuma das vastas extensões de campos e terras agrícolas que atravesso de carro todos os dias na Jutlândia.

A Dinamarca tem 30 milhões de porcos – e isso significa por alto cinco vezes mais porcos do que pessoas! –, mas eles são todos criados em celeiros com luz e temperatura controladas antes de serem transportados para o abatedouro para cumprirem seus destinos de virar almôndega. Todos os dias, 20 mil porcos são entregues só no abatedouro Danish Crown na Jutlândia. Assistir ao processo pelo qual os porcos se transformam em carne de porco se tornou algo como um evento esportivo, e todo dinamarquês com quem eu falo me diz que visitou um abatedouro em algum momento da vida. Uma das amigas de Viking chegou até a ir numa excursão com colegas de trabalho antes da festa de Natal da companhia. É, isso é o que é considerado divertimento na Jutlândia.

Mas carne de porco também tem uma conotação política na Dinamarca, com ministros debatendo regularmente até que ponto os dinamarqueses devem ir para integrar a crescente comunidade muçulmana. Trine experimentou isso em primeira mão quando foi responsável durante sete anos pelo restaurante do congresso dinamarquês.

– O partido de direita Dansk Folkeparti só comia na cantina se naquele dia estivessem servindo comida dinamarquesa – diz ela.

– Se tivéssemos um *tandoori* no cardápio ou algo mais internacional, ninguém do Folkeparti aparecia por lá. Cada partido político também tinha reuniões semanais nas quais era servido o jantar, e o Dansk Folkeparti pedia a mesma coisa toda semana.

– Deixe-me adivinhar... O clássico carne de porco com batatas?

– Exatamente – diz ela. – Almôndegas de porco com salada de batata. Toda semana. Pelo menos eles faziam o que pregavam, acho.

É interessante saber que até o Parlamento dinamarquês come junto sempre que possível. Não existe o hábito de comprar comida e levar para comer na mesa de trabalho ou jantar na frente da tevê como acontece em outros lugares.

– Nós realmente temos uma tradição de comer juntos – me diz Trine.

Parece que os dinamarqueses costumam comer em casa quase todas as noites e nos fins de semana, o que poderia explicar por que os cardápios dos restaurantes fora de Copenhagen não são exatamente inspiradores.

– A maioria dos dinamarqueses só janta fora para comemorar um aniversário ou outra ocasião especial já que comer fora é muito caro – diz Trine.

Isso porque todo mundo ganha um salário decente, até mesmo o lavador de pratos, e, como acontece no Noma, todo restaurante cobra uma taxa de 25% do valor da conta para alimentação e serviço. Mas a maioria dos dinamarqueses não se sente desprivilegiada por só comer fora raramente.

– Nós gostamos de comer em casa – diz Trine. – É aconchegante em casa e nós gostamos de cozinhar uns para os outros.

Imagino se isso também contribui para a felicidade dinamarquesa e encontro um estudo na revista *American Journal of Clinical Nutrition* confirmando que refeições feitas em casa realmente fazem as pessoas se sentirem melhor do que refeições feitas em restaurante. Não é de espantar que os dinamarqueses sejam felizes.

– Fazer refeições em família é uma parte importante da vida na Dinamarca – diz Trine, algo que ela atribui aos dias em que a maioria das pessoas ganhava a vida trabalhando na lavoura. – Você dava duro o dia inteiro e as refeições eram os únicos intervalos que tinha. Elas se tornaram uma tradição forte. Como não recebemos muitos estrangeiros e ainda somos uma sociedade bastante homogênea, essas tradições se mantiveram.

O bem-estar social é outro motivo pelo qual os dinamarqueses ainda jantam juntos, em família, segundo Trine.

– Não temos uma jornada de trabalho tão longa quanto se tem na Inglaterra ou nos Estados Unidos e consideramos algo importante voltar cedo para casa, voltar para junto da família. É totalmente aceitável que um advogado importante, homem ou mulher, diga aos colegas às cinco da tarde: "Tenho que sair dessa reunião para pegar meus filhos na escola e preparar o jantar." Isso faz parte da nossa cultura.

Ela pensa que o preço dos imóveis na Dinamarca também desempenhou um papel em manter a tradição de jantar à mesa na Dinamarca.

– Depois da Segunda Guerra Mundial, os imóveis ficaram mais acessíveis, então muitos dinamarqueses puderam ter um cômodo separado para fazer as refeições. Em outros países, muitos casais jovens só podem pagar um quarto ou um apartamento mínimo onde não há sala de jantar nem um lugar para as pessoas se sentarem todas juntas. Por isso, é claro, eles *têm* que sair para jantar.

Conto a ela sobre minha experiência de jantares em casas dinamarquesas até hoje, que normalmente são jantares de três pratos, com guardanapos dobrados e duram até meia-noite.

– E isso nos dias de semana!

Trine ri e admite que existe um certo orgulho em convidar alguém para comer na sua casa.

– Os dinamarqueses adoram passar um dia inteiro planejando uma refeição, cozinhando e recebendo, e depois de todo esse trabalhão nós gostamos de sentar e conversar durante horas. Não temos o hábito de indicar quando está na hora de dar a noite por encerrada.

Digo a ela que nossos últimos convidados para jantar num dia de semana chegaram às seis da tarde e só saíram à uma da manhã.

– Foi exaustivo!

– Eu sei. Mas a hospitalidade é muito importante na Dinamarca e nós nos orgulhamos dela e a apreciamos – diz Trine.

Pergunto se isso a torna uma dinamarquesa feliz.

– Eu me daria nota oito numa escala de zero a dez. Somos um dos melhores países do mundo em termos de bem-estar social, segurança, benefícios e educação gratuita – diz ela, antes de acrescentar: – Mas as pessoas ainda gostam de reclamar. E sempre digo a quem reclama: "Por quê? Você tem tudo!"

É uma observação interessante. Fico pensando se as pessoas podem ser realmente felizes ou se existe algo na natureza humana, ou pelo menos no hemisfério norte com seu céu cinzento, que faz com que gostemos de reclamar de vez em quando. Eu tinha imaginado que isso era algo tipicamente britânico, reclamar do tempo, do lixo e dos jovens de hoje. Mas talvez seja uma verdade mais universal, algo que nos une, algo que podemos compartilhar, assegurando uns aos outros que a vida aqui também não é tão perfeita assim.

Talvez reclamar seja uma extensão da Lei de Jante, penso, num momento eureca bem pequeno. *Se você não tiver nada do que reclamar, então você está se mostrando. E ninguém gosta de uma pessoa exibida. Pelo menos na Dinamarca.*

De volta à Jutlândia, já com saudades da minha aventura cultural e culinária, me refugio no santuário da padaria local para me consolar com a única iguaria dinamarquesa que ainda é bem-feita em No Meio do Nada: os doces. Já estou aqui há meses e ainda fico fascinada com os nomes dos tradicionais *wienerbrød*. Além do *kanelsnegle*, ou caracol de canela, tem o *spandauer*, conhecido como "olho ruim do padeiro" por causa do creme amarelo no meio que parece com uma íris inflamada (huuumm... delicioso!) e o *frøsnapper* ou "o sapo que morde", uma massa folhada torcida coberta de sementes de papoula (ninguém faz ideia de quem inventou esse nome).

Um dos meus trabalhos favoritos foi quando um jornal inglês me pediu para fazer uma matéria sobre os doces dinamarqueses, e para isso entrevisto Anders Grabow da Associação de Padeiros & Mestres Confeiteiros da Dinamarca para descobrir se os *wienerbrød* que derretem na boca são a chave da felicidade eterna (espero que sim...) e por que os doces dinamarqueses são tão famosos.

– Porque – me diz ele sem hesitação – eles são maravilhosos! Quando você come os doces dinamarqueses em outro país como eu como, você sabe por que eles são famosos. Eles estão realmente nas entranhas [sem trocadilho, eu suponho...] da tradição dinamarquesa e são algo que toda padaria faz todos os dias há centenas de anos.

Ele me diz que uma pessoa tem que estudar durante três anos e sete meses para ser padeiro na Dinamarca.

– Nós nos orgulhamos da técnica e da arte e fazemos os melhores doces do mundo. Demos nosso nome a eles, pelo amor de Deus! Ninguém os faz tão bem como nós.

Digo a ele que não precisa se justificar neste caso específico. Sou fã incondicional dos doces dinamarqueses.

– A confeitaria então é algo muito importante na cultura popular aqui? – pergunto, pensando nos colegas de Lego Man preparando o *morgenmad*.

– Sem dúvida – diz Anders. – Há um monte de blogs de confeitaria, publicando e compartilhando receitas, e houve um grande aumento no cenário mais amador com programas de tevê como *Den Store Bagedyst* [igual o *Bake Off*], *The Sweet Life* de Mette Blomsterberg e *Kagekampen* [ou "Batalha de bolos", o meu tipo preferido de batalha].

– Mas o dinamarquês comum sabe fazer um doce como esses?

Anders pensa um pouco.

– Eu diria que todo mundo sabe fazer alguns doces básicos – diz ele. – E como estamos na Dinamarca, os homens também fazem doces. Todo dinamarquês tem um bolo básico no seu repertório.

Isso é música para os meus ouvidos. Mal posso esperar para contar a Lego Man que não espero dele nada menos do que um perfeito *kanelstang* (uma trança deliciosa de canela e marzipã que descobri recentemente) daqui a um mês. Agradeço a Anders pelo tempo dele, mas tem mais uma coisa que eu preciso saber antes de deixá-lo ir.

– E, ah, pela sua experiência – começo, sentindo que estou ficando vermelha –, *quantos* doces o dinamarquês come em média?

Hora da confissão: tenho comido *pelo menos* um por dia desde que me mudei para cá nove meses atrás, apenas com um pequeno hiato durante um período particularmente ruim de enjoo matinal. Antes de me julgar, vá até uma padaria que tenha doces dinamarqueses e experimente um. Experimente todos. Pode levar algum tempo. Na verdade, uns nove meses. Nesses nove meses, tenho sido totalmente refém do creme e do sabor de canela deles.

– Quer dizer, por exemplo – continuo –, se eu estiver comendo um por dia... – tento falar com a maior naturalidade possível – ...isso seria considerado *normal*?

Sua resposta espontânea, imediata, me disse tudo o que preciso saber:

– Um doce folhado *todo dia*? Uau! – mas aí, percebendo que devia estar promovendo o consumo dos produtos dinamarqueses, ele recua um pouco: – Mas, pensando bem, o que é *normal*? Os dinamarqueses não comem um doce por dia, embora eu obviamente deseje que eles comam! – diz ele, brincando. – A maioria dos dinamarqueses os reserva para os fins de semana. Nós nos sentamos na frente de um café da manhã enorme composto de ovos quentes, pão fresco e doces.

Ah.

– Mas também é costume comer doces no escritório às sextas-feiras.

– Isso mesmo! – digo, me agarrando a esse dado.

– E acho que há operários de obra que comem um todo dia... – acrescenta ele, e penso em mudar de profissão. – E há os maníacos por saúde que nem sonham em comê-los – completa ele, e decido naquele mesmo instante que não gosto nem um pouco dessa gente. – Mas, de maneira geral, um dinamarquês come um doce uma ou duas vezes por semana.

– Então, com certeza, não todos os dias? – quero deixar tudo bem claro pelo bem das minhas artérias. Mas ainda estou com esperança de que ele me contradiga.

– Não – ele diz. – Por causa da saúde.

– Claro.

Depois de me despedir de Anders, olho cobiçosamente para uma vitrine de *snegles* variados, começo a salivar um pouco e saio de lá com um pão de forma de centeio em vez de doces, sentindo-me uma mulher de valor.

Quando chego, a casa está vazia. O carro de Lego Man está na entrada, mas não há sinal dele nem do cão que normalmente gosta de bater com o rabo nas minhas pernas histérico, ao me rodear por vários minutos me recepcionando.

Saboreando meia hora de paz, me sento para digitar minhas anotações e pensar em algo criativo para fazer com meu pão de centeio para o jantar. Para minha surpresa, vejo que meu laptop já foi ligado. Quando a tela desperta do repouso, vejo as páginas ainda abertas, dentre elas: "Guia para uma vida selvagem", "Quais os alimentos da estação em setembro?" e a página do Laboratório de Comida Nórdica com as "Orientações para uma exploração sustentável".

Ah, meu Deus...

Achei que Lego Man tinha se animado quando contei a ele sobre Ben e as aventuras na selva tipo escoteiros do Laboratório de Comida Nórdica. Devia ter adivinhado que ele ia tentar embarcar nessa de comer formigas, grilos, e-sabe-Deus-o-que-mais-ele-conseguisse-achar no gramado de casa.

Começo a imaginar o que vamos ter para o jantar esta noite, e fico de olho na janela aberta na esperança de que ele e o cão fiel voltem logo para casa, de preferência ilesos. Uma hora depois, duas figuras aparecem no horizonte. Uma: alta, forte, usando botas de borracha e com as bochechas vermelhas do esforço empreendido. A outra: pequena, barulhenta, abanando o rabo. Quando se aproximam de casa, Lego Man levanta um saco plástico preto, do tipo que usamos normalmente para catar o cocô do cão. Ele o segura acima da cabeça como se fosse um troféu. A outra mão, segurando a guia do cão, também é erguida em câmera lenta. Quase posso ouvir a trilha sonora de *Rocky, um lutador*, tocando enquanto ele soca o ar em triunfo. Fico satisfeita com o fato de os intestinos do cão estarem funcionando bem, como qualquer outra dona, mas qual é?!

Lego Man está com um sorriso largo no rosto e passa pela lata de lixo antes de entrar em casa com seu presente.

– Você não está trazendo *cocô* para dentro de casa, está? – pergunto, horrorizada, olhando para o saco. – Acho que até o Laboratório de Cozinha Nórdica seria contra isso... – digo, mas ele abre o saco plástico e me mostra o que tem dentro. – Mariscos?! – pergunto, torcendo um pouco o nariz por causa do forte cheiro de maresia que acabou de invadir a casa.

– É! Encontrei uma barreira de mexilhões! Na praia.

– O quê?

– A maré estava baixa e vi uma ilha no meio do mar. Parecia um monte de pedras, mas o cachorro foi na direção dela, então fui atrás.

– Certo...

– Só que não eram pedras – eram mexilhões!

– Uau! E então você simplesmente... – não tenho certeza da palavra certa a ser usada neste caso – ...os *colheu*?

– Foi! Não sabia se era preciso uma licença ou algo assim...

– Bem, aqui *é* a Dinamarca...

– Exatamente, mas não havia ninguém por perto, então enchi os bolsos.

Olho para baixo e vejo os lados salientes da calça de Lego Man, com a mancha de umidade ameaçando chegar às suas virilhas.

– Mas aí, pensei, "o saco de cocô!" – continua ele –, então enchi o saco também – diz, balançando o saco para ilustrar. – Acho que temos o suficiente para o jantar aqui.

Tudo isso parece fantástico, mas fico um pouco preocupada que ele possa acabar tendo uma intoxicação alimentar. Recuso delicadamente comer aquele alimento por causa do nosso bebê e do pão de centeio que comprei para comer enquanto Lego Man começa a esfregar dúzias de conchas pretas.

– Tem certeza de que é seguro comer isso?

– É, sim, desde que elas estejam bem fechadas e abram depois de cozidas. Assim estão quase sempre boas.

– *Quase sempre*?

Lego Man balança a cabeça e continua esfregando.

– Eu olhei no Google. Há uma chance *muito* pequena de diarreia, vômitos, paralisia ou morte...

– Ah, que bom.

– ...mas isso só em casos extremos de *envenenamento neurotoxicológico*.

– Que maravilha!...

Lego Man namorou uma médica e às vezes desconfio de que a atitude doidamente entusiasmada dele em relação a doenças se deve a uma crença secreta de que ele próprio *cursou* a faculdade de medicina.

– De todo modo – aponta ele com o queixo para os mexilhões enquanto os esfrega com a escova da cozinha apesar dos meus protestos –, pagaríamos um bocado de dinheiro por eles numa loja.

Meia hora depois, estamos sentados para o jantar. Eu: um sanduíche aberto de queijo e tomate no pão de centeio. Caçador-coletor: uma tigela fumegante de mexilhões cozidos num molho de vinho branco e cebola, invenção de Lego Man, salpicado de salsa cultivada em casa, que, tenho de admitir, está com um cheiro delicioso. Ben, Bo e Trine ficariam orgulhosos.

– Então, qual é o veredito? – pergunto, enquanto Lego Man prova os primeiros frutos do mar "colhidos" por ele.

Ele faz uma pausa, fechando os olhos de um modo um tanto teatral e saboreando o momento, e em seguida responde:

– Perfeito!

– Que bom! – sorrio diante da estranheza daquilo tudo: há seis meses, já morando na Escandinávia, nós jamais teríamos nos imaginado agindo como os nativos daqui, e muito menos em Londres, um ano atrás. – Você está feliz? – pergunto, e Lego Man me olha desconfiado.

– Você está me perguntando isso porque realmente se importa ou está apenas me usando como material de pesquisa?

– As duas coisas?

– Tudo bem, então – ele olha em volta, para a sua casa decorada com objetos de design, para a sua vista do mar, para o cão fiel, ainda que imundo, e para a sua tigela de comida que ele mesmo foi buscar. – Eu me daria uma nota nove numa escala de zero a dez – diz, estendendo a mão suja de vinho branco, cebola e mexilhão por cima da mesa e a colocando sobre a minha, e nós dois nos sentimos ao mesmo tempo contentes e confusos.

O que aprendi neste mês:

1. Os habitantes de Copenhagen têm a melhor comida da Dinamarca.
2. E também os melhores eventos culturais...
3. ...e lojas de luminárias da Dinamarca.
4. Estou morando num buraco negro culinário, tirando os frutos do mar "capturados" por Lego Man e os doces (que, de agora em diante, só vou comer duas vezes por semana ☹).
5. O fato de a comida estragar tão depressa aqui é *algo bom*, porque isso significa que ela é fresca.
6. Viver como os dinamarqueses está deixando Lego Man feliz...
7. ...e talvez, apenas talvez, eu esteja me acostumando com este país, também.

10. OUTUBRO

Na saúde & na doença

Depois da incursão de Lego Man na busca por alimentos e de aprender que a dieta tradicional, sazonal, dinamarquesa é uma das mais saudáveis do mundo, estamos nos sentindo muito bem em viver como os dinamarqueses à medida que nos aproximamos do inverno. De fato, como já estou melhor do enjoo matinal e com uma energia nova, me sinto extraordinariamente bem de maneira geral. Embora não esteja me exercitando na esteira numa academia como costumava fazer, estou tomando ar puro e me exercitando mais do que nunca, andando com o cachorro ou fazendo passeios de bicicleta sem necessidade de roupas de lycra. E como temos jantado em casa quase todas as noites (por causa das parcas opções de cardápio na nossa região da Jutlândia, obrigada por me lembrar disso, Trine), também estamos nos alimentando de forma mais saudável.

Mas então Lego Man tem que viajar a trabalho, e fico para trás apenas com o cão e alguns prazos de entrega como companhia. Os médicos me aconselharam a não viajar até o parto, o que significa que não verei minha família nem os amigos por um longo tempo, a menos que eles venham me visitar. Vou perder o casamento da minha prima e diversas festas de aniversário. Isso também significa que a decisão sobre onde ter o bebê já não está mais nas nossas mãos. Vamos ficar aqui até o fim de janeiro, quando teremos que decidir o que achamos de mais um ano vivendo como os dinamarqueses.

Como ainda tenho alguns meses de "pesquisa" e, que sorte!, quinze dias de consultas médicas por causa da gravidez, vou conhecer muito melhor o sistema de saúde da Dinamarca. Tudo começa com uma visita para conhecer minha parteira na Grande Cidade.

– Sua cavidade feminina me parece *muito* boa – me diz uma mulher grande, de cabelos louros presos num rabo de cavalo. Ela tem mãos grandes e rechonchudas, que dão a impressão de que ela poderia fazer o parto de doze pares de gêmeos por hora se necessário.

– Minha *cavidade feminina*? – penso nas aulas de biologia, mas tenho certeza de nunca ter ouvido essa expressão antes. Ela aperta a minha barriga, para me explicar. – Ah, meu *útero*?!

– Isso... – responde ela, franzindo a testa enquanto continua examinando. Estou deitada numa mesa de madeira com um gel frio espalhado na barriga enquanto o bebê é examinado para ver se está tudo bem com ele. Entre meu ainda limitado vocabulário dinamarquês (apesar de meses de aulas) e os divertidos lapsos de memória da parteira quando se trata de termos ginecológicos em inglês, vamos caminhando aos trancos e barrancos.

– E aqui está, como se diz mesmo *moderkage*? É "o bolo de mãe"? Não. A coisa grande. Que alimenta o feto.

– A *placenta*?

Ela faz sinal que sim.

– Isso. Ela está com uma aparência *ótima*.

Como jamais me interessei muito pela aparência dos meus órgãos internos, fico aliviada em saber que eles são satisfatórios, embora esteja um tanto alarmada com o fato de eles agora estarem sujeitos às mesmas avaliações visuais que o resto do corpo feminino (*E se eu tiver rins gordos? Ou um cérebro enrugado? Espere um pouco...*). Tenho que me lembrar de chegar em casa e olhar no Google qual a aparência de um útero e uma placenta "normais". A parteira larga os aparelhos e se dirige diretamente a mim.

– Bem, e quanto ao sexo?

Eu não estava esperando por isso.

– Quanto ao *sexo*? Nós não devemos fazer sexo? Ou devemos fazer *mais* sexo?

– Estou me referindo ao sexo do bebê. Você quer saber?

Aha!

– Ahn..., bem, você consegue ver? Quer dizer, se você puder ver, talvez possa me dizer, mas não precisa se preocupar com isso...

Para alguém que não consegue escolher rapidamente o que vai comer no almoço todo dia, decidir algo tão importante é uma experiência aterrorizante.

A parteira cutuca mais um pouco a minha barriga.

– Humm... Grandes lábios ou testículos... Testículos ou grandes lábios... – reflete ela, virando a tela na minha direção. Tudo o que consigo enxergar na imagem preta e branca indistinta é algo que se parece um bocado com um... borrão. – O que você acha? – pergunta ela. Não faço ideia. Então ela responde por nós duas: – Acho que são... *testículos.*

– Você "acha"?

Será que está na hora de pendurar balõezinhos azuis pela casa? Será que devo comprar livros sobre como criar meninos? Vou precisar de um pouco de ajuda para entender como é possível que a filha única de uma mãe solteira, que estudou numa escola só de meninas seja capaz de dar à luz um homem em miniatura.

– Estou... 80% convencida de que é... – começa ela a fazer uma série de mímicas para indicar que acha que é um feto do sexo masculino, inclusive uma mímica bastante óbvia para "pênis".

Depois de me vestir e processar a informação de que há "80% de chance" que nosso filho seja homem, nos sentamos para discutir *o parto.*

– Então, a dor... – começa ela.

Olho em volta buscando um jeito de fugir dali, mas me lembro que a única porta existente está trancada para evitar interrupções. Então olho impotente para os cartazes institucionais, mostrando as várias coisas que podem dar errado durante o parto, e para o assustador conjunto de instrumentos de metal olhando para mim do parapeito da janela. *Apenas... respire.* Digo a mim mesma.

– Olha... – estremeço. – Eu gostaria de tomar tudo o que houver, por favor.

– Está certo então – ela se senta, com a caneta suspensa sobre minha ficha. – Vou escrever *oxigênio como último recurso.*

Eu me pergunto se ouvi direito.

– *Oxigênio*? Que tal uma epidural?

O que eu desejo mesmo é que algum tipo novo de anestesia geral que provoque uma experiência extracorpórea (mas inteiramente segura) seja inventada nos próximos três meses para tornar ultrapassado qualquer tipo de dor.

– A "injeção da princesa"? Ah, nós não usamos isso, se pudermos evitar.

– Desculpe, *injeção da princesa*?

– É uma piada sobre epidurais!

Não estou rindo. Fico sabendo que as "dinamarquesas de verdade" não precisam de epidurais. Mulheres do tipo "princesinha" podem receber uma miniepidural, se for absolutamente necessário, mas só recebem metade da dose, "para você poder sentir dor suficiente para ser capaz de empurrar", me diz ela.

– Vou colocar uma anotação na sua ficha de que você deseja epidural. Então, quando você chegar ao hospital, eles vão saber que você é uma futura mamãe ansiosa.

Fantástico. Já sou uma patricinha, ansiosa e estou fracassando como viking. E ainda faltam meses. *Nossa!*

– Então tenho que dar à luz apenas com metade da dose de anestesia, aquele gás e... ar?

– Ah, não, não usamos gás aqui.

– Oi?!

– Não achamos bom. O que podemos oferecer a você é uma "picada de abelha".

Isso não me parece muito promissor, mas estou desesperada.

– *Tá bom*... Acho.

– É quando ficamos espetando você nas costas da mão com uma agulha para distraí-la da dor grande com uma dor menor, diferente... – ela para de falar quando chega a esse ponto, provavelmente desencorajada pela minha expressão que desconfio que demonstre algo do tipo, *se alguém fizer isso comigo, vai levar um soco na cara*.

–...Mas talvez seja melhor ficar apenas com o oxigênio e meia dose de anestesia por ora...

Saio traumatizada e vou comer bolo com Helena C. para me consolar. Conto a ela sobre o "escândalo" do alívio da dor das parturientes (*por que isso não está na primeira página dos jornais?*), e ela balança a cabeça, sabendo muito bem do que estou falando, e me diz que teve as duas filhas sem nada além de uma vontade de ferro e ameaças cheias de palavrões de se divorciar do marido. Fico chocada.

– Então os dinamarqueses são totalmente antidrogas?

– Depende das drogas – me diz ela.

Os dinamarqueses, descubro, têm a maior taxa de uso de antidepressivos da Europa, segundo a OCDE. Considera-se que o crescente "estresse no trabalho" sobre o qual aprendi tudo em fevereiro, bem como o uso de medicação em casos mais brandos, poderiam explicar os níveis crescentes de consumo.

– Evidentemente, também somos bastante tranquilos a respeito de drogas que não precisam de receita – me diz Helena C. Os adolescentes da Jutlândia, fico sabendo, tendem a experimentar várias porque "às vezes pode ser um tédio crescer aqui".

Os dinamarqueses demonstraram seu liberalismo em 2013 quando as primeiras salas para consumo de drogas subvencionadas pelo

Estado abriram em Copenhagen. A iniciativa chegou às manchetes dos jornais do mundo inteiro, mas a maioria dos dinamarqueses nem ligou para isso, e agora há salas em todas as principais cidades da Dinamarca e em cidades menores também. Os habitantes não fizeram oposição, e a polícia se mantém longe dessas salas, já que a teoria é que dar aos usuários um lugar seguro para consumir drogas pode evitar overdoses mortais. O plano parece estar funcionando, embora as estatísticas para provar isso ainda não estejam disponíveis. Esse modelo contrasta fortemente com a política severa de tolerância zero da Suécia – algo que deu a eles um dos índices mais baixos de consumo de drogas ilícitas na Europa, mas levou a um número mais alto de mortes relacionadas ao uso de drogas, uma vez que os viciados temem buscar ajuda quando têm overdoses.

– Então não posso tomar uma dose inteira de anestesia, mas *posso* tomar heroína? – pergunto a Helena C.

– Parece que sim – me diz ela.

Estranhamente, a atitude liberal dos dinamarqueses em relação a drogas não relacionadas com a gravidez não se estende aos remédios para um resfriado comum, por exemplo, conforme descobri quando Lego Man caiu de cama com gripe na semana retrasada. Não há nenhum desses remédios para gripe cujos anúncios passam a qualquer hora na tevê, em qualquer lugar do mundo, e minhas tentativas de comprar paracetamol foram recompensadas com uma única caixinha, suficiente para baixar a febre de um hamster bem pequeno. Isso, me informaram, é porque uma adolescente tomou comprimidos demais alguns anos atrás e o Estado diminuiu a quantidade que pode ser vendida de uma única vez sem receita. Quando algo semelhante aconteceu na Inglaterra, foi estabelecido um limite de 16 comprimidos nas lojas e 32 nas farmácias. Mas, na Dinamarca, são dez. *Dez*! O suficiente para durar um único dia e você ser obrigado a arrastar seu corpo delirante, ardendo em febre, de volta à farmácia para comprar um pouco mais. Existem, entretanto, formas de contornar isso. Durante minha última ida à farmácia local, a mulher atrás do balcão teve pena de mim e me disse que só podia me vender dez sem receita, a menos que fosse *uma emergência.*

Eu já ia aceitar a microdose e sair quando ela baixou o queixo e olhou significativamente para mim.

– *É* uma emergência? – perguntou ela, balançando a cabeça para me instruir a dizer que sim.

– Hã?... Ah, é, sim!

– Então você *está* me dizendo que é uma emergência? – tornou a perguntar, balançando lentamente a cabeça.

– Bem, não... – comecei a entrar em pânico sob pressão. – Não exatamente, é apenas uma gripe... – continuei. A mulher sacudiu a cabeça furiosamente, até eu me corrigir. – Quer dizer, *é*, é, sim. É *realmente* uma emergência.

– Ótimo! – sorriu ela radiante, e me entregou *duas caixinhas*. – Melhoras!

Apesar de a vendedora ter sido bizarramente generosa, o espírito viking manda que os dinamarqueses se atenham a remédios naturais sempre que possível, quando se tratar de doenças leves.

– Nós geralmente nos viramos com chá quente, *hygge* e talvez um pouco de aguardente – me diz Helena C.

Ah, goró. Desconfiei que não demoraria muito para isso aparecer numa discussão a respeito de saúde na Dinamarca.

– Os dinamarqueses bebem um bocado. Quero dizer um bocado *mesmo* – Helena C. diz.

Digo a ela que percebi isso logo na minha primeira semana aqui. Existe uma piada que diz que o motivo de os dinamarqueses parecerem tão felizes quando preenchem formulários de pesquisas do Eurobarometer é que eles estão sempre bêbados. Os dinamarqueses estão entre os povos que mais bebem na Europa, segundo a Organização Mundial da Saúde, consumindo 11-12 litros de álcool puro por pessoa por ano. E os adolescentes dinamarqueses bebem quase o dobro do que os outros europeus de sua idade (é o que dizem os relatórios da OMS). Sinto uma ressaca solidária chegando só de pensar nisso. Estudos do Centro Nacional de Pesquisa Social da Dinamarca mostram que os jovens dinamarqueses estão aprendendo a beber com a atitude dos pais em relação ao álcool, caracterizada como "uma perda controlada de controle". Em outras palavras, os dinamarqueses são muito organizados e controlados – até *não* serem. Até haver uma festa ou ser noite de sexta-feira, ou acontecer qualquer evento envolvendo bebida alcoólica. Então, eles soltam suas tranças vikings e as coisas ficam complicadas (e sou inglesa, *sei* o que é complicado).

– É como se nós nos reservássemos o direito de nos prejudicar bebendo demais se tivermos vontade, e nem sempre pensamos nas consequências – me diz Helena C.

Isso também é verdade em relação ao sexo aqui. Apesar da proeza de a Dinamarca ser uma nação de escandinavos sexualmente liberados, como descobri em julho, os dinamarqueses nem sempre tomam os devidos cuidados. Uma pesquisa recente da YouGov colocou a Dinamarca no topo do ranking das doenças sexualmente transmissíveis na Europa, e uma pesquisa recente das autoridades de saúde dinamarquesas verificou que apenas 56% das pessoas entre 18 e 25 anos de idade usaram camisinha da última vez que dormiram com um parceiro novo.

Outra contradição em termos de saúde aqui são os cigarros. Depois que me recuperei do choque de ver pessoas fumando enquanto iam de bicicleta para o trabalho, comecei a notar que um em cada dois dinamarqueses que eu encontrava estava parcialmente nublado por uma pequena nuvem cinza. Os dinamarqueses fumam com vontade, e fumar na Dinamarca foi considerado um fator determinante para aproximadamente 14 mil mortes por ano, segundo a OMS. O Fundo Mundial de Pesquisa sobre o Câncer concedeu outro "primeiro lugar" à Dinamarca em 2012, quando descobriu que as mulheres aqui têm os mais altos índices de câncer de pulmão do mundo, e que a Dinamarca também está acima dos parâmetros mundiais para todos os tipos de câncer.

– Você vê pessoas fumando em toda parte aqui, mesmo na porta dos hospitais – comenta Mãe Americana quando pergunto a opinião dela sobre isso como uma "forasteira" como eu. – Fui fazer um check-up com a minha filha e um cara passou por nós na entrada do hospital, empurrando seu soro, quase sem conseguir andar. Então a primeira coisa que ele fez quando chegou do lado de fora foi acender um cigarro. Você jamais veria isso nos Estados Unidos.

Confesso a ela que isso é algo que se vê muito na Inglaterra.

– Isso é porque vocês também têm assistência médica de graça! – diz ela. – Vocês não se preocupam, acham que o Estado vai cuidar de tudo!

Esta última parte é verdade. A maioria dos dinamarqueses, e provavelmente dos ingleses também, acha mesmo que o serviço gratuito de assistência médica vai cuidar deles caso precisem. Mas será que os dinamarqueses estão confiando demais na *saúde* deles?

Pergunto o que Viking acha quando ele se junta a mim e a Helena C. mais tarde para jantar.

– Não! Confiamos *na medida certa* – brinca ele a princípio, antes de pedir uma cerveja e um hambúrguer. – Tudo bem, é verdade que fumamos e bebemos um bocado por aqui...

– E fazem um bocado de sexo sem proteção – acrescento.

– É, isso também – admite ele.

– E usamos drogas – acrescenta Helena C.

– Bem, é, também usamos drogas... – Viking não estava esperando receber ataques de uma conterrânea. Mas os dinamarqueses adoram uma boa discussão.

– E vocês comem um bocado de comida gordurosa – digo, justo na hora em que a garçonete coloca um hambúrguer suculento na mesa. – Desculpe... – falo baixinho.

– Tudo bem, então talvez nós não sejamos os mais *saudáveis* do mundo – admite Viking –, mas somos indivíduos e devemos poder escolher.

Ele tenta me convencer de que, claro, os dinamarqueses bebem entusiasmadamente e fumam obstinadamente, mas que eles *gostam* disso, então está tudo bem.

– Não há nenhum estigma, você pode decidir por si mesmo, entende?

– Acho que a verdade é que sabemos ter com quem contar, não importa o que aconteça – diz Helena C. – Mais até do que na Inglaterra, porque temos um seguro social extra para nos ajudar se algo der errado. Temos quem cuide de nós. Isso pode nos tornar um tanto displicentes, acho.

Existem esforços sendo feitos para incentivar os dinamarqueses a se responsabilizar mais por sua saúde. Algumas *kommunes* agora cobram dos pacientes que faltam às consultas médicas ou as cancelam com menos de 24 horas de antecedência, algo que se espera que também possa diminuir o tempo de espera por uma consulta.

– Costumava ser muito ruim – me diz Helena C. – As pessoas marcavam hora com um médico e depois ficavam bem e não apareciam. Isso significava que não se conseguia uma consulta em determinadas clínicas e custava ao governo um bocado de dinheiro. Agora as pessoas são obrigadas a ir.

Desde 2003, a Dinamarca também tem uma base de dados computadorizada para a saúde. Enquanto que os planos abandonados na Inglaterra de cadastrar todos os pacientes custam aos contribuintes em torno de 17 bilhões de dólares e continuam subindo, segundo os guardiões dos gastos públicos do Parlamento, o sistema dinamarquês custou 11 milhões de dólares para ser implementado e seu alcance aumenta a cada ano. Minha carteira de identidade dinamarquesa amarela tem um número nela que uso para entrar num site que contém todos os meus registros médicos. Lá, posso escolher qual o médico ou enfermeiro que gostaria de ver, fazer qualquer pergunta e pegar receitas repetidas. E a equipe médica também pode acessar todas as minhas informações e histórico no Banco de Dados de Saúde Dinamarquês via meu número de identidade.

– Estudos mostram que os pacientes que estão bem preparados e se sentem corresponsáveis pela própria saúde e investem em cuidar de si mesmos se sentem mais felizes e mais saudáveis – diz Morten Elbæk Petersen, diretor do banco de dados de saúde do país, o Sunhed.dk, quando entro em contato com ele para saber mais. A versão dinamarquesa de Hugh Grant (do tempo de *Quatro casamentos e um funeral)* tem cabelos esvoaçantes, maçãs do rosto salientes, tipicamente escandinavas, e usa paletó de *tweed*, mas com 19 anos à frente do sistema de saúde dinamarquês, Morten é um homem que entende das coisas.

– O sistema de saúde é uma maneira barata de fazer as pessoas se sentirem confortáveis e de mantê-las longe dos hospitais – me diz ele – e nós podemos usar o resto do dinheiro do orçamento do governo em estradas, educação etc.

O plano de tornar os dinamarqueses mais responsáveis por sua própria saúde mostra sinais de estar funcionando, mesmo que devagar. Apesar dos números ridiculamente altos de fumantes que vejo por aqui, os dados numéricos da OCDE mostram que a proporção de dinamarqueses que fumam caiu para mais da metade, dos 45% em 1990 para 20% em 2010. O governo também está lidando com a alta ocorrência de câncer no país, oferecendo mais exames à população – as mulheres entre 50 e 69 anos podem fazer mamografias todo ano desde 2007, e exames para câncer de cólon, a cada dois anos desde 2014. Morten insiste que o serviço de assistência médica dinamarquês está num bom lugar:

– Na Dinamarca, nós investimos 12% do PIB numa assistência médica que funciona bem, é eficiente e é para *todos*. Nos Estados Unidos, por exemplo, eles investem 18% do PIB em assistência médica, mas não existe uma divisão igualitária. Então algumas pessoas não têm direito a nada.

A Inglaterra só investe 9,6%, segundo dados da OMS.

A nova lei da saúde nos Estados Unidos, a Obamacare, demonstrou muito interesse no sistema dinamarquês, e Morten se encontra regularmente com representantes dos Estados Unidos que querem conhecê-lo melhor. Mas muitos americanos continuam relutantes em compartilhar suas informações pessoais.

– Muita gente ainda odeia a ideia do setor público poder ver ou ter seus dados – diz Morten. – Algumas pessoas acham que a coisa toda parece muito como comunismo e tira a liberdade individual. Mas, na realidade, há mais liberdade e mais segurança quando as pessoas são bem-cuidadas – você sabe que se o seu vizinho ficar doente, vai ter o tratamento que precisa e não vai ficar desesperado e roubá-lo. O acesso a informações médicas a qualquer hora, de qualquer lugar, fortalece as pessoas – e para mim não há dúvida de que há uma relação entre o nosso sistema de assistência médica e os índices elevados de felicidade na Dinamarca.

Tudo isso parece esplêndido. Mas poderia funcionar fora do pequeno país de 5,5 milhões de pessoas e com uma taxa de imposto de 50%? Morten acha que sim.

– A Austrália vai implementar um sistema eletrônico autocontrolado de saúde como o nosso dentro de poucos anos para sua população de 20 milhões de pessoas. Existem cinco estados diferentes lá com fronteiras bem nítidas, de modo que é como se fossem cinco Dinamarcas, todas trabalhando juntas.

Outra área em que a Dinamarca parece se destacar é em pesquisa. Um número impressionante de novas descobertas médicas e farmacêuticas vem do país e, só nessa última semana, os cientistas dinamarqueses chegaram às manchetes dos jornais por causa de novas descobertas sobre a asma, a vitamina B12 e a prevenção de ataques cardíacos, para citar apenas três.

– Temos uma base de dados muito boa e que vem sendo alimentada há muitos anos, e por isso fornece muitas fontes para a pesquisa científica – me diz Morten quando pergunto o motivo de tantas descobertas. – Além disso, os hospitais universitários daqui *são realmente* dedicados à pesquisa. Como o estudo é gratuito, existem sempre novos trabalhos sendo feitos, e por isso novos achados e descobertas. E os resultados são aplicados. Curas e tratamentos entram em vigor muito rapidamente na Dinamarca. Isso dá à população em geral um *feedback*, e todos podem ver como as coisas melhoram devido aos avanços da medicina. Assim as pessoas ficam mais felizes em cooperar com estudos e pagar impostos para custear todo o sistema. E assim por diante.

Embora eu ainda não esteja convencida de que viver como os dinamarqueses a longo prazo seja necessariamente bom para a saúde, estou me certificando de que as coisas estão caminhando na direção certa. Também estou começando a entender a atitude libertária dos dinamarqueses em relação à vida. Eles apreciam a liberdade que têm para satisfazer seus caprichos e realmente se divertem, sabendo que terão quem cuide deles se (ou melhor, *quando*) algo der errado. É um pouco como o sistema escolar e até mesmo o mercado de trabalho aqui: o indivíduo tem liberdade dentro de determinadas fronteiras. Os dinamarqueses escolhem o que fazer com seus corpos, seus cérebros e suas carreiras, mas concordam em trabalhar juntos para alcançar um objetivo comum: manter e defender a maneira dinamarquesa de fazer as coisas.

Para encerrar o meu mês das descobertas médicas, entro em contato com Niels Tommerup, do Departamento de Medicina Celular e Molecular da Universidade de Copenhagen. Explico o meu projeto e pergunto se ele acha que pode haver alguma outra coisa, algo mais básico, algo *nos genes* que ajude os dinamarqueses a serem tão felizes.

– Como geneticista, eu diria que tudo é genética, especialmente o estado de espírito – me diz Niels. – A genética afeta o seu estado de espírito básico, faz de você um otimista ou um pessimista. Há pessoas por aí que, simplesmente, estão *sempre felizes*. Mesmo que você atire um tijolo nelas.

Torço para que ele não tenha testado isso em alguma de suas pesquisas. Mas, quer dizer então, os dinamarqueses *são* mesmo um povo destemido.

O que ele acha dos estudos sobre a felicidade em nível mundial que apontam os dinamarqueses como o povo mais feliz sobre a face da Terra? Será que o povo da Dinamarca é apenas naturalmente mais feliz do que os povos?

– Sim e não – é a resposta diplomática de Niels. – É difícil isolar a genética dos fatores culturais, e o efeito genético total no bem-estar de um indivíduo é estimado em 50%, isto é, a outra metade vem do ambiente. Mas mesmo que você diga que os dinamarqueses são felizes devido a fatores ambientais e culturais, você ainda pode se perguntar: "Por que os dinamarqueses estabeleceram essa cultura? Isso tem algo a ver com o estado de espírito dinamarquês? Será que o movimento social-democrata aconteceu porque somos todos *parentes*, geneticamente falando, de modo que nos sentimos obrigados a cuidar uns dos outros, assim como você cuidaria de um parente mais pobre em família?" É uma situação do tipo o que vem primeiro, o ovo ou a galinha?

Os dinamarqueses adoram a analogia do ovo e da galinha. As poucas vezes em que brinquei dizendo "o ovo ou o frango", seus cérebros ficaram confusos.

– Existe também um estudo mostrando uma correlação entre a distância genética dentro de um país e seu bem-estar, mesmo quando fatores como renda per capita são levados em consideração – continua Niels. – E a Dinamarca é o país com a *menor* distância genética entre a população, porque historicamente tivemos menos movimentos migratórios.

Em outras palavras, os dinamarqueses são um povo isolado, que não se movimentou muito, nem se misturou muito com as nações vizinhas e isso os fez, estranhamente, muito mais felizes do que o restante de nós.

– Uma população homogênea tem maior probabilidade de ser mais feliz e de as pessoas confiarem mais umas nas outras, porque são intimamente ligadas geneticamente, como numa família.

Essa é uma revelação um tanto perturbadora. A ideia de que o isolamento cultural pode deixar um povo mais feliz. *Como é que posso me integrar e aderir à ideia de ser "feliz como um dinamarquês", se não for realmente bem-vinda aqui por ser uma "forasteira"?* A resposta me parece sombria demais. Mas o fato de a Dinamarca ser "como uma família", que Niels aponta, faz sentido e soa um pouco mais palatável. Em todas as famílias, tirando as mais disfuncionais como aquelas no estilo *Dallas* ou dos programas sensacionalistas da tevê, as pessoas realmente cuidam umas das outras. E se a Dinamarca inteira é basicamente parente, não é de surpreender que viver aqui se pareça de vez em quando um episódio longo da *Família Walton* (se os Waltons usassem óculos mais legais e fossem mestres do design de cadeiras. Menos *amish* chiques e mais minimalistas zen).

Um estudo da Universidade de Warwick acerca dos felizes dinamarqueses também concluiu que quanto maior a distância genética de uma nação em relação à Dinamarca, mais baixo o bem-estar registrado dos seus habitantes. *Então os dinamarqueses são tão incrivelmente felizes que quanto mais a população do seu país é ligada a eles, mais feliz você vai ser?*, penso, maravilhada. *Isso é sensacional!*

E ainda tem outra coisa incrível. Niels me diz que estudos mostraram que pode haver um "gene específico da felicidade".

– Ele é chamado de 5-HTT, ou "gene transportador de serotonina", e é o alvo principal de muitos medicamentos que regulam o humor. O gene 5-HTT afeta o modo como o seu cérebro lida com neurotransmissores e foram feitos grandes estudos populacionais mostrando a relação entre o humor e o fato de uma pessoa ter ou não a forma longa desse gene 5-HTT. E se olharmos para a frequência da forma longa do 5-HTT em âmbito mundial, a Dinamarca está na frente dos outros países. A população dinamarquesa como um todo possui níveis mais altos desse gene, e temos os percentuais mais altos do mundo junto com a Holanda.

Espera aí, então um gene 5-HTT alongado pode fazer uma pessoa mais feliz do que o indivíduo comum e a maioria dos dinamarqueses o *possui?* Isso é fantástico. Mas como fica o restante de nós? Aqueles que não tiveram a sorte de nascer com a cruz branca da *Dannebrog* nos atravessando como um estilete de pedra? Isso quer dizer que eu estou tentando viver como os dinamarqueses em vão? Niels me lembra que o efeito genético só é responsável por 50% do nosso estado de espírito.

– Então ainda há 50% de chance de que eu possa ser feliz, no estilo dinamarquês?

– Há, sim.

– Que bom... – me agarro a isso e pergunto a Niels se ele se acha "geneticamente feliz."

Ele responde:

– Tenho certeza disso. Sou uma pessoa muito feliz. Eu me daria nota oito numa escala de zero a dez. É um privilégio ser dinamarquês. Me sinto um cara de sorte por ter nascido aqui. Somos uma nação boa e rica o bastante, e temos uma cultura fantástica. Se perdermos para a Suécia no futebol ou ficarmos deprimidos por cinco segundos, isso não é nada.

Fico feliz por ele. Fico mesmo (não dá para ver?). Mas desligo o telefone suspirando, resignando-me ao fato de que só tenho 50% de chance de alcançar essa felicidade dinamarquesa. Tento me consolar levando o cão para passear, na esperança de que o exercício possa liberar as endorfinas do bem-estar. A caminho de casa, pego 50% da minha nova cota semanal de *snegles*, na esperança que o doce possa liberar a serotonina do bem-estar. Saúde e felicidade no estilo dinamarquês, concluo, são uma questão de equilíbrio.

Como Lego Man fica fora por mais uma semana, sou obrigada a comparecer sozinha ao mais importante evento de outubro. Ele é o auge do calendário da Jutlândia: o fechamento da Legolândia para o inverno. Para entender completamente o impacto que isso tem na comunidade local, você só precisa olhar em volta para todos os pais de crianças pequenas de aparência esgotada, que agora pensam desesperados em como irão preencher seus fins de semana e distrair os seus fofinhos durante o longo inverno à frente. Mãe Americana já está tentando freneticamente marcar visitas de amiguinhos e comprando pilhas de DVDs de *Dora, a aventureira.*

Como uma última manifestação de alegria antes de a região entrar num estado de luto pelo fechamento do parque temático adorado, há uma festa de encerramento para marcar o fim da estação. Estou torcendo por uma festança do tipo *Dirty Dancing*, com muita cantoria, danças coreografadas e homens tipo Patrick Swayze. Então fico decepcionada ao descobrir que a realidade é muito menos glamourosa e envolve muito menos peitos nus ondulando de um lado para o outro.

Usando botas de borracha e a parca de Lego Man, o único casaco que cabe em mim agora, fico parada com uma garrafa de água mineral com gás numa das mãos e muitos fogos de estrelinha na outra. Uma chuvinha fina ameaça apagar meus fogos de estrelinha a qualquer momento, como se até o céu estivesse triste com o fechamento da Legolândia. Eu me apresso a escrever meu nome no ar antes de eles apagarem por causa da chuva. Felizmente, meu nome é curto. Uma garota chamada "Karen-Margrethe" parada ao meu lado fica realmente chateada.

Os brinquedos estão todos abertos para uma última rodada de adrenalina, mas desde o Expresso Polar até as xícaras de chá, nenhum deles permite a entrada de mulheres grávidas. Fico segurando os casacos e as mãos das crianças pequenas enquanto o restante dos adultos fica tonto e ligeiramente bêbado de Carlsberg. Na Dinamarca, passear por um parque temático infantil com uma cerveja dinamarquesa na mão é visto como sendo algo patriótico, e não passível de punição por comportamento antissocial.

Está ficando frio agora. Meu rosto está queimando, meus dedos estão formigando e os pelos do meu corpo estão em posição de sentido, no estilo *Hellraiser*. Então fico aliviada quando Pai Envergonhado com Escola Particular me vê, acena e diz que vamos andar um pouco agora.

– Eles vão acender os fogos – diz, vindo na minha direção com um andar meio desequilibrado e as pernas bambas como se tivesse saído de uma montanha-russa. Ele guarda a garrafa de Carlsberg na sacola de fraldas do filho para colocar na lixeira de reciclagem mais tarde. *O sonho dinamarquês*, penso. Seguimos a multidão, agora arrastando os pés, na direção do espaço aberto no fim do parque, para assistir à exibição dos fogos de artifício. Ou pelo menos tentar assistir. Na chuva. Quando só metade deles irá acender.

– *Oooooh!* – emitimos o som esperado e respiro o cheiro de carvão e enxofre.

– *Ahhhh!*

Uma cascata dourada cai do céu negro como tinta, e pingos de chuva (ou serão resíduos de fogos?) atingem nossos olhos. Algumas crianças começam a chorar, seja por causa do barulho ou do incômodo ocular, e os pais as pegam no colo e as retiram dali. Surgem círculos de luz zumbindo pelo céu, e isso significa que o espetáculo pirotécnico está chegando ao fim. Há palmas e gritos antes de tudo ficar escuro e silencioso de novo. A temporada acabou. A Legolândia, a única atração do meu cantinho particular da Dinamarca, está fechada até o próximo ano. Ao meu redor, pais estão agasalhando os filhos, que tremem de frio, prontos para levantar acampamento.

– Até os pinguins vão embora no inverno – me diz Pai Envergonhado com Escola Particular, soprando as mãos para tentar esquentá-las.

– Você está brincando? – pergunto, com esperança.

– Não, de verdade. Fica *muito* frio mesmo.

Não quero me meter numa discussão, mas não posso deixar de comentar que os pinguins são animais da Antártida.

– Sem dúvida lá é um pouco mais frio do que na *Dinamarca*, não?

Pai Envergonhado com Escola Particular olha para mim, inclinando a cabeça de lado, com vontade de rir.

– É o seu primeiro inverno inteiro aqui, não é?

– É...

Ele sacode a cabeça e solta uma risadinha ameaçadora.

– Boa sorte!

Fico imaginando o que me aguarda e como vou suportar o que vem por aí sem vinho.

O que aprendi neste mês:

1. Os vikings são mais resistentes do que os pinguins quando se trata de sobreviver ao inverno dinamarquês.
2. A assistência médica na Dinamarca é de alta tecnologia...
3. ...mas isso não significa que os dinamarqueses sejam incrivelmente saudáveis.
4. Pelo contrário, eles se reservam o direito de abusar de seus corpos da maneira que querem, sabendo que o Estado irá catar os pedaços depois.
5. As parteiras na Dinamarca pertencem à velha escola.
6. Minha mãe me deu uma *vantagem considerável* na vida no que se refere a escrever o nome com fogos de estrelinha. Azar de vocês, pessoal com nomes de mais de três sílabas...

11. NOVEMBRO

Lá vem a neve, a lama e a escuridão destruidora de almas...

É extraordinário como tudo aconteceu de repente. O céu ficou preto, um vento frio arrancou das árvores o que restava das folhas do outono e gotas de chuva enormes e geladas começaram a cair, sem aviso.

De repente, o mundo lá fora se tornou ameaçador, e o *tempo* parece que está pronto para nos pegar desde o momento em que você abre a porta de casa.

O país mergulhou, sem misericórdia, na nova estação e estamos em vias de experimentar toda a plenitude do verdadeiro teste de resistência de nosso primeiro inverno nórdico. Faz um frio terrível lá fora. Um tipo de frio brutal que congela as nossas testas como um botox da natureza e nos faz apertar os olhos para protegê-los. Uma tarde, voltando do supermercado de carro para casa, me pergunto se o termômetro do meu carro quebrou, porque o ponteiro desce desanimadoramente para a esquerda e paira em torno da marca de menos vinte. Dou um tapinha no mostrador (o método universalmente aceito de "consertar" qualquer aparelho, junto com "dar socos" e "desligar e ligar"), mas o ponteiro não se mexe. Quando passo pelo porto, vejo crianças que parecem terem sido infladas em macacões acolchoados, dando passos cuidadosos fora da plataforma flutuante e *dentro do mar*. Um menino está quase uns vinte metros dentro do mar. Ele para e acena do meio do fiorde. Eu pisco os olhos achando que o frio está me pregando uma peça ou eu estou assistindo à segunda vinda do Messias num traje de neve da Adidas. Então eu noto a superfície do mar nebulosa e opaca. Será possível? Será que está tão frio que o *mar* congelou?

Nós não estamos mais em Londres,Totó, penso e sinto certa nostalgia da poluição que isola Londres no inverno. Para piorar, na estação de rádio dinamarquesa estatal começa a tocar "Hot in the City", de Billy Idol.

– Isso é uma brincadeira de mau gosto? – choramingo para ninguém enquanto sigo atrás do limpa-neve, tomando cuidado para não sair do seu rastro.

Só pude sair de casa essa manhã depois que o trator passou para limpar as ruas, já que o meu carrinho vermelho tomate está mal equipado para lidar com sessenta centímetros de neve, apesar dos pneus de inverno. Felizmente eu tinha muito com que me ocupar até isso acontecer, já que todos os moradores na Dinamarca são legalmente obrigados a tirar a neve da frente das suas casas para evitar que alguém escorregue e caia. Vizinha Simpática foi gentil o bastante para nos informar disso antes de se mandar para Copenhagen até o pior do inverno passar e perguntou se nos importaríamos de tirar a neve da frente da casa dela também. Os dinamarqueses devem limpar toda a extensão de sua calçada e mantê-la livre de neve das sete da manhã às dez da noite (nos domingos podemos esperar até as oito horas para começar a limpeza). Parece que isso é um dever cívico inegociável e os jornais mostram diariamente fotos da primeira-ministra dinamarquesa cumprindo o dever dela – o que está implícito aí é que se ela pode governar o país e limpar a neve da frente da sua própria casa, o restante de nós não tem desculpa para não fazer isso. Com o rosto ardendo, o nariz escorrendo e "ajudada" pelo cão, que ostenta uma barba branca de neve enquanto tenta *comer* o seu caminho através dos montes que junto, finalmente consigo limpar nossa calçada enquanto Lego Man cuida da calçada da Vizinha Simpática. Mas assim que a calçada ficou limpa, uma manta branca começa a se formar de novo.

Assim que volto para dentro de casa, já estamos outra vez no país das maravilhas do inverno.

Também está escuro.

De novo.

Depois que consegui entrar e me descongelar o bastante, contemplo o nada negro e espesso por cinco minutos e calculo que já está "de noite".

– Tá bom, cão, isso significa que deve estar na hora do jantar... Certo?

O cão concorda e começa a babar e a saltar à minha volta, ganindo baixinho e abanando o rabo com alegria como se tivesse conseguido me enganar de algum modo. *Esquisito.*

Penso que seria bom começar logo a preparar o jantar e fico olhando para dentro da geladeira, buscando alguma inspiração até pegar um frango cru. Estou segurando sua carcaça rosada e fria nas mãos, olhando, muito concentrada, para os botões do fogão dinamarquês, quando Lego Man chega em casa.

– O que você está fazendo?

(Não é culpa dele: ele não cresceu vendo televisão. Ele não assistiu a comédias americanas o suficiente para saber que "Querida, cheguei! Como foi o seu dia?" é uma saudação matrimonial mais convencional.)

– Olá para você também. Estou preparando o jantar.

– Agora?

– É.

– Você sabe que são só quatro da tarde?

– Ah...

Eu não sabia disso. Devia começar a usar relógio. A ave recebe um adiamento da sentença e resolvemos sair para passear com o cão. Não é tão fácil quanto parece quando o seu cachorro é preto, o céu é preto e você mora numa região sem postes de luz nem caminhos definidos. Acrescente a tudo isso um centro de gravidade alterado por estar com oito meses de gravidez, uma vegetação rasteira coberta de gelo e uma falta de conexão total com os seus próprios pés, que você já não enxerga há semanas. Assim, passear com o cão passa de "atividade suave" para "esporte radical". Um passo em falso pode me fazer cair no mato-lama-areia-cocô de cachorro deixado pelos pedestres anteriores. E como lanternas não conseguem iluminar direito a escuridão absoluta em que estamos, passamos a maior parte do tempo balançando-as, fingindo que somos Mulder e Sculler em *Arquivo X* ou segurando-as debaixo dos nossos queixos para dar a impressão de sermos fantasmas.

Nossos vizinhos não estão do lado de fora (verificamos antes de fazer qualquer brincadeirinha infantil com as lanternas), e a legião de aposentados que passou o verão podando roseiras e tomando cerveja direto da garrafa, de sandálias e meias, já se retirou para suas casas, depois de uma grande agitação, quando todos juntaram as folhas do outono dentro de trailers e dirigiram com elas por aí durante vários dias, ou foi o que pareceu. Agora não passamos por vivalma, e concluímos que estamos morando numa cidade fantasma mais uma vez. É meio horripilante.

O cão também está confuso. Ele faz um xixi que congela imediatamente. Entramos em casa de volta e ele trota obedientemente para a cama dele, supondo que está na hora de dormir. Isso é inédito. Tento chamá-lo de volta e ele dá alguns passos antes de cair deitado no chão do corredor com um audível *arf* e *bum*.

– Você acha que o cão está bem? – pergunto.

– Acho que sim, por quê?

– Ele tem agido de uma forma estranha ultimamente – penso um pouco. – Você acha que talvez ele esteja sofrendo de transtorno afetivo sazonal? – pergunto.

– Cães sofrem de transtorno afetivo sazonal?

Nenhum de nós faz ideia, então recorro ao Google e pesquiso "Cães têm TAS?". Encontro 1.020.000 resultados.

Stanley Coren, especialista em psicologia canina da Universidade da Colúmbia Britânica, vem em primeiro lugar, dizendo que

40% dos donos de cachorros percebem uma queda de ânimo nos seus cães durante o inverno devido aos níveis de melatonina e serotonina.

– A melatonina, secretada quando está escuro, deixa você letárgico e a serotonina afeta o apetite e o humor – falo para Lego Man. – Aqui diz que precisamos da *luz do sol* para produzir serotonina... ou de Prozac.

– Não vamos dar Prozac para o cão.

Encolho os ombros como que dizendo: *Tudo bem, mas é do bem-estar do seu cão que estamos falando...*

– Como se o restante da Dinamarca não se enchesse de comprimidos da felicidade para suportar esse inverno – resmungo, e depois continuo a ler. – Aparentemente, os cães dormem mais tempo e querem comer mais no inverno. Então ele pode estar comendo para sentir um certo conforto. Para se alegrar...

– Minha nossa...

– Ontem ele trouxe para casa metade de uma pizza. E começou a devorar bolotas de carvalho.

– Cachorros comem bolotas? Não é o Leitão do *Ursinho Pooh*?

Não tenho certeza, então clico em outro link.

– Cães com TAS também podem sofrer de depressão e retraimento social.

– *Retraimento social*? Ele é um cachorro! Isso quer dizer que não tem tentado cheirar tantos traseiros quanto de costume?

Penso um pouco.

– Ontem ele evitou aquele pastor-alemão...

– Bem, *então* ele é praticamente um recluso canino.

Preferindo ignorar o deboche de Lego Man, continuo a ler.

– Está tudo relacionado aos níveis de luz natural, que são um lixo na Escandinávia durante o inverno.

– Está escrito isso aí?

– Estou usando minhas próprias palavras. Esse site diz que na Flórida, onde faz sol o tempo todo, apenas cerca de 2% dos animais têm TAS.

Fico imaginando todos aqueles cães frívolos da Flórida, abanando os rabos, usando uma roupinha havaiana e viseiras do tipo "*I ♥ Orlando*" e se divertindo um bocado, quando o nosso cão chega e senta perto dos meus pés. Ele olha para mim com seus cílios compridos, parecendo os de uma vaca, e imagino um balãozinho saindo de sua cabeça peluda: *Acho que uma viagem à Disneylândia está fora de cogitação, não é mesmo?*

– Felizmente, há algumas dicas para "ajudar os cães a lutar contra a depressão do inverno".

– Ah, que bom, mal posso esperar para ouvir.

Percebo um tom de sarcasmo, mas continuo:

– Devemos deixar as luzes acesas quando sairmos. E o rádio ligado.

– Mas ele não fala dinamarquês.

Nós pensamos nisso antes de entrar no rádio da internet e escolher uma estação em inglês. Ficamos imaginando se ele é um cara mais do tipo Rádio 2 ou Rádio 4. Estou mais para a Rádio 2 quando Lego Man levanta uma objeção crucial:

– Mas e quanto àquele programa de hits românticos antigos, com aquele locutor de voz melosa? Isso pode ser o suficiente para jogá-lo no fundo do poço...

– Boa lembrança.

Decidimos ficar com a Rádio 4 (afinal, *todo mundo* adora aquele falatório sem fim...) e resolvemos deixar o rádio ligado sempre que ele estiver sozinho. Estamos nos recompensando por ter resolvido o problema com uma xícara de chá e um biscoito, acompanhados de um doce que estava perdido na geladeira e de um pacote de batatas fritas que tinha ficado aberto, quando torno a olhar para os sintomas de TAS listados no meu computador. *Aumento de apetite, desejo de comer comidas que dão conforto...*

– Você acha – pergunto com certa hesitação – que *nós* também estamos com isso?

Lego Man não está prestando atenção: ele está com a cabeça enfiada na geladeira, inspecionando o compartimento de queijos.

– Com transtorno afetivo sazonal?

Ele sai lá de dentro com um pedaço de *cheddar* do tamanho de uma caixa de fósforos, estufando sua bochecha esquerda.

– O quê?

– Fomos para a cama às oito da noite ontem. E recusamos um convite para um drinque para ficar em casa e assistir a *Orange is the New Black*.

– Mas é uma série "imperdível" – protesta ele com a boca cheia. – É assim que *anunciam*. Não conseguimos parar de ver...

– Pode ser, mas sem dúvida apresentamos alguns sintomas.

Quanto mais eu leio, mais me convenço de que temos todos os sintomas: letargia, retraimento social, cansaço, vício em queijo e séries de tevê (estes últimos estavam mais implícitos do que especificados nos artigos científicos).

Parece que os escandinavos ganham o estandarte de ouro de TAS todos os anos. Os finlandeses são os que sofrem mais com isso (bem, não é nenhuma surpresa), mas os dinamarqueses não têm muita folga durante o inverno. Um estudo recente do Ministério do Clima e Energia da Dinamarca mostrou que só havia 44 horas de luz do sol na Dinamarca em novembro. Isso é pouco mais de dez horas por semana, menos de uma hora e meia por dia. De luz do sol! Estou praticamente vivendo nas sombras de Mordor. Não causa espanto que eu esteja dando preferência a carboidratos e bebendo chá bem forte o dia inteiro.

Mando uma mensagem para Helena C. perguntando se isso é ou não é normal, e ela me manda de volta um rosto sorridente. Os dinamarqueses, como já mencionei antes, adoram um emoji.

Não, sério...

Escrevo de volta.

É claro! É totalmente normal. Todo mundo fica assim. Você simplesmente aceita que vai se sentir um lixo quando fica realmente escuro. Chamamos isso de vinterdepression, *a depressão do inverno.*

Excelente: a coisa passou de transtorno afetivo para depressão.

Ela torna a escrever, com aquele humor dinamarquês sutil que aprendi a conhecer e amar:

Um monte de gente se mata nesta época do ano também. Tente não se matar!

No dia seguinte, encontro umas estatísticas que mostram que ela está meio certa. As horas de luz natural ou as mudanças na extensão do dia são as explicações mais significativas para as variações sazonais no comportamento suicida. Mas parece que os suicídios e as tentativas de suicídio alcançam seu maior índice em dois momentos do ano: em novembro, quando os dias começam a ficar mais curtos, e em abril, quando tornam a ficar mais longos.

– Por que isso acontece? – pergunto a Bo Andersen Ejdesgaard, do Centro de Pesquisa de Suicídio da Dinamarca.

– As pessoas que sofrem de depressão de inverno grave ficam sem iniciativa para agir – diz ele. – E é preciso alguma energia para tentar tirar a própria vida. Só quando as pessoas estão se sentindo rejuvenescidas pelo retorno da luz do sol na primavera é que elas têm essa energia.

– Então, no inverno, os dinamarqueses estão deprimidos demais até para se matar?

– Mais ou menos isso. A primavera é também o mês das "promessas não cumpridas". No inverno, as pessoas aguardam ansiosamente a primavera, que associam a esperança, atividade e renascimento. Se a primavera não cumprir essas promessas, pode provocar um comportamento suicida. Mas não é tão ruim assim na Dinamarca. Temos a mesma taxa de suicídios dos outros países escandinavos, fora a Finlândia. Lá as taxas são mais altas, é claro.

É claro... Excelente notícia.

– Então, hã..., o que você recomenda que as pessoas façam para suportar o inverno?

– Se você sente que está passando por uma crise existencial, então, obviamente, deve contatar um psicólogo ou um psiquiatra.

Certo. Obrigada pelo conselho.

– Recomendamos tomar um pouco de sol, seja artificialmente ou indo para um lugar quente – diz Bo.

Digo a ele que tenho visto um número alto muito suspeito de dinamarqueses exibindo um bronzeado fora de época sem muita conversa sobre viagens ao Caribe.

– Ah, sim, as cabines de bronzeamento são muito populares na Dinamarca.

Isso eu já tinha reparado. Fora de No Meio do Nada, até as cidades menores têm uma padaria, uma floricultura e uma clínica de bronzeamento. Os dinamarqueses podem sentir melancolia no inverno, mas sem dúvida estão sempre bem alimentados, enfeitam suas casas com flores e têm a pele morena. Um artigo recente no *Copenhagen Post* mostrou que os jovens dinamarqueses são os maiores usuários de cabines de bronzeamento no mundo.

– A terceira opção é comprar uma luminária que simule a luz do sol – acrescenta Bo, e aqui penso que ele pode ter me dado uma ideia. Viajar para um lugar quente está fora de questão enquanto o lutador de sumô estiver dentro da minha barriga e cabines de bronzeamento nunca foram uma opção para mim, graças à minha pele inglesa branca azulada. Mas a luminária poderia funcionar. Saio para fazer compras para combater o TAS, recomendadas por um profissional, e compro uma luminária caríssima que também funciona como despertador. Sim, ela é feia. Sim, provavelmente custa o mesmo que uma pequena viagem às Ilhas Canárias. E, sim, Lego Man vai menosprezá-la. Mas essa luminária vai mudar nossas vidas. Ou, pelo menos, o nosso inverno.

Os fabricantes descrevem a luminária feia como sendo um "banho de luz" que podemos tomar a qualquer hora do dia. Eles prometem que ela irá fazer eu me sentir revigorada e energizada. Usando-a no lugar do meu despertador normal, vou acordar todas as manhãs com mais ânimo do que de costume. Isso também vai aumentar meu bem-estar diário. E vai tornar a minha *experiência de despertar* mais agradável. Vai até estimular meu cérebro, afinar minhas coxas e preparar panquecas para o café da manhã (tudo bem, inventei as duas últimas, mas, se acreditarmos no fabricante, ela é a oitava maravilha). Lego Man está cético.

– *Quanto* custou mesmo?

Eu me contenho para não dizer quanto *ele* gastou em luminárias de design dinamarquês nos últimos onze meses e prefiro enfatizar as vantagens da nossa luminária feia.

– Ela foi desenvolvida por "famosos especialistas em terapia da luz" – leio no manual.

– É horrenda.

– É "inspirada pelo nascer do sol na natureza"...

– Não toca nem uma musiquinha?

– Ela "emite sons naturais para acompanhar sua experiência de despertar".

– Como assim, tipo canto de baleias e golfinhos?

– Não sei – digo, apertando os olhos para ler a letrinha miúda. – Ainda não cheguei nessa parte...

Ainda resmungando, ele me ajuda a montá-la e vamos para a cama confiantes (pelo menos, um de nós) de que vamos ter uma boa noite de sono, seguida de um nascer do sol suave nos conduzindo ao amanhecer e edificando uma claridade inspiradora que irá nos fortificar para o dia que se inicia.

Cinco horas depois, sou ofuscada por uma esfera de luz explodindo a vinte centímetros da minha cabeça.

– Aaaaaaahhhhh!

Ainda nem está na hora do despertador tocar. *POR QUE ESSA LUZ É TÃO BRILHANTE?*

Lego Man continua roncado, sem nem se mexer.

NUNCA VI UM NASCER DO SOL DESSE! ISSO É UM ABSURDO!

Apertando os olhos, estendo a mão para procurar um botão para desligar a maldita coisa, mas o design ergonômico significa que é impossível distinguir um botão bem sutil do outro. Aperto tudo que encontro e acidentalmente ligo os "sons da natureza".

– O que é isso...? Os pássaros estão cantando? – fala Lego Man, agora consciente, com uma voz rouca, protegendo os olhos da luz.

O pânico toma conta de sua voz: – Tem pássaros aqui dentro? Tem *pássaros... por toda parte*!

Tento achar mais botões para acabar de vez com aquelas aves loucas, mas não consigo e acabo tirando acidentalmente a esfera da base. Ela balança e fica fora do meu alcance agora. Tento me erguer num dos cotovelos para recuperá-la, mas, quando toco nela com a ponta dos dedos, empurro-a mais um pouco. Observo, completamente desperta agora, a esfera rolar devagar, para o chão. Escuto um *craque*, quando ela bate no chão duro de madeira escandinava. A luz apaga e o som dos pássaros se transforma num pio triste antes de cessar por completo.

Há um baque na cama ao meu lado, quando Lego Man cai deitado novamente.

– Bem, deu certo. Já me sinto mais relaxado e revigorado – diz ele.

Não falo nada.

– Esse deve ter sido o despertador mais caro que já tivemos.

Respiro várias vezes antes de dizer:

– Quer que eu faça panquecas para o café da manhã?

Cansada, irritada e extremamente entediada, passo a manhã procurando outros antídotos sugeridos para o inverno dinamarquês. Muitos especialistas sugerem a vitamina D, conhecida como "vitamina do sol", e uma pesquisa publicada na revista *New England Journal of Medicine* (a leitura favorita de todo mundo antes de dormir) relacionou a deficiência de vitamina D à depressão. Ela aparentemente também ajuda a evitar problemas de pele, câncer, derrames, doenças cardíacas e autoimunes, bem como esclerose múltipla. Darshana Durup, do Departamento de Farmacologia e Farmacoterapia da Univesidade de Copenhagen, tem pesquisado se os dinamarqueses estão ingerindo doses adequadas de vitamina D e, como ela me diz quando entro em contato, o prognóstico não é bom.

– Um relatório de 2010 calculou que cerca de 40% da população dinamarquesa têm deficiência de vitamina D no inverno – diz Darshana.

– O Ministério de Alimentação, Agricultura e Pesca recomendou que se tomasse 10 miligramas por dia, mas o dinamarquês médio está tomando aproximadamente 3 miligramas por dia. A melhor fonte é o sol, mas na Dinamarca não há sol suficiente de outubro a março.

Sim, os invernos na Dinamarca são tão severos que, oficialmente, fazem mal à saúde. *Isso está ficando ridículo.*

Descubro que os dinamarqueses que sofrem de *vinterdepression* são aconselhados a aumentar a ingestão de alimentos ricos em vitamina D para substituir a luz do sol, mas muitos também começam a tomá-la em forma de cápsulas desde o outono. Como estou grávida, me recomendam fazer o mesmo, então saio para comprar vitamina D. Como não está nevando no momento (uma novidade ultimamente), resolvo ir de bicicleta, caso tenha sorte de pegar "uma horinha de sol", como vem insistindo comigo o Ministério do Clima e Energia.

Não tenho sorte. Em vez disso, açoitada pelo vento, com os dedos roxos de frio apesar das luvas de lã usadas por cima das luvas de couro, chego à loja de suplementos local e descubro que eles estão sem vitamina D. Há um espaço vazio na prateleira entre a C e a E, e o vendedor me diz que não vão receber mais antes do Natal. Depois de pedalar e bufar mais um pouco, chego a uma farmácia. Mas lá eles têm um sistema confuso de senhas, estilo balcão de *delicatessen* dos supermercados, e passo vinte minutos esperando na fila, antes de uma senhora de busto grande entrar na minha frente. Saio em sinal de protesto e decido tentar a sorte no supermercado.

– *Nej* ("não") – me diz a mulher no primeiro supermercado a quem pergunto se eles tinham algum estoque de vitaminas. O homem no segundo supermercado onde entro olha para mim como se eu fosse louca e se afasta arrastando os pés. Isso acontece muito. Acho que é por causa do meu sotaque esquisito. Mas uma mulher no terceiro supermercado onde entro fala inglês e, o que é mais importante, amavelmente se *digna* a fazê-lo. Fico sabendo que ela está estudando para ser nutricionista. Deus abençoe a obsessão da Dinamarca com qualificações até mesmo para os postos de trabalho aparentemente mais básicos e o amor do país pela educação ao longo da vida. Ela me diz que dinamarqueses espertos compraram todo o estoque de vitamina D em setembro (eles gostam de planejar com antecedência) e as lojas não devem receber mais nada, mas ela pode sugerir alguns alimentos ricos em vitamina D para mim. Você não encontra isso num supermercado londrino.

– Sardinhas, cavala e ovos são bons – me diz ela. – Bons, mas produzem muito mau cheiro! – brinca.

Esplêndido. Vamos ter uma semana de muitos gases na casa dos Russells. Encho a cesta da minha bicicleta com aqueles itens odoriferamente agressivos e sigo para casa, decidindo encomendar comprimidos de vitamina D on-line, da Inglaterra. Sim, onze meses de Dinamarca me transformaram numa traficante de drogas internacional.

Enquanto pedalo meu corpo, agora enorme, de volta para casa com o cheiro de cavala fresca em minhas narinas, começa a chover. Continuo pedalando, mas depois de cinco minutos a temperatura cai mais ainda, e não consigo mais respirar de tanto frio. Meus dedos estão congelados em volta do guidão numa espécie de *rigor mortis*, e sinto o vento entrando pelos fundilhos das minhas calças. Então algo abrasivo começa a bater no meu rosto e fico imaginando se estou com queimadura de frio quando ouço um barulhinho, como se uma força fantasma estivesse tocando a campainha da minha bicicleta. Olho para baixo. Não consigo sentir meus dedos, mas tenho certeza de que não sou eu que estou fazendo isso. *Tlim, tlim, tlim!* O barulhinho se torna mais insistente e percebo que é granizo que está caindo na campainha da minha bicicleta e fazendo aquilo. *Tlim, tlim, tlim!* Granizo mais hormônios de gravidez são demais para se aguentar numa só tarde e começo a chorar. Lágrimas grossas e quentes se misturam com a chuva e o granizo que agora parecem estar caindo simultaneamente, num cenário totalmente *O galinho Chicken Little*, enquanto pedalo o mais rápido possível e o bebê me chuta com toda a força no espaço que ele ocupa dentro de mim (80% de chance de ser menino).

Consigo chegar em casa e atiro a bicicleta no galpão, com raiva, como se ela fosse pessoalmente responsável por tornar a minha viagem tão desagradável, e entro para o ambiente seguro da casa. E biscoitos. Preciso de muito chá e biscoito de gengibre para voltar a me sentir humana.

Prometo continuar a minha cruzada para entender como os dinamarqueses continuam felizes durante o inverno do conforto da minha própria casa e publico um SOS no Facebook: *Dinamarqueses: como é que vocês conseguem atravessar o inverno e continuar felizes? Tentei lâmpadas de luz natural, agora estou tentando vitamina D. Fui até me exercitar (para liberar endorfinas e tudo o mais), mas foi HORRÍVEL. Cordialmente, inglesa em No Meio do Nada desapontada.*

As respostas foram instantâneas:

Bem, aí é que você se engana! O segredo para suportar o inverno dinamarquês é ficar dentro de casa!, escreveu uma pessoa.

Não adianta ficar choramingando, não dá para mudar a hora em que o sol se põe, outro escreve (será que não tenho amigos gentis?)

Duas palavras: hygge *e velas*, acrescenta Helena C. E me explica a teoria dela (e eu uso a palavra "teoria" no sentido mais amplo possível) de que acendendo um bom número de velas o transtorno afetivo sazonal pode ser evitado e se pode ter um período de festas cheio de harmonia e ficando muito *hygge*. Isso não me parece provável. Mas será que 5,5 milhões de pessoas podem estar erradas? Eu me lembro que os dinamarqueses acendem mais velas per capita do que qualquer outro país do mundo, e queimam 6 quilos de velas por ano, segundo a Associação Europeia de Velas. Os que chegam mais perto, os suecos, chegam a parcos 4 quilos por pessoa e os ingleses vêm lá atrás com apenas 600 gramas (na categoria pesos leves de cera...)

Resolvo experimentar a terapia de velas. Comemos pão de centeio à luz de velas no café da manhã, depois passo o dia trabalhando em matérias sobre o Natal sob a luz calmante e perfumada de uma vela da Jo Malone que eu estava guardando para um dia chuvoso (ou mês, ou estação). No jantar, nós acendemos velas finas em castiçais e nos sentamos diante de uma mesa bem-posta. Não tenho certeza se isso está fazendo com que eu me sinta melhor, mas luz de velas faz, sem dúvida, tudo parecer mais atraente. Vejo o nosso reflexo no espelho acima da estante e percebo que estamos os dois banhados por uma suave luz cor de laranja. As olheiras sob meus olhos estão quase imperceptíveis naquela semiescuridão e ninguém pode ver que a raiz do meu cabelo está precisando de retoque. As maçãs do rosto de Lego Man estão acentuadas e ele parece um guerreiro viking. *Nós estamos bonitos!*, penso. Envaidecidos, comemos (cavala, obviamente), conversamos, rimos e até relaxamos um pouco.

– É bom isso!

– É, não é?

– Velas, hein?

– Quem poderia imaginar? Talvez esses dinamarqueses malucos saibam mesmo das coisas.

Nós rimos e o cão, que não gosta de ficar de fora, começa a latir alto de alegria. Com o susto, derrubo um castiçal de vidro particularmente alto e fino (quem compra castiçais de vidro? Eu digo quem: Lego Man. Ele tem algum tipo de *alter ego* que é uma espécie de Liberace e só aparece em lojas de artigos de decoração). Isso, por sua vez, derrama cera sobre o chão de pinho da nossa casa alugada e incendeia um guardanapo. O hidrante Ikea de tamanho industrial dispara sozinho e, no espaço de dois minutos, vamos de um jantar romântico à luz de velas para uma festa de espuma a dois em Ibiza.

Não está funcionando. Preciso de um especialista: um profissional que me diga a verdade sobre esses invernos dignos do mundo fantástico de Nárnia e como lidar com eles. Meu cavaleiro vestindo uma armadura à prova d'água vem na forma de John Cappelen, da Sociedade Meteorológica da Dinamarca, para quem telefono na manhã seguinte.

São 8h45 e a ilha ainda está envolta na escuridão. Observo uma gota de água deslizar lentamente pela vidraça dupla da nossa janela enquanto explico o meu dilema.

– Experimentei terapia da luz, vitamina D, tentei me exercitar ao ar livre e até ficar *hygge*. Minha casa atualmente é 70% cera, 20% pavio e 10% *snegles*, mas nada está funcionando. Meus vizinhos foram todos abduzidos pela Feiticeira Branca, e não há ninguém por perto, está um frio terrível e uma escuridão total lá fora. O que posso fazer?

Falo que sabia que ia ser duro quando cheguei aqui em janeiro, mas que a perspectiva de mais quatro meses assim à minha frente pode ser mais do que qualquer ser humano é capaz de suportar.

Fui me empolgando e digo a ele que li as estatísticas: sei que o inverno vai ficar ainda mais frio, que chove quase todo dia na Dinamarca e que a velocidade média do vento é de 7,6 metros por segundo, o que explica por que 30% da eletricidade na Dinamarca são produzidos por energia eólica, por que o país é um dos maiores exportadores do mundo de turbinas de vento e por que venho usando há quase um ano o estilo descabelado dos anos 1990.

– Então, John, me diga com sinceridade: como gostar de um inverno como esse?

Ele faz uma pausa antes de pronunciar suas palavras de sabedoria, o segredo para se entender a psicologia do país, o Santo Graal dos expatriados deprimidos do mundo inteiro:

– Para ser verdadeiramente dinamarquês... – diz John, falando baixo.

– Sim? – estou ficando nervosa na expectativa.

– ...você precisa aprender a *aceitar* o inverno.

– É só isso?

– É.

– *Sério?* E isso é possível?

– É claro. O clima é o assunto preferido na Dinamarca. Os dinamarqueses adoram conversar sobre o que está acontecendo lá fora, e há sempre algo novo. A Noruega e a Suécia têm um clima muito mais estável, então têm menos assunto – diz ele, com pena dos nossos vizinhos nórdicos, embora aparentemente os finlandeses estejam de fora. – Na *Dinamarca*, só estamos abaixo de dois grandes sistemas climáticos – continua – , então recebemos o úmido sistema frontal ocidental do Reino Unido e os ventos orientais da Sibéria que trazem tempo frio no inverno e dias ensolarados no verão. Por isso muda tanto! Você nunca consegue prever o clima na Dinamarca.

"Você tem que simplesmente agir de acordo com ele. Nós, dinamarqueses, gostamos de planejar quase tudo, mas o clima está totalmente fora do nosso controle. É isso que o faz tão excitante! Mas não é um clima perigoso como você vê em outros lugares. Os dinamarqueses não precisam ter medo do tempo aqui, ele é só divertimento. Pense na tempestade que tivemos algumas semanas atrás. As pessoas não falavam em outra coisa. Ela ocupou três quartos do noticiário de tevê. Não foram as guerras, nem a política externa nem as celebridades. Foi o tempo!" E ele se anima: "No que você pensa quando se levanta de manhã? Como vai estar o tempo! Ele influencia as roupas que você vai usar naquele dia bem como o que vai precisar levar com você para usar mais tarde, porque o tempo aqui muda demais no decorrer de um só dia. Tem sempre alguma novidade."

– Mas o inverno é interminável, John – rebato. – Como se pode *gostar* do inverno aqui? Outro dia o termômetro do meu carro marcou menos 20. O *mar* tinha congelado. É escuro o tempo todo. E frio. E *triste*...

A resposta dele é veemente.

– Não! O inverno na Dinamarca é *especial*. Ele une as pessoas. Ele nos obriga a ficar dentro de casa e aproxima as famílias e os amigos. No sul da Europa, todo mundo está saindo e gastando dinheiro em restaurantes e cafés – penso no quanto isso parece atraente nesse momento, mas John pensa diferente. – Mas na Dinamarca nos juntamos em casa e ficamos *hygge*! Nos velhos tempos, ninguém conseguia sobreviver ao inverno daqui se não juntasse lenha e comida com antecedência, então todos contavam com a ajuda dos vizinhos, da família e dos amigos. E aí, quando o tempo frio chegava, podiam se esconder dentro de casa.

– Tipo hibernar?

– Isso mesmo. É claro que agora não é como antigamente. Agora temos supermercados e lojas e escritórios para ir no inverno. Mas ainda há uma ênfase cultural em ficar junto, em casa. Pode realmente estar bem ruim do lado de fora, mas aí simplesmente vamos para casa e tomamos uma xícara de chá e tudo parece melhor.

Se estou entendendo direito, os dinamarqueses continuam felizes no inverno porque é tão horroroso do lado de fora que vir para casa provoca uma onda enorme de alívio e gratidão por ter sobrevivido à natureza.

– Então ninguém sai de casa?

– Bem, podemos sair, é claro – admite ele. – Só temos que nos vestir de maneira adequada. Temos um ditado na Dinamarca que é o seguinte: não existe tempo ruim, apenas roupas erradas.

– Então nós devemos todos usar aqueles macacões acolchoados de esquiar na neve?

– Isso!

– E o clima na Dinamarca realmente deixa você feliz?

– Deixa!

Pergunto qual a nota que ele dá a si mesmo de zero a dez. Ele pensa um pouco.

– Eu me daria um nove.

– Nove?

– Tá bom – diz ele. – *Dez*! Por que eu não deveria ser feliz? Estou morando num dos melhores países do mundo! Não tenho do que me queixar.

Repasso a sabedoria de John para Lego Man – "Ele diz que não existe tempo ruim, só roupas erradas" – e vejo os olhos dele brilharem.

– Isso significa que temos que comprar coisas! Roupas de inverno! Bem acolchoadas por dentro! E tecidos absorventes! E camadas externas de tecido impermeável! Como Gore-Tex... – acrescenta, com aquele olhar distante e sonhador que ostenta quando pode combinar suas duas paixões: fazer compras e roupas de alta tecnologia.

Mais tarde, eu o encontro encomendando um colete e um macacão acolchoado para o bebê. Nosso futuro filho (80% de chance de ser menino) ainda não tem onde dormir, nem berço nem carrinho nem cadeirinha de automóvel para transportá-lo do hospital para casa. Mas pelo menos vai estar usando roupas The North Face. E provavelmente já vai nascer com uma mochila nas costas.

Lá da Inglaterra, minha mãe tem vigiado de perto o tempo na Dinamarca e manda e-mails diários do tipo: "UAU! MENOS 15!!!!!!!!!!!!!" Ela vem nos visitar no fim de semana, e quando a encontramos no portão de chegada ela está usando calças e jaqueta de esqui e uma boina vermelha.

– Minha nossa... – murmuro.

– É uma boa roupa – admite Lego Man.

Olho acusadoramente para ele:

– Você tem falado com ela?

– Eu... posso ter mencionado a previsão do tempo – admite ele – e aquilo que você disse sobre "não existe isso de tempo ruim, só roupas erradas", porque essa é a primeira vez que ela vem para cá no inverno.

Reviro os olhos.

– Querida! – diz ela, parecendo um tanto afogueada. Deve estar morrendo de calor, mas parece não se importar. – Eu era a única vestida de modo adequado no voo – anuncia ela alegremente.

Explico que mesmo no frio, ainda tendemos a usar roupas seminormais quando estamos em ambientes fechados.

– Bem, não sei por quê. Nesse estado, seu sangue circula com dificuldade. Olhe só. Seus dedos estão quase azuis – comenta, e ela tem razão. Odeio isso. – Bem, de qualquer maneira, não estamos num desfile de moda... (Isso, junto com "Ombros para trás, querida", tem sido seu mantra desde 1986). Lego Man concorda com ela, irritantemente, e os dois passam os dois dias seguintes comparando suéteres de *fleece* e meias de lã.

O fim de semana passa muito depressa e, quando me dou conta, estou levando-a de volta para o aeroporto de Billund. Gostaria que ela pudesse ficar mais tempo, e já começo a planejar sua próxima visita. Posso ser uma *adulta de verdade*, prestes a ter um filho, mas às vezes você simplesmente precisa da sua mãe. É estranho pensar que, da próxima vez que eu a vir, estarei dando um neto a ela. Por ora, ofereço um *snegle* em vez de um neto na maior atração de inverno (isto é, a única) de Billund: a padaria. Minha mãe concorda em tirar algumas camadas de suas roupas alpinas, mas consegue dar um golpe de caratê numa cesta de pão trançado já meio seco, enquanto tenta livrar as pernas das calças de esqui. Naquele estado desidratado e quebradiço, os pães literalmente explodem, espalhando migalhas por toda a parte. Depois de pedir milhões de desculpas, de me oferecer para varrer as migalhas e comprar vários pãezinhos para compensar, passo quinze minutos ajudando minha mãe a se vestir de novo antes de voltar lá para fora. É cansativo se vestir para enfrentar um dia de inverno na Dinamarca.

Depois de uma despedida emocionada no aeroporto, ligo o ar quente do meu tomate móvel, engreno ruidosamente a primeira e sigo para casa. É difícil dirigir com luvas de lã, mas estou conseguindo, não sei como, embora a ideia de mais quatro meses de inverno vestida como o abominável homem das neves esteja me deixando um pouco claustrofóbica. Sinto um súbito impulso de me transformar em Joan Collins e fugir para Saint Tropez (ela é atriz, mas até escreveu um livro sobre a comuna francesa) para tomar coquetéis num iate. Em vez disso, penso: *O que Joan faria? Como ela lidaria com esta vastidão congelada e vazia?* Como gins-tônica, dietas esquisitas e a opção de me casar com um homem bem mais moço do que eu estão fora de questão (pelo menos por ora), enfio a mão no porta-luvas à procura do meu batom de emergência e o aplico com vontade. Depois decido ler uma revista no meu iPad e colocar um pouco de perfume quando chegar em casa, até o meu equilíbrio cosmopolita estar restaurado.

No caminho de volta, o sol está se pondo (às três e meia da tarde) e o céu começa a ficar roxo-alaranjado. Chego no alto de uma colina antes de virar para No Meio do Nada e vejo os últimos raios de sol formando faixas alaranjadas sobre o mar azul-marinho. Perco o fôlego de tanta beleza e, por um momento, esqueço como tem estado escuro e como já, já vai estar de novo.

Penso que talvez isso seja um pouco como dar à luz – é claro que a experiência toda *dói* um pouco, mas depois você recebe algo maravilhoso e esquece a dor. Tenho esperança.

O que aprendi neste mês:

1. Os dinamarqueses gostam de ver o lado bom das coisas, mesmo na escuridão do inverno.
2. Você consegue se virar com a ajuda dos amigos, da família, de velas e de bolo.
3. Cães também têm TAS.
4. Você nunca deve usar calças de esqui num avião.
5. Quando as coisas ficam realmente feias, não saia de casa...
6. ...ou pense no que Joan Collins faria: uma inspiração para *todas* as estações.

12. DEZEMBRO

Confiando no coletor (ou coletora) de impostos

O décimo segundo mês na Dinamarca é uma época de refletir, dar um tempo e *pagar imposto*. Administrar a vida em seu próprio país já é suficientemente árduo, mas tentar fazer isso num país estranho, numa língua com a qual você *ainda* não é familiar, é quase impossível. Depois de onze meses usando o tradutor do Google para cada documento que aparecia, acabei ficando meio descuidada. Por isso sou apanhada de surpresa quando a carteira vestida de macacão acolchoado toca a campainha na segunda-feira de manhã bem cedo e me entrega um envelope que parece oficial. É uma carta zangada do departamento de *skat* e eles querem saber quando vou mandar algumas coroas para eles. *Skat* quer dizer "imposto" em dinamarquês – e também "amado" ou "mel", a propósito.

– Pode-se dizer então que, quando pago imposto, estou dando mel para o homem amado... – digo para Lego Man, que não acha graça naquilo e sugere que eu trate do assunto logo antes que o Estado nos mande mais cartas zangadas.

Concordo e tento parecer sensata, mas não consigo tirar da cabeça uma música dos anos 1990 que me lembra o assunto, por livre associação de ideias. Além de correr para terminar os trabalhos e cumprir todos os prazos antes que o júnior chegue, agora estou sendo obrigada a lidar com a questão deprimente do quão pouco da minha renda posso guardar na Dinamarca. Como se o fato de ser uma freelancer já não fosse suficientemente difícil, lidar com o sistema de impostos de um país reconhecidamente pesado em termos de arrecadação é, como era de se esperar, um horror. Depois de muitos telefonemas e algumas lágrimas (ponho a culpa nos hormônios), encontro alguém que fala inglês e pode explicar o que eles estão pedindo. Preciso de ajuda, rápido, assim como de orientação sobre o que fazer em seguida, a) para não ser deportada e b) para não ser estigmatizada socialmente por não tratar o sagrado sistema de imposto dinamarquês com o respeito que ele tão claramente merece.

Kim Splidsboel é um "coletor de impostos", de verdade. Ele por algum motivo se viu indicado como voluntário pelo Estado para apresentar um PowerPoint de 45 páginas ao redor do país para instruir os recém-chegados. Infelizmente para Kim, perdi a noite de gala da apresentação porque ela aconteceu na Grande Cidade, então agora ele vai tendo que me dar uma aula particular. Pobre Kim.

Ele parte do começo, explicando que o ano fiscal aqui vai de 1º de janeiro a 31 de dezembro. O que é conveniente, porque estou, ao mesmo tempo, tentando resolver meu imposto de renda na Inglaterra, cujo ano fiscal vai de abril a abril.

– Na Dinamarca nós pedimos aos freelancers e aos autônomos que paguem seus impostos no recebimento, para que eles não deixem o país no meio do ano sem pagá-los – diz Kim. – Você recebe um pagamento e paga o imposto no ato. Essa é a regra.

– Ah... – isso é novidade para mim.

A mulher simpática mas um pouco avoada da agência de arrecadação de imposto de renda que visitei em janeiro passado me assegurou de que eu poderia pagar o que devia no fim do ano. Realmente, o inglês dela não era muito bom e o meu dinamarquês, na época, não existia. Mas agora desconfio de que o que ela *realmente* disse foi que todos os pagamentos precisavam ser feitos e que os *extras* eram pagos anualmente. Não, como eu tinha interpretado, que eu devia esperar calmamente até o Natal chegar.

– Eu, hã..., não sabia que tinha que pagar *todos os meses* – confesso a ele.

Kim não responde imediatamente e sinto o pânico crescendo dentro de mim.

– Não vou ser presa ou algo assim, vou? – pergunto, meio brincando. *Será que eu vou ser fichada? Será que vou acabar na prisão?* Minha imaginação dispara e crio os piores cenários possíveis, antes de pensar que, na verdade, talvez não seja tão ruim assim. *Aposto que as prisões da Dinamarca são as melhores do mundo. Talvez seja até agradável descansar um pouco por lá.* Estou diante da perspectiva de ter a casa cheia de parentes para o Natal. Os pais de Lego Man estão chegando, esperando cama e comida por sete dias e sete noites. *Um tempo na cadeia*, penso, *poderia ser um descanso bem-vindo.* Eu me pergunto se a Nova Cozinha Nórdica já chegou ao sistema penal do país ou se vamos comer almôndegas e arenque defumado. Concluo que provavelmente é a última opção que me espera quando o coletor de impostos me interrompe.

– Não tem problema. A senhora pode pagar seus impostos agora.

– Ah! Tá bom então – parece que vou ter mesmo que cozinhar no Natal.

– Basta usar o seu NEM ID para entrar no site e ver quanto deverá pagar.

– Certo. E, hã... como é mesmo que eu faço isso?

Segue-se uma longa e extremamente complicada explicação que ocupa dez páginas do meu fiel bloco espiralado – fora a apresentação em PowerPoint de Kim, de 45 páginas. NEM ID é o sistema de acesso on-line usado na Dinamarca para todos os bancos e websites do governo. Ele combina o número de identidade nacional (do Registro Central de População ou cartão RCP) com um surpreendente cartão dobrável com pares de números tipo jogo de bingo, que são usados como chaves de identificação. Antigo, mas eficaz. Depois que entendo o processo, Kim me diz quanto deve ser pago.

– Com renda inferior a 42.800 coroas (cerca de 7.800 dólares, no momento em que estou escrevendo este livro, mas o valor é reajustado anualmente), não há imposto devido. Depois disso, há uma taxa de 37% para rendimentos até 449 mil coroas (cerca de 85 mil dólares, um salário que não é incomum na Dinamarca) e, acima disso, paga-se uma taxa máxima de 51,7%. Ah, e todo mundo paga automaticamente 8% de imposto de seguro social.

Caramba, penso, *morar na Dinamarca não é exatamente barato*. Além do caríssimo imposto de renda, a taxa adicional de 25% (a *moms*) é aplicada a praticamente tudo aqui. Os proprietários de imóveis também pagam imposto sobre propriedade e os membros da Igreja nacional dinamarquesa (isto é, a maior parte do país, como descobri em maio) pagam um imposto separado. Ah, e é claro que carros, gasolina e eletricidade também são pesadamente taxados para regular o consumo e tentar fazer os dinamarqueses ficarem mais verdes do que já são.

– E me diz uma coisa – falo para Kim, curiosa agora. – Os dinamarqueses *se incomodam* de pagar tanto imposto? Quer dizer, eles não olham para os americanos ou as pessoas de outros países e pensam "seus filhos da mãe sortudos"? – fiquei um pouco desbocada no terceiro trimestre de gravidez. Peço desculpas por isso.

– De jeito nenhum – me diz Kim. – As pessoas pagam seus impostos com prazer na Dinamarca porque sabem que terão a melhor assistência social do mundo. Temos escolas, universidades, médicos, hospitais, tudo de graça, um pagamento automático de férias muito generoso, e os patrões pagam por um bom sistema de aposentadoria que realmente beneficia os dinamarqueses e aqueles que se instalam aqui. A maioria dos dinamarqueses vai precisar dos serviços do Estado em algum momento ou outro da vida, com um membro da família que ficou doente ou algo assim, então compreendem a infraestrutura e sabem que o dinheiro deles está sendo bem usado.

Quando ele coloca a coisa nesses termos, parece surpreendentemente sensato. Os dinamarqueses têm um senso coletivo de responsabilidade, até mesmo de *pertencimento*. Eles pagam pelo sistema porque acreditam que ele vale a pena. Os impostos incrivelmente altos também produzem alguns efeitos colaterais felizes. A Dinamarca tem o menor índice de desigualdade de renda entre todos os países da OCDE, então a diferença do salário líquido entre o presidente da Lego e o faxineiro da empresa, por exemplo, não é tão grande quanto seria em qualquer outro lugar. Estudos mostram que as pessoas que moram em bairros onde quase todo mundo ganha a mesma coisa são mais felizes, segundo pesquisa da Universidade do Estado de São Francisco e da Universidade de Berkeley na Califórnia. Na Dinamarca, mesmo pessoas que trabalham em áreas totalmente diferentes terão provavelmente a mesma quantia depositada no banco todo mês depois de pago o imposto.

Estou interessada na ideia de que a igualdade de renda contribui para uma vizinhança melhor e quero testá-la. Mas como moro numa cidade essencialmente de aposentados, onde ninguém além de Vizinha Simpática trabalha, não tenho muitas oportunidades para isso em No Meio do Nada. Então pergunto a Helena C. sobre a vizinhança dela. Ela me diz que a rua onde mora é habitada por vendedores de lojas, funcionários de supermercado, contadores, advogados, comerciantes e um paisagista.

– Todo mundo tem uma boa casa e uma boa qualidade de vida – diz ela –, não importa muito qual seja o seu trabalho.

Independentemente da carreira e do potencial de renda que ela possa permitir em outros países com impostos mais baixos, trabalhadores especializados e não especializados vivem harmoniosamente lado a lado na Dinamarca.

Isso também facilita a mobilidade social, segundo estudos da Equality Trust, uma organização que se dedica a reduzir a desigualdade de renda no Reino Unido, acerca do impacto da igualdade de renda. Então você tem uma probabilidade maior de progredir na vida, de estudar e arranjar um bom emprego na Dinamarca, não importa quem sejam os seus pais e o que eles façam, do que em outro lugar. Aparentemente é mais fácil viver o "sonho americano" aqui do que jamais será nos Estados Unidos.

Sei desde 1986, quando minha mãe pôs para tocar o seu LP dos Beatles, *A Hard Day's Night*, que "o dinheiro não pode me comprar amor" – e parece que ele também não adianta muito em termos de felicidade. Uma pesquisa publicada na revista *Psychology Today* verificou que a felicidade verdadeira vem de se ter bons relacionamentos, empregos ou *hobbies* significativos, e uma sensação de fazer parte de algo maior do que você mesmo, como religião, ou apenas *ser dinamarquês* para as pessoas daqui. O relatório de 2011 do Worldwatch Institute sobre Situação do Consumo também concluiu que a riqueza não ajuda ninguém a ter satisfação na vida e novas pesquisas mostram que existe até um limite para a quantidade de renda que precisamos para sermos felizes. Um estudo conjunto entre as Universidades de Warwick e Minnesota verificou que havia um limiar básico além do qual qualquer dinheiro extra não acrescentava nada aos níveis de bem-estar. A quantia ficou em torno de 197 mil coroas por ano (cerca de 36 mil dólares). Acima disto, nós aparentemente ficamos mais ricos, mas menos felizes.

Está ganhando menos do que isso? Não precisa se preocupar. Pesquisa publicada na revista *Psychological Science* descobriu que as pessoas de condição econômica mais baixa tinham mais empatia do que pessoas mais ricas, e um estudo na *Psychology Today* mostrou que crianças ricas tinham um risco mais alto de sofrer de transtornos alimentares, de mentir e roubar. Então parabéns, você é uma pessoa melhor do que qualquer um que entre na lista dos dez ou quinze mais ricos do seu ou de qualquer outro país, e seus filhos vão ficar bem.

Você já está ganhando mais do que o limite da renda da felicidade? Não se desespere ainda. Há três soluções, segundo especialistas que se manifestaram sobre a pesquisa: trabalhe menos, pague mais imposto ou se mude para um país mais pobre. Dinamarqueses espertos, já se antecipando a isso, vêm fazendo duas dessas três coisas há décadas. Se você não pode trabalhar menos ou influenciar a política fiscal do seu país e não tem vontade de se mudar para um país mais pobre, encontrei uma quarta opção: mude-se para a Dinamarca. Mas traga remédio para gripe. E um casaco.

– É como o clima – me diz Kim. – Você não pode fazer nada sobre a arrecadação dos impostos aqui, tem simplesmente que aceitá-la. Além disso, ela é parte de quem somos.

Pagar impostos altos que financiam um abrangente bem-estar social parece mesmo ser parte muito importante da identidade dinamarquesa, e não posso deixar de pensar que Kim tem razão.

– E você, pessoalmente, fica feliz em dar quase todo o seu dinheiro?

– É claro! – e ele parece surpreso por eu ter precisado perguntar isso. – Moro num país lindo. Amo a Dinamarca. Sou um dinamarquês de todo o meu coração, então por que não ficaria feliz?

Ele dá a si mesmo um perfeito dez em felicidade. Como jamais interagi com alguém da arrecadação fiscal na Inglaterra que não parecesse à beira do suicídio, suponho que o sistema de impostos dinamarquês talvez não seja tão ruim, afinal.

Começo a somar meus recibos numa planilha rudimentar de Excel quando me deparo com outro obstáculo e sou obrigada a ligar de novo para o meu amigo, o coletor de impostos. Pesquisando um pouco mais, dessa vez com uma coletora bem menos divertida, descubro que por ser freelancer, "estrangeira" e estar prestes a ter um bebê, meu "caso" é ainda mais complicado do que o normal. Depois de mais alguns telefonemas, sou informada de que preciso contratar um contador para apresentar meu informe de rendimentos na *kommune* local.

Procuro a palavra dinamarquesa para contador. Ela é, segundo meu aplicativo de tradução, *bogholder* (em inglês, essa mesma palavra seria algo como "suporte de banheiro"), e isso alegra imensamente minha manhã de impostos. Acrescento-a à minha lista de palavras dinamarquesas engraçadas, depois entro no Google para encontrar um contador.

A lista de possíveis *bogholders* na minha região inclui um "Jens Larsen", um "Lars Jensen", um "Lars Larsen" e um "Jens Jensen"

– bem como um "Mette Jensen", um "Mette Hansen" e um "Mette Nielsen", só para variar. Acontece que um em quatro dinamarqueses tem o sobrenome "Jensen", "Hansen" ou "Nielsen", segundo o Departamento de Estatística da Dinamarca. Também entre os dez sobrenomes dinamarqueses mais comuns estão "Andersen" (como em Hans Christian) e "Rasmussen", um nome tão comum que três primeiros-ministros dinamarqueses sucessivos, de 1993 a 2011, tinham este sobrenome. Poul Oluf Nyrup Rasmussen, Anders Fogh Rasmussen e Lars Løkke Rasmussen (que voltou agora) tinham que ser chamados pelos seus nomes próprios pela imprensa e pelos seus colegas políticos para que se pudesse distingui-los. O sufixo *-sen* indicava tradicionalmente que uma pessoa era o "filho de" alguém que tinha o nome que precedia o sufixo. Por exemplo, Lars Jensen era filho de alguém chamado Jens, e o pai de Jens Jensen era alguém tão louco pelo próprio nome que decidiu usá-lo duas vezes. Um pouco como Nova Iorque, NY. (Confuso? Bem-vindo à Dinamarca!)

– Todo dinamarquês que conheço se chama Mette ou Lars, ou Jens – resmungo quando Lego Man chega em casa e me encontra descalça (eu já mencionei a incrível eficiência do aquecimento do piso nas casas dinamarquesas?), grávida e queixosa. – Como é que eu vou me lembrar quem é quem?

– É fácil – diz ele, encolhendo os ombros – simplesmente chame todo mundo de Mette, se for mulher, e de Lars ou Jens, se for homem. A chance é de que você acerte na maior parte das vezes...

Caro leitor ou leitora, veja, eu me casei com um gênio.

Voltando para o computador, descubro que os mesmos nomes se repetem mais frequentemente na Dinamarca do que em outros lugares porque existe uma *regra* a respeito de nomes cristãos aqui. *Outra regra?! Claro. Como foi que não pensei nisso antes?* Informo Lego Man da minha descoberta:

– Parece que eles podem escolher um nome de uma lista pré-aprovada, mas se quiserem um que não esteja na lista, precisam de uma permissão especial da Igreja e do governo.

Lego Man, agora ocupado verificando o conteúdo da lata de biscoito, não responde. Mas após dois anos de casamento, não deixo que uma coisinha tão insignificante como essa me detenha.

– Aqui diz que "grafias criativas" são normalmente rejeitadas... – continuo.

– Azar dos rappers dinamarqueses – fala Lego Man com a boca cheia de biscoito de chocolate, querendo demonstrar que ele ainda está em total sintonia com as crianças.

– ...e que a lista de nomes é revista todo ano. Cerca de um quinto de novas sugestões são rejeitadas, e nãos recentes incluem, minha nossa!, "Anus", "Pluto" e "Macaco"!

– Droga. Parece que vou ter que devolver as toalhas de bebê personalizadas, então...

Começo a rir, mas fico sem fôlego porque um certo bebê está com o pé no meu estômago, empurrando-o contra o meu diafragma, e solto o chá pelo nariz (surpreendentemente doloroso). Examino a lista de nomes para me certificar de que os que temos pensado para o nosso filho (80% de chance) são permitidos e fico aliviada ao descobrir que eles estão na coluna "seguros". Mais tranquila, continuo a procurar um *bogholder* chamado Jens. Ou Lars. Ou Mette. Com o pouco em que me basear das descrições on-line, me dou conta de que vou ter que escolher ao acaso a quem confiar meu futuro financeiro. Faço *unidunitê* para escolher e termino num Lars que opera da Grande Cidade. Entro em contato, explico o meu problema e marco um encontro para o dia seguinte.

Lars me diz que se eu entregar minhas notas fiscais e quaisquer recibos ligados a trabalho, ele pode fazer o resto. E tudo o que vou precisar fazer é pagar uma quantia bem substancial no fim. Grata e aliviada porque isso está resolvido, me pergunto se é assim que os dinamarqueses se sentem: eles sabem que estão pagando os olhos da cara, mas engolem o choro porque isso facilita a vida deles. Viking uma vez me disse que estava feliz em pagar seus impostos porque o Estado organizava tudo para ele, e ele confiava que o Estado fizesse um bom trabalho.

Estou começando a entender agora, meros doze meses depois, como a confiança tem um papel importante na estrutura psicológica dos dinamarqueses. Ela pode tornar a vida mais simples e sem problemas e reduzir a necessidade de se preocupar (algo que tem sido meu hobby desde os 2 anos, segundo minha mãe). Parece estranho abandonar qualquer ilusão de controle e simplesmente confiar no sistema. Mas sem ter outra opção no momento, estou fazendo isso. E estou *bem*.

– Você acha que os dinamarqueses confiam mais? – ligo para Viking e pergunto a ele. – Quer dizer, *de forma geral*?

– Quer saber, acho que confiamos, sim – me diz ele. – Nós temos esse sistema de bem-estar social e uma população muito pequena, então tendemos a achar que a maioria das pessoas, bem, que elas são *boas* e honestas – e me dá um exemplo para ilustrar o que está dizendo. – Chequei minha conta no banco outro dia e vi que ela estava completamente zerada...

– Zerada?

– Completamente.

– Meu Deus...

– Pois é. Então, liguei para o Allan...

– Allan com dois ls?

– Isso...

– Que engraçado! Nosso gerente de banco também é Allan com dois ls!

– Ah, *todo mundo* é cliente do Allan – e nessa altura me lembro de como é pequeno o lugar onde moro. – Aí liguei para o Allan para dizer algo do tipo "Ei, onde está o meu dinheiro?"...

– O que o Allan disse?

– Bem, ele está de férias.

Allan tira muitas férias. Bancários, e todo mundo, de advogados a garçons, são muito bem pagos aqui. Mesmo depois de pagos os impostos, a maioria dos habitantes da Jutlândia pode se dar certas regalias.

– Então – continua Viking – não tenho dinheiro nem como falar com Allan. Combinei de visitar meus pais, mas estou sem gasolina.

Liguei para o meu pai e expliquei o que estava acontecendo. Eu disse: "Pai, estou sem dinheiro..." E ele me respondeu: "Não está, não. Eu só transferi o seu dinheiro." E eu perguntei: "Você *transferiu* o meu dinheiro?" E ele respondeu: "Transferi."

– Como assim? – estou perdida. E também achando engraçado o jeito de contar de Viking, como se fosse uma historinha.

– Papai me disse que ligou para o Allan para falar sobre a hipoteca dele e que o Allan mencionou uma conta nova para clientes antigos, com diversas vantagens extras. Então meu pai disse a ele: "Ah, isso parece ótimo. Por que você não põe o dinheiro do meu filho numa conta dessas também?"

– E o Allan simplesmente *fez isso*?! Ele não pediu sua autorização nem fez você assinar nada?

– Não.

– E o banco não checou a transferência com você?

– O banco confia no Allan. O Allan confia que meu pai é quem ele diz que é. E meu pai confia que Allan esteja tentando ajudar os clientes, oferecendo-me o melhor negócio para o nosso dinheiro. Então ele transfere o meu dinheiro para uma outra conta.

– Só que se esquece de comunicar a você...

– Isso. Mas acabou sendo melhor para todo mundo. É assim que a confiança funciona aqui.

Extraordinário. Ligo para o economista da felicidade, Christian Bjørnskov, com quem falei no início da minha aventura, para perguntar a opinião dele. Ele confirma que esse nível de confiança é fundamental para manter os dinamarqueses assim tão tremendamente felizes. Como ele me disse antes de eu começar minha pesquisa, "a vida é muito mais fácil quando você pode confiar nas pessoas", e isso sem levar em conta o fato de que você pode estar *mesmo* prestes a ter sua conta bancária zerada ou sua casa assaltada.

– Se estou me sentindo segura e confio nas pessoas à minha volta, tenho uma probabilidade menor de ficar estressada ou ansiosa. E então meu estado mental é propício para a felicidade?

– Exatamente – me diz ele. – E os países com um amplo sistema de bem-estar social tendem a ser países com mais confiança generalizada, embora os altos níveis de confiança na Dinamarca não sejam *necessariamente causados* pelo bem-estar social.

Christian estudou dados desde 1930, antes do bem-estar social ser implantado em 1950, e me diz que também havia um alto grau de confiança nas outras pessoas no início do século XX.

– Parece que é a confiança que permite que o bem-estar social exista, e não o contrário. Os dinamarqueses aceitam que devem pagar altas taxas de impostos porque confiam que o governo irá usar o dinheiro deles sabiamente e fazer o que é certo. O sistema *funciona* e os dinamarqueses são, de uma forma geral, felizes *porque* têm um alto grau de confiança nos outros.

– Então de onde vem essa confiança? – pergunto.

– Essa é a pergunta que vale 1 milhão de dólares!

Klaus Petersen, diretor do Centro de Pesquisa em Bem-Estar Social da Universidade do Sul da Dinamarca, acha que talvez tenha a resposta, e ela é a associação da Dinamarca com seus vizinhos nórdicos.

– Nós somos países luteranos com uma social-democracia forte e, dos anos 1930 em diante, tem havido uma cooperação intensa para criar a "Política Social Nórdica" – me informa ele quando ligo para saber mais. – A Dinamarca pode ser pequena, mas estamos ligados aos outros países nórdicos, então nos sentimos seguros e confiamos uns nos outros.

Enquetes internacionais mostram consistentemente que todos os países escandinavos compartilham altos níveis de confiança e que a Dinamarca é um dos países mais seguros do mundo. O Índice da Paz Global da organização Vision of Humanity classificou a Dinamarca como o segundo país mais seguro do mundo para se viver depois da Islândia (e lá é mais frio, mais escuro e até mais caro...). O número de dinamarqueses que dizem "Eu me sinto seguro" é mais alto do que era nos anos 1990, e eles são o povo europeu que mais é capaz de dizer: "Eu me sinto seguro mesmo numa situação desconhecida" (seguidos pelos noruegueses), segundo dados do criminologista dinamarquês Rannvá Møller Thomsen.

E por que isso acontece? Klaus tem uma teoria de que o tamanho do país ajuda seus habitantes a se sentirem seguros.

– Todos os dinamarqueses se conhecem entre si – me explica ele. E suponho que ele não esteja querendo dizer "literalmente", mas Klaus me garante que isso não está assim tão longe da verdade num país de 5,5 milhões de habitantes. – Sempre fomos pequenos e historicamente não houve muita migração, então existe uma identidade comum dinamarquesa. Você pode conseguir que alguns milhões de pessoas aceitem um sistema universal e compartilhem uma mesma identidade.

Tudo isso parece ótimo, mas fico um pouco desanimada por não ter nada que eu possa aproveitar ou que possa ser aplicado em algum lugar fora da Dinamarca com sua população reduzida. Mas então leio sobre o trabalho de Peter Thisted Dinesen do departamento de ciência política da Universidade de Copenhagen, que pesquisa a confiança social. Ligo para ele e incomodo o pobre homem no seu horário de almoço até ele concordar generosamente em parar o que está fazendo para dividir sua hipótese, de que uma cultura de educação e boa vontade para com o Estado pode ser a razão pela qual os dinamarqueses confiam tanto uns nos outros.

– Nós vivemos numa sociedade que é muito justa, possui instituições eficientes e não tem corrupção, e onde as pessoas são geralmente tratadas de forma igualitária e com justiça – me diz Peter. – Suborno de policiais ou políticos é algo quase praticamente inexistente na Dinamarca, e somos bem-cuidados, então isso nos dá a base para a confiança.

Segundo o Índice de Estado de Direito divulgado pelo World Justice Project com sede em Washington, a Dinamarca tem o governo mais responsável do mundo e também é considerada o país menos corrupto da União Europeia, segundo a ONG Transparência Internacional, sediada em Berlim.

Os políticos, um setor da sociedade notoriamente indigno de confiança na maioria dos outros países, gozam de uma reputação surpreendentemente boa na Dinamarca. Contribui para isso o fato de eles serem considerados como "pessoas normais", então não há um pedestal de onde eles possam cair. Até mesmo ministros de Estado são sabidamente práticos e acessíveis, como descobri no decorrer da minha pesquisa. A série de tevê *Borgen* ajudou a enfatizar essa ideia de ministros como pessoas reais, que enfrentam os mesmos problemas que o restante de nós, e foi inclusive muito importante para combater a apatia dos eleitores e aumentar o comparecimento às urnas, segundo um estudo da Escola de Administração de Copenhagen.

– E a confiança tem aumentado nos últimos anos – me conta Peter. – Escrevi um ensaio junto com Kim Mannemar Sønderskov, da Universidade de Aarhus, mostrando que os níveis de confiança entre 1979 e 2009 aumentaram 68% e que 79% da população disseram que confiavam "na maioria das pessoas".

Por que esse aumento tão significativo? Será que estão colocando alguma coisa na água aqui? Olho desconfiada para o copo na minha mão.

Peter tem uma sugestão melhor.

– Se você olhar para os imigrantes de sociedades com baixo nível de confiança que são educados na Dinamarca, eles tendem a adquirir os nossos altos níveis de confiança – diz ele. – É interessante não haver diferenças entre crianças que são elas próprias imigrantes ou descendentes de imigrantes, o que em parte atribuo ao fato de elas encontrarem instituições justas na Dinamarca.

Isso significa que o fato de viver na sociedade dinamarquesa pode fazer uma pessoa confiar nas outras. Não é *apenas* "tradição" ou algo que os dinamarqueses herdam de seus pais. Isso, concluo, é uma notícia maravilhosa. Significa que viver na Dinamarca está me ajudando a confiar mais nos outros e que isso, por sua vez, pode me ajudar a ser mais feliz. Uma vez que você confia no "sistema" e aceita que ele não está tentando ferrar com você, é mais fácil pagar seus impostos de bom grado – sabendo que o dinheiro é bem usado. Não me importo de pagar impostos (não muito, pelo menos) se isso significa que estou ajudando a manter vivo o sonho dinamarquês, livre de corrupção.

Essa é uma mudança de perspectiva interessante para alguém que cresceu na Inglaterra de Margaret Thatcher. Sempre fui muito independente, mas estou começando a entender que isso era porque eu tinha que ser, porque não havia uma rede de proteção. Mas é diferente para os dinamarqueses. Estou aprendendo a ver os benefícios de fazer as coisas como os dinamarqueses. Estou até conseguindo relaxar mais um pouco, ser menos controladora e buscar um equilíbrio melhor entre minha vida pessoal e profissional. Nem sempre é fácil esquecer o jeito antigo. Houve um dia em julho em que eu descobri que dois dos meus colegas do "País das Maravilhas da Informação" tinham conseguido empregos novos, fantásticos. Empregos que, durante anos, eu tinha achado que queria, e sentia que devia ter como objetivo. Na época, fiquei injustificadamente perturbada, coloquei a louça com violência no lava-louças, quebrei um prato, e urrei em direção aos céus: *Por quêêêêê?* Mas então percebi que não estava mais interessada naquilo. Estava escrevendo e grávida e visitando os amigos e passeando com o cão na praia. Eu estava tendo *uma vida*. Eu agora podia *dormir* à noite e não tinha que subornar a mim mesma comprando um monte de coisas pela internet para suportar a semana. Antes de ficar grávida, tinha perdido três quilos sem perceber ou pretender (e apesar dos *snegles*) porque não estava usando a comida para compensar minhas frustrações. Eu estava em paz. E isso me pareceu uma boa troca.

Em breve vamos ter que decidir se ficamos ou não mais um ano na Dinamarca. Não temos muito tempo para pensar no assunto. Nosso bebê *made in* Dinamarca (80% de chance de ser menino) deve passar seu primeiro ano aqui? Ou o nosso ano vivendo como os dinamarqueses deve ser apenas isso – um ano finito e imperfeito em nossa Nárnia nórdica? Estou prestes a entrar em modo de fazer uma lista com os prós e contras quando Lego Man entra pela porta daquele seu jeito barulhento de sempre. São quatro e meia da tarde.

– Outro dia atarefado? – pergunto, debochando.

– Até que foi, sim – diz ele, se despindo e deixando cair mais bolsas do que qualquer homem poderia precisar no meio do chão da cozinha. Depois de me dar "oi" de um jeito decente, ele começa a espalhar sacos de papel celofane em cima da mesa da sala de jantar.

– O que é que você está *fazendo*?

Ele me diz que está construindo um modelo em Lego da Ópera de Sydney. Como se isso fosse a coisa mais óbvia do mundo para um profissional de 30 e poucos anos estar fazendo numa tarde de terça-feira.

– Você sabia que ela foi projetada pelo arquiteto dinamarquês, Jørn Utzon? – pergunta ele, abrindo os sacos e remexendo em peças quase todas brancas enquanto fala. Lego Man insiste que seu "projeto" é uma das coisas que ele não vai ter tempo de fazer quando o bebê chegar.

– *Tem toda razão* – resmungo, e acrescento: – Você quer sair com o cão ou está ocupado demais brincando?

– Não estou "brincando", estou "construindo".

Essa não é a primeira vez que ele tenta me convencer dessa diferença crucial, aparentemente admitida pelos AFOLs em todos os lugares do mundo.

– Aliás, esse é para adultos, está vendo? – e aponta para o quadradinho que diz 12 anos ou mais na caixa, cheio de orgulho. – É da linha *Lego Arquitetura*. Crianças *nem* sabem o que é arquitetura.

Detecto um revirar de olhos bem nítido antes de ele voltar para a "construção".

Eu o observo. A cabeça de cabelos louros inclinada para a frente, olhos atentos por trás dos óculos quadrados, de armação preta, sentado na sua cadeira Arne Jacobsen, iluminado pela luz suave de uma luminária PH Poul Henningsen. Está ouvindo um álbum do grupo pop dinamarquês Alphabeats no seu aparelho de som dinamarquês Bang & Olufsen, cantarolando desafinadamente e de vez em quando tomando um gole de cerveja no copo dinamarquês Bodum, com duplo revestimento de vidro, que surgiu ali do seu lado. É, é isso mesmo, estamos tão aclimatados que uma Carlsberg às cinco da tarde no inverno é algo perfeitamente normal para uma terça-feira. Nunca vi Lego Man mais à vontade.

– Você vai começar a reverenciar a *Dannebrog* já, já... – resmungo, imaginando se deveria agarrá-lo e coletar uma amostra de sua saliva para testar se ele tem o gene 5-HTT. *Talvez nosso filho (80% de chance) irá ser em parte viking e ter o gene da felicidade também*, penso. *Talvez seja por isso que nosso filho nunca durma e chute tanto: ele já está impaciente aqui dentro, cheio de serotonina e louco para comer um* snegle.

Lego Man, posso ver, quer ficar. Mas ainda não estou *totalmente* convencida. Talvez seja possível tirar alguém do ceticismo britânico, mas não tirar o ceticismo britânico de alguém. Talvez...

O que aprendi neste mês:

1. Os dinamarqueses não se importam de pagar impostos ridiculamente altos...
2. ...porque, de todo modo, o dinheiro não pode comprar a felicidade.
3. Confiar mais nos outros e viver como os dinamarqueses (viva!) pode fazer você ficar mais feliz.
4. Lego Man pode ser um viking disfarçado.

13. NATAL

God Jul! (Feliz Natal!)

Tem mais uma coisa que acho que devo mencionar. Não esqueci, não. Os escandinavos não são assim tão calmos e frios em relação a tudo. O Natal aqui é *um grande acontecimento*. E ele começa às 8h57 da noite da primeira sexta-feira de novembro.

Lego Man e eu estamos acabando de jantar calmamente na Grande Cidade quando um barulho ensurdecedor começa a vir da rua. Nós olhamos pela janela, curiosos, e vemos alguns jovens conversando ao redor da fonte do cavalo pornô e dos gatos com seios. Isso é algo normal, está tudo bem com o mundo. Mas alguns instantes depois, ouve-se um segundo grito, que ecoa na rua, ganhando força quando outros gritos se juntam a ele, até surgir uma sensação inconfundível de que *vai acontecer alguma coisa*. Num lugar onde quase nada acontece.

Ouve-se o barulho de um motor e um caminhão aparece, com sistema de som e relógio de contagem regressiva. O veículo começa a soltar uma estranha substância branca. Grandes gotas da substância são expelidas no ar e flutuam para baixo e cobrem a rua como um cobertor.

– Ahhh... neve! – exclama Lego Man com alegria. Já faz pelo menos dois dias que não cai neve fresquinha e Lego Man está excitado com a perspectiva de usar mais um traje de uso externo de alta tecnologia recém-adquirido. Mas, excepcionalmente, não está nevando de verdade. Esse negócio branco é outra coisa inteiramente diferente.

– Acho... – digo, antes de piscar os olhos e tornar a olhar, para ter certeza. – Acho que é *espuma*.

Não passei duas semanas na Costa do Sol quando era uma adolescente impressionável para nada: conheço um borbulhar de nível profissional quando o vejo. Ainda assim, o lugar parece, de repente, incrivelmente festivo e, depois de pagar, vamos para a rua investigar.

O caminhão para e a parte de trás é baixada, revelando um bando de garotas usando roupas azuis e homens vestindo macacão, reunidos ao redor de um homem baixo, de cabelos escuros. Ele está com um amplo sorriso no rosto e óculos escuros de aviador, apesar de já estar escuro desde as três e meia da tarde.

– Aquele ali é o ... *Tom Cruise*? – pergunta Lego Man, apertando os olhos para enxergar melhor a figura.

Como estou em meu juízo perfeito, tento informar a ele delicadamente:

– Acho que ele está *fingindo que é...* – estou bem segura de que o mais famoso cientologista do mundo não veio passar o fim de semana na Jutlândia.

O (quase) sósia acena para os fãs e estes gritam e aplaudem enquanto os demais extras de *Top Gun* distribuem chapéus azuis brilhantes de Papai Noel e óculos de sol de plástico. Em seguida, as mulheres dão um passo à frente e vemos que elas estão vestidas de aeromoças. Lego Man fica horrorizado.

– Não tem nenhuma aeromoça em *Top Gun*! Não existem aeromoças em aviões de combate! Isso não teria nenhum *cabimento!* E seria desnecessário...

A indignação dele com as incorreções da cena é imensa, mas não consigo deixar de achar que vem coisa mais importante por aí. Maverick e suas amigas estão agora jogando garrafas de cerveja para a multidão, que está ficando maior, mais barulhenta e menos capaz de se manter em pé à medida que a espuma se desmancha, deixando a rua escorregadia de sabão. E no entanto as aeromoças sumariamente vestidas e o sósia dinamarquês de Tom Cruise estão *atirando mísseis de vidro*.

Pergunto a uma mulher meio sóbria parada ao meu lado o que está acontecendo e ela me diz que é o *J-Dag* ou "Dia J", quando a *julebryg*, "cerveja de Natal", é tradicionalmente distribuída em todas as cidades da Dinamarca numa carroça puxada a cavalo. Pelo menos, é isso que acontece em Copenhagen. Aqui usamos um caminhão basculante.

O Dia J marca o início extraoficial do Natal na Dinamarca, quando bares e restaurantes servem a cerveja de Natal a partir das nove da noite e equipes de marketing da cervejaria distribuem algumas centenas de brindes para começar a festa.

– Eu devia experimentar uma, já que estamos aqui – diz Lego Man, examinando as pessoas à volta dele que estão agora bebendo suas *julebryg*. Quando vou comentar o quanto ele é magnânimo, disposto a ignorar aquela ofensa ao seu filme favorito por causa de uma cervejinha grátis, ele já desapareceu na multidão.

– Tome cuidado! – grito, me desviando das granadas de vidro.

Ele volta vitorioso, segurando uma cerveja acima da cabeça como se fosse um troféu de futebol.

– Muito bem!

– Obrigado – diz ele, aceitando o elogio antes de abrir a garrafa e tomar um grande gole.

– E então?

– É... forte. Com um certo gosto de alcaçuz.

Torço o nariz involuntariamente.

– Meu Deus, eles colocam isso em tudo por aqui!

As pessoas começam a cantar alguma coisa em dinamarquês, uma canção que parece uma espécie de hino baseado em cerveja com a melodia de "Jingle Bells", enquanto mais mísseis de cerveja são lançados.

– Os dinamarqueses devem ter uma excelente coordenação motora – digo. – Não ouvi uma só garrafa quebrar.

– Ou isso ou então eles realmente adoram cerveja – responde Lego Man, tomando mais um gole. – E vou ser honesto, ela é muito boa. Ninguém ia querer desperdiçar.

Depois que Tom Cruise e seu grupo terminam de distribuir seu estoque, o caminhão segue adiante e todo mundo debanda para o bar mais próximo. Nós nos encontramos com Helena C. e Viking e a diversão continua. Sentindo-me horrivelmente sóbria, tento imaginar que estou realizando algum importante estudo sobre nativos, ou sou uma documentarista extremamente grávida. Mas é difícil chegar ao cerne de um fenômeno antropológico quando todo mundo com quem você tenta falar bebeu muito (e eu quero dizer *muito* mesmo) e exala alcaçuz. Então deixo Lego Man com os maus elementos de sempre e volto para casa, uma hora depois.

Na manhã seguinte, ligo para o pessoal que está por trás do Dia J para saber mais a respeito.

– Tudo começou por causa de um anúncio de tevê que foi ao ar pela primeira vez em 1980 – diz Jens (mais um!) Bekke da Carlsberg, a companhia que fabrica as cervejas Tuborg, inclusive a *julebryg*. O anúncio era uma animação rudimentar, mostrando Papai Noel e a rena Rudolph abandonando suas obrigações natalinas para irem atrás de um caminhão de Tuborg, ao som alegre de “Jingle Bells”. O subtexto, descubro quando vejo o anúncio no YouTube, parece ser que Papai Noel e seu ajudante são praticamente alcoólatras. No entanto, o comercial rendeu mais vendas do que se esperava e por isso é veiculado todo inverno desde então.

– É provavelmente o único anúncio do mundo que não mudou em mais de trinta anos – diz Jens. E nem, aparentemente, a cerveja. A *julebryg* é uma pilsner forte com 5,6 % ABV (*alcohol by volume*) e foi criada a partir da mistura de três outras cervejas. Dizem que ela é um bom acompanhamento para peixe, arenque, porco, pato defumados... e mais *julebryg*.

– Nós mantemos a cerveja igual todo ano, bem como a embalagem e o anúncio de TV – me diz Jens – porque os dinamarqueses adoram uma tradição!

Menciono que já tinha notado isso.

– Além do mais, receberíamos reclamações do país inteiro se mudássemos a cerveja do Natal!

A *julebryg* é tão popular que, apesar de só estar no mercado durante dez semanas por ano, ela é a quarta cerveja mais vendida da Dinamarca. Em outras palavras, os dinamarqueses bebem até não mais poder.

– A veiculação do anúncio marca o início das festividades de Natal para muita gente – diz Jens – e a partir de 1990, nós tivemos a ideia de viajar pelo país distribuindo *julebryg* para marcar o início do seu período de venda.

Agora, quinhentos funcionários da Carlsberg visitam quinhentos lugares a cada ano para o Dia J. A cada parada, eles cantam uma versão de "Jingle Bells" com uma letra que diz mais ou menos assim:

Julebryg, julebryg, Tuborg julebryg.
Beba fria e deseje Feliz Natal a um amigo mais uma vez. Ei!
Julebryg julebryg, Tuborg julebryg.
Esperar nunca é legal, e o Dia J é um sucesso!

– Nós também gostamos de ter um tema diferente a cada ano para os caminhões – continua Jens. – Já tivemos elfos, depois, no ano passado, foram árvores de Natal, então este ano escolhemos *Top Gun*.

Digo a ele que *Top Gun* não me parece muito natalino.

– Não. Não sei exatamente por que nós fizemos isso. Algumas pessoas da equipe de criação sugeriram... – e muda de assunto, dizendo que as equipes da Carlsberg também distribuem 20 mil pulseiras e 45 mil chapéus de Papai Noel no Dia J, que são usados com orgulho pelo resto da noite pela multidão reunida, inclusive, um ano, por um improvável participante do Dia J, Salman Rushdie.

Ao abandonar sua casa para se esconder por causa da *fatwa*, ou pronunciamento com valor legal, com uma sentença de morte lançada contra ele pelas autoridades religiosas do Islamismo, o autor de *Versos satânicos* foi visto num bar em Frederiksberg no Dia J de 1996, usando um chapéu azul e branco de Papai Noel Tuborg. Ele foi flagrado com um sorriso no rosto e uma *julebryg* diante dele e isso virou manchete das primeiras páginas dos jornais do mundo inteiro no dia seguinte.

– Não sabemos se a equipe de segurança dele ficou muito satisfeita – me diz Jens –, mas foi fantástico para nós!

Imagino que se a cerveja é boa para um dos vencedores do Booker Prize, um dos mais importantes prêmios literários da atualidade, deve ser boa para o Lego Man. Agradeço a Jens por suas informações antes de acordar meu marido do seu sono que cheira a alcaçuz.

– A noite foi boa? – pergunto alegremente, abrindo a cortina e deixando a escuridão entrar.

Ele solta um grunhido que nem confirma nem nega que o restante da noite tenha sido um sucesso, embora o fato de ele não conseguir abrir os olhos às onze da manhã me faça suspeitar que foi uma noitada e tanto. Eu me ofereço generosamente para ir comprar um café na cidade com a condição de ele acordar nas próximas horas.

As ruas estão vazias. Parece que a Jutlândia inteira está sofrendo de uma ressaca coletiva. Até os funcionários da padaria parecem exaustos, e eles estão acostumados a se contentar com poucas horas de sono por noite. Uma das moças do meu coro é confeiteira, e como os doces dinamarqueses foram a minha especialidade neste último ano, agora sei muito bem como os amados *snegles* são trazidos ao mundo. O processo mágico começa, fiquei sabendo, quando algumas pobres almas aparecem para ligar os fornos às duas da manhã.

Com doces e cafés na mão, saio da padaria e respiro o ar frio e desvio das máquinas de lavar a rua já em ação para limpar tudo depois da farra da noite passada. As ruas normalmente impecáveis estão cobertas de garrafas de cerveja sujas de neve, chapéus azuis de Papai Noel e enfeites de Natal enlameados. Ouço um estalo sob meus pés e espio por cima da vasta extensão da minha barriga para ver um par de óculos de aviador quebrados numa mistura de bolhas enlameadas e espuma suja.

Desse momento em diante, considera-se que o Natal começou oficialmente e todas as lojas e estações de rádio locais são obrigadas por contrato a tocar sem parar músicas natalinas. Retratação: sou uma enorme fã da época natalina e sempre começo a ouvir os clássicos de Natal antes do início de dezembro, mas os dinamarqueses comemoram essa festa num nível totalmente diferente. Lego Man e eu criamos o hábito de brincar de apostar quantas estações de rádio estarão tocando músicas de Natal simultaneamente em períodos diferentes do dia. Numa sexta-feira muito especial, cinco das seis estações que o rádio do meu carro pega enquanto me dirijo ao supermercado estão tocando músicas que celebram Papai Noel e companhia. Ora, *isso* é que eu chamo de gostar de Natal...

Para muitos, o Tivoli Gardens é a essência do Natal por aqui, e milhões se dirigem à capital da Dinamarca nessa época do ano para contemplar maravilhados as luzes piscando, comer *pretzels* de formato tradicional e acariciar as renas trazidas especialmente para as festas. Mas na Jutlândia as coisas são um pouco menos caprichadas.

– Então, Papai Noel está chegando na Grande Cidade amanhã – me diz Helena C. casualmente em meados de novembro.

– Puxa, que legal, onde vai ser? – Sei que como adulta não tenho nada que ficar tão entusiasmada com Papai Noel, mas meu ano vivendo como os dinamarqueses me ensinou a importância de relaxar e ser eu mesma. Então, agora, sou uma orgulhosa AFN (adulto fã de Natal).

– Bem... – continua Helena C. – Ele costumava vir pelo canal num barco velho, distribuindo balas, mas tivemos alguns problemas com as crianças se debruçando e caindo na água. Isso não era uma boa publicidade para a cidade. Além do mais, a água é muito fria nesta época. Então foi decidido que Papai Noel ficará em terra firme este ano.

Como já disse antes, saúde e segurança nunca são demais na Dinamarca.

Este ano, Papai Noel chega a cavalo, distribui alguns *slik* (ou "balas"), depois vai para a praça principal para acender as luzes. Os dinamarqueses insistem em decorar as árvores municipais para que elas se pareçam com um monte de pepinos em conserva. Nada de luzes coloridas ao redor das imponentes árvores públicas como no resto do mundo. Na Jutlândia, pelo menos, alguém sobe num guindaste até o topo da árvore com diversos cordões de lâmpadas e os atira, verticalmente, criando uma decoração de aparência estranhamente fálica em todas as cidades da região. Eu me pergunto por que é assim e descubro que a decoração da árvore no estilo erótico é outro caso de *tradição*. Depois que as luzes das árvores da cidade são acesas, raios de luzinhas coloridas são lançados sobre todo objeto, que fica parado por mais de duas horas na Dinamarca. Os lares dinamarqueses também são enfeitados com uma variedade de coisas brilhantes e uma confusa coleção de objetos garimpados.

Vizinha Simpática está de volta de Copenhagen para o fim de semana e aparece na nossa porta um domingo de manhã com braçadas do que eu só posso supor que seja lixo do jardim.

– Para você! – diz ela, alegremente.

– Ah..., obrigada! – tento responder com a mesma animação.

– Como não vou estar aqui para o Natal, trouxe umas sobras da floresta para decorar a sua casa.

– Uau... – agora posso ver o líquen, algo que se parece muito com um cogumelo venenoso, e alguns galhinhos. – Obrigada...

– Vocês não fazem isso na Inglaterra? Não decoram a casa para o Natal com coisas da natureza?

– Bem... – não sei como contar a ela que até hoje confundi "natureza" com "loja de departamentos". – Acho que as pessoas costumam *comprar* enfeites de Natal no meu país... – digo a ela.

– Mas agora você está na Dinamarca! Deve usar a *natureza* – não desiste Vizinha Simpática, então a convido para entrar e tomar um café e ela me dá uma aula sobre como decorar a casa como os dinamarqueses. – Você pode apanhar coisas na floresta, mas só para o seu próprio uso, não mais do que possa caber numa sacola. Você sabe, é claro, que existem dois tipos de florestas? – Eu não sabia. – As que pertencem à Agência da Natureza e as florestas particulares. Nas florestas que pertencem à Agência da Natureza, você pode catar coisas no chão. Nas florestas particulares você só pode apanhar o que alcança da trilha. Se você encontrar um belo galho ou pedaço de casca de árvore, pode apanhá-los, a menos que sejam de um pinheiro ou abeto vermelho já que esses são só para os donos da floresta. Bolotas de carvalho, pinhas e frutos da faia podem ser apanhados quando encontrados no chão, mas cogumelos e líquen você pode juntar quanto quiser.

– E, hã..., como é que você usa cogumelos na decoração? – pergunto, olhando para aquela coisa nojenta me espiando da mesa da cozinha. Vizinha Simpática olha para mim como se eu fosse imbecil. De novo.

– Em buquês, é claro!

– Claro...

Além de fungos, Vizinha Simpática nos emprestou gentilmente um dos seus *nisser*, a estatueta de uma criatura assustadora parecendo um duende. Segundo o folclore dinamarquês, os *nisser* eram responsáveis por determinar até que ponto a colheita de um fazendeiro seria abundante em tempos idos. Se uma família mantivesse o seu *nisse* (singular) feliz e bem servido de pudim de arroz (os maus espíritos tinham gostos muito simples na velha Escandinávia), então o duende cuidaria para que as coisas corressem bem. Como uma espécie de mafioso em miniatura. A ideia agora é que eles são espiões de Papai Noel, relatando a ele qualquer tipo de mau comportamento. Mas, de forma geral, têm apenas um ar sinistro.

– Parece mesmo que ele está nos vigiando – digo para Lego Man depois que Vizinha Simpática vai embora. A estranha figura, muda e corcunda, parece estar olhando para dentro da minha alma, não importa onde eu tente escondê-la.

– Eu sei... Algum engraçadinho deixou um no banheiro do escritório outro dia – me diz Lego Man, estremecendo. – Foi horrível. Ninguém conseguia relaxar o suficiente para... você sabe.

As brincadeiras no escritório alcançam um novo patamar este mês, quando os dinamarqueses começam a relaxar para os feriados e, o que é mais importante, planejar seus *julefrokost*, o almoço anual de Natal que acontece em quase todos os locais de trabalho desde os anos 1940. Minha especialista em integração cultural, Pernille Chaggar, me avisou que os almoços de Natal na Dinamarca podem durar "seis, oito, até *dez* horas".

– Existe uma arte para a pessoa se controlar de modo a poder comer até o fim e experimentar cada novo prato ou bebida que chega à mesa – explica ela. Dentre estes, ao que parece, estão arenque defumado, porco, cerveja e *schnapps*. Isso soa como um anúncio de antiácido esperando para entrar em ação. – Normalmente se consome muito álcool – admite Pernille – e as pessoas tradicionalmente soltam a franga e ultrapassam alguns limites do dia a dia, tanto em relação à hierarquia social quanto às convenções sociais. – Isso é algo que agora já sei, porque tive inúmeras oportunidades de observar "a falta de controle controlada" dos dinamarqueses em relação à bebida desde que foi dada a partida para o Natal.

Como os cônjuges normalmente não são convidados a testemunhar os excessos do almoço de Natal na Dinamarca, eu tinha esperado vivenciar o *julefrokost* apenas por meio dos relatos de Lego Man e dos amigos dele. Então, fico comovida quando chega um convite para eu ir a um deles como freelancer e considero um dever aceitá-lo, como antropóloga amadora.

Abro as portas da velha Prefeitura e vejo um enorme salão de banquete apinhado de mesas e cerca de duzentos convivas já em plena atividade. Tenho certeza de que minha festa não é tão grande assim e começo a procurar alguém que pareça ser responsável pelo evento. A música está altíssima, as luzes ofuscam os olhos, e vikings atacam a comida e o vinho numa mesa posta digna de uma bacanal da Roma Antiga. Eu me sinto como se estivesse num filme de Baz Luhrmann e fico aliviada quando um rosto familiar sorri para mim. A mulher que me convidou me leva para uma mesa com pessoas que reconheço em parte. Todos exclamam horrorizados com o tamanho da minha barriga e alguém observa que pareço um "ravioli estufado demais". Os dinamarqueses são sempre diretos. Também é justo dizer que meu grupo do *julefrokost* já está bem calibrado e parece bem mais animado em me ver do que seria de esperar de pessoas que só vi poucas vezes na vida.

– Você chegoooooou! *Agora* nós podemos começar!

Como Pernille previu, o arenque é o primeiro prato a ser servido, grandes tigelas dele em diversos "sabores", de curry a canela. É preciso um tempero bem forte para aguentar o impacto do arenque em conserva, e o resultado é algo como um ataque à boca, que não deve ser cogitado pelos que têm estômago delicado. O peixe é comido com pão de centeio, acompanhado de uma dose de *schnapps*.

– Para ajudar o arenque a nadar! – me dizem eles enquanto bebem. Os pequenos copos são reabastecidos para outro brinde e logo todo pedaço é acompanhado por um *skal!* (saúde!). Em seguida vem o bufê de carne e peixe, grande parte de origem impossível de identificar. Vejo meus companheiros colocarem um molho cremoso com cubos de alguma coisa nele sobre linguiças e carne de porco, e depois descubro que os cubos são de frango.

– É um molho de *frango* para *carne de porco*?

– Isso – responde com um sorriso a moça à minha direita. – Você gosta?

Não posso negar que é saboroso, mas, até mesmo uma carnívora convicta, não dá para exagerar.

A sobremesa é *risalamande*, uma espécie de pudim de arroz misturado com creme chantilly e amêndoas fatiadas, com uma amêndoa inteira escondida em algum lugar do prato. O conviva sortudo que encontrar a amêndoa inteira ganha um prêmio, mas tem que esconder sua descoberta o maior tempo possível, mantendo a amêndoa guardada na bochecha. Dessa forma, o restante do grupo é obrigado a engolir toda a vasilha da sobremesa cremosa e encaroçada, coberta com molho de cereja, antes da grande revelação. Ao me servir pela segunda vez, já estou louca para ir me deitar, mas o restante do meu grupo está só começando. Na mesa ao nosso lado, um jogo animado, mas algo agressivo, de *pakkeleg* começa: até onde posso perceber, todo mundo trouxe um pequeno presente embrulhado e em seguida joga um dado para ter a chance de roubar os presentes das outras pessoas e empilhar o máximo possível para si mesmo.

O vinho não para de ser servido. Os rostos vão ficando vermelhos, e os lábios, arroxeados pelo Beaujolais, se movem animadamente. Algumas mãos parecem estar pousadas em lugares onde não deveriam, principalmente nas coxas e traseiros de colegas que eles provavelmente vão ter que encarar na segunda-feira de manhã à luz fria e fraca do dia. Quando o café é servido, diversos casais estão se beijando como adolescentes, encostados nas paredes ou ainda nos assentos onde se atiraram várias horas antes.

– E o que acontece depois? – pergunto à moça ao meu lado.

– Você está se referindo a eles? – e olha para o casal aos beijos nº 1. – Imagino que eles vão fazer sexo. Há quartos de hotel no andar de cima – e aponta para o teto.

– Não, não – agradeço a ela por sua franqueza, mas explico: – Eu estava me referindo ao que vai acontecer na festa pelo resto da noite.

– Ah... Bem, provavelmente vai ter dança. E depois, quem sabe?

Nesse ponto, meu espírito de pioneirismo antropológico e pesadamente grávido começa a desaparecer e me despeço dos meus companheiros de mesa antes de tentar sair de mansinho. Mas isso não dá muito certo. No meu estado avantajado, preciso de mais espaço e, a caminho da saída, tenho que me espremer para passar por diversos casais. Pensando que estou isenta desse ritual orgíaco anual por a) ser bem casada, b) estar sóbria e c) estar grávida, brinco com um homem de uns 50 e poucos anos enquanto espero pelo meu casaco (a saber, o casaco enorme de capuz de Lego Man). Eu estou colocando o casaco e me preparando para sair quando ele me passa uma cantada.

– *Oi*?! – é só o que eu consigo responder. Depois, apontando para a minha barriga. – Tá falando sério?!

Ele encolhe os ombros como quem diz "ninguém pode culpar um homem por tentar" antes de acrescentar:

– Você sabe o que dizem por aí? "Uma grávida não fica grávida."

Recuso o convite com veemência e passo me espremendo por mais casais se agarrando nas escadas antes de conseguir sair e voltar para casa.

No dia seguinte, vamos tomar um *brunch* com Viking, Helena C. e alguns outros amigos dinamarqueses e ter uma "anistia da história de terror do *julefrokost*" onde todo mundo entrega as armas da humilhação em massa.

– Há muita transa – admite Helena C. – Não importa se você é casado ou não.

Outra moça nos conta sobre um caso que teve anos antes numa festa de Natal que deixou as coisas bem complicadas na sala de xerox em janeiro. E um terceiro revela que ele e seu grupo foram obrigados a aprender a dançar ao som de "Gangnam Style", *hit* do ícone popular sul-coreano Psy, e depois apresentar a dança para a diretoria.

– Foi muito estranho – admite ele, ainda parecendo um pouco abalado. – Depois, todos assistimos a um pouco de filmes pornôs – acrescenta ele, como se isso fosse uma observação casual antes de tomar um gole da sua garrafa de *julebryg*.

– *Como assim*?

– O quê? – ele levanta os olhos. – A parte da dança?

– *Não!* – o grupo gritou ao mesmo tempo.

– Os filmes pornôs! – digo, bem mais alto do que era necessário e atraindo a atenção da mesa ao lado. – Desculpem... – murmuro.

– Ah – diz ele. – *Isso*. Bem... – e larga a garrafa de cerveja e começa a falar, com naturalidade: – O professor de dança tinha ido embora, a diretora financeira tinha parado de fingir que estava cavalgando em mim como se eu fosse um cavalo, e nós começamos a assistir a esse filme, projetado num quadro branco na sala de conferência do hotel às quatro da tarde. Aí apareceu um homem na tela que se parecia um bocado com o Jens do nosso grupo...

Lego Man me lança um olhar que diz "Está vendo, eu disse que tem um monte de caras chamado Jens na Dinamarca". Lanço um olhar para ele em resposta que diz "Agora não. Estamos prestes a ouvir uma história sobre filmes pornôs na festa de Natal de um escritório. Isso bate o assunto Lars-Mette-Jens". Telepatia conjugal é uma coisa maravilhosa.

– Então nós estávamos todos vendo o cara que se parece com Jens e pensando "Isso é meio esquisito" – continua o amigo de Viking –, e então o cara no filme de repente tira a roupa. Ele está totalmente nu e então começa a transar com alguém. E o Jens *verdadeiro*, sentado ao nosso lado, começa a rir, dizendo "Vocês não estão me reconhecendo?". Acontece que o cara não se parecia com Jens apenas, ele *era* o Jens. Ele teve uma carreira como ator pornô antes de passar para contabilidade. Ele achou a coisa toda muito engraçada, mas nunca mais consegui olhar para ele do mesmo jeito...

Há uma pausa na conversa depois disso. É que é bem difícil ganhar de uma história sobre a projeção do filme de um colega de escritório fazendo sexo.

Quando chega o *julefrokost* de Lego Man, ele sente um certo medo do que a noite possa lhe trazer. Eu me sinto aliviada quando ele volta para casa, aparentemente ileso.

– Bem, como foi? Algum filme pornô? Alguma promiscuidade? Alguma briga?

– Nada nem remotamente pornô – diz ele, parecendo um pouco desapontado. – Parece que trabalho com um bando de pessoas... diferentes. Começamos com um *quiz* sobre *Top Gun*...

– O quê?! Por quê? Este país tem mania de Tom Cruise?!

– ...que naturalmente eu ganhei – continua ele.

Um quiz *sobre um dos assuntos que ele mais entende? O Natal chegou mesmo cedo para o Lego Man.*

– E depois cantamos uma canção sobre um Volvo – acrescenta ele, com a mesma naturalidade, enquanto joga a bolsa em cima da cama e vai para o banheiro, enfiando nossa escova de dentes elétrica na boca.

– Desculpe – largo o livro que estava lendo e vou atrás dele –, *achei* que ouvi que você e seus dinâmicos colegas passaram a noite cantando canções sobre um automóvel sueco...?

– Isso mesmo – diz ele. – Mas não sobre qualquer Volvo... – ele tem que falar mais alto para ser ouvido acima do zumbido da escova de dentes. – Era sobre o Volvo B18-210 – me diz ele, com a boca cheia de espuma de hortelã. – Tem até uma partitura, sabe?

Babando espuma de hortelã por todo o nosso chão de madeira, ele volta para o quarto e tira um panfleto do meio dos papéis da sua bolsa. Adoro que ele a tenha guardado para mim. Adoro que ele saiba o quanto esse tipo de coisa me deixa feliz.

– Uau! – exclamo, de olhos arregalados, enquanto folheio o panfleto e vejo que outras canções para a noite incluíam "Wide World", de Cat Stevens e o clássico do Ace of Base, "All That She Wants". – E por quê? – pergunto. – Por que vocês cantaram uma canção sobre um Volvo?

– Aparentemente é uma...

– *Tradição?*

– Exatamente. Os outros todos já sabiam a letra – e faz um sinal na direção da partitura. – Estava em dinamarquês, mas Lars me ajudou. São coisas do tipo "Ele tem interior de madeira de lei" e "um chassi fantástico" e "ficaremos juntos até a eternidade... Eu amo o meu Volvo".

– Que lindo... – sacudo a cabeça, estarrecida. Toda vez que penso que já sei tudo sobre este país, ele me surpreende.

– É – Lego Man cospe na pia do banheiro e enfia a cabeça dentro da pia para enxaguar a boca. – Depois disso ficou tudo um pouco confuso... Na verdade, acho que preciso me deitar...

Depois de tantos festejos, seria fácil esquecer o verdadeiro significado do Natal: a obrigação de cozinhar uma refeição que ninguém escolhe comer em nenhuma outra época do ano e passar dias preso dentro de casa com pessoas que você não vê há um ano. Os dinamarqueses têm um ditado: "Hóspedes são como peixes. Depois de três dias, eles começam a feder." E, no entanto, não sei como, acabei me comprometendo a receber hóspedes em casa por *sete dias* durante o Natal. Gosto muito dos meus sogros. Eles são pessoas maravilhosas. Mas uma visita de uma semana quando estou grávida de nove meses é um pouco além da conta. *Pelo menos*, digo a mim mesma, *haverá muita coisa acontecendo na Grande Cidade, já que os dinamarqueses são tão loucos pelo Natal e tudo mais.*

– Ah, você ainda tem muito que aprender! – diz Mãe Americana, sacudindo a cabeça quando conto a ela o meu plano de ação. – Claro, tem algumas festas *antes* do Natal, mas na semana do Natal em si ninguém faz nada. Todo mundo fica em casa com a família.

Isso é um problema. Então tenho uma brilhante ideia: *E se juntássemos nossas famílias numa espécie de congresso de expatriados.*

– Então, hã..., o que você e seus filhos vão fazer no Natal?

Mãe Americana me lança um olhar de pena:

– Nós vamos para os Estados Unidos, é claro!

– Ah, claro. Está certo. Divirtam-se então.

– Vamos, sim! Boa sorte!

Mãe Americana não estava exagerando. Durante a semana do Natal na Jutlândia, tudo fica fechado. E quero dizer TUDO MESMO. Examino o calendário no site da *kommune* para ver se algumas atividades ou eventos esparsos estarão acontecendo, mas vejo apenas quadradinhos em branco. Examino dia após dia. *Nada, nada*, e então, como os reis magos devem ter se sentido ao ver algo brilhante no horizonte, vejo uma *estrela* no calendário.

– Veja, cão: um evento! – clico no dia estrelado, ansiosa para saber, e descubro que a única coisa que vai acontecer nos próximos sete dias na Jutlândia é o concerto de Natal do meu próprio coro. Cantar numa língua que eu ainda não entendo e tentar despertar a diva que há dentro de mim, apesar de estar sóbria e de ser inglesa.

– Excelente, cão: nós temos *uma* tarde de entretenimento. – O cão rosna. – É, estou usando "entretenimento" no sentido mais amplo da palavra.

Isso me deixa com apenas seis dias para ocupar. Até agora, os hóspedes que ficaram mais tempo passaram quatro dias na nossa casa no verão, quando No Meio do Nada estava "aberta", e ainda tivemos que nos esforçar para entretê-los depois do terceiro dia.

– Os dinamarqueses não se importam de não ter nada para fazer durante uma semana inteira, a não ser ficar em casa com a família? – pergunto a Helena C. entre uma canção e outra, durante o último ensaio do coro antes do Natal. Ela admite, falando baixo, que sim, que seus próprios parentes podem ser cansativos, mas diz que a maioria dos dinamarqueses adora isso.

– Fizeram uma pesquisa em 1998 que mostrou que passar um tempo com a família durante o Natal era importante para 78% dos dinamarqueses – me diz ela, como se isso servisse como prova. Digo que não havia smartphones nem iPads nem Netflix em 1998.

– Passar o tempo com a família ou assistir a *Friends* na tevê aberta era tudo o que havia para fazer naquela época...

– Isso é verdade – admite ela. – Talvez seja por isso que eles nunca mais fizeram uma pesquisa sobre isso. Bem, boa sorte!

Céus, por que todo mundo fica me desejando boa sorte?

– Obrigada – digo a ela. – Está começando a parecer que eu vou precisar...

O concerto transcorre sem problemas. Canto as letras em dinamarquês escritas foneticamente e presas nas costas de uma soprano na minha frente. No fim sou cumprimentada pelo meu dinamarquês pela condutora do coro ("Nada mau, *para uma estrangeira*") e pelos meus sogros, que não sabiam das anotações presas nas costas da minha colega.

– Obrigada – agradeço graciosamente. Helena C. tenta não rir e promete manter meu segredo "por ora".

Depois, nós todos comemos *aebleskiver*, uma panqueca esférica tradicional deliciosa, servida com geleia e açúcar. Há muitos abraços e votos de *God Jul!* – Feliz Natal! – antes de nos separarmos. Vou andando como uma pata até o carro onde mal caibo agora (o assento do motorista está tão afastado para acomodar minha barriga que meus pés quase não alcançam os pedais) e sigo para casa para contemplar o abismo de seis dias de nada.

Resolvemos fazer um Natal tipicamente dinamarquês e para isso eu tinha me aconselhado com todos os dinamarqueses que conheço para planejar uma receita infalível para o grande dia. No cardápio: pato com ameixas, batatas caramelizadas, batatas cozidas (porque os dinamarqueses nunca se cansam de comer batatas em todas as refeições) e repolho vermelho, seguidos de *risalamande*. Helena C. se ofereceu para ficar a postos ao lado do telefone caso ocorresse alguma calamidade, e então começo. Os dinamarqueses fazem um jantar tradicional na véspera do Natal, então meu 24 de dezembro começa mais ou menos assim:

Sete da manhã: Acordo, tento deixar o cão sair sem fazer barulho para não acordar os hóspedes. Não consigo, então preparo chá para eles.

Nove da manhã: Começo a descascar coisas. Olho para o pato tomando quase todo o espaço da geladeira. Tento convencer o cão a não latir para o pato, distraindo-o com um osso. Faço algo indescritível com tripas. Me sinto um pouco enjoada.

Onze da manhã: Faço pudim de arroz para dar tempo do pudim esfriar na geladeira. Tento superar a ideia de uma sobremesa que tem a mesma consistência de vômito e esquecer experiências traumáticas com almoços escolares e a palavra "talhar". Bato o creme com o *mixer*. Espalho creme pelas paredes, no chão, em cima do cachorro. Ponho o cão para fora para ele se limpar na neve. Derreto mais açúcar para o molho de cereja. Descasco amêndoas e as fatio, depois misturo no creme pegajoso com mais açúcar e mais creme.

Uma da tarde: Como um almoço leve de arenque defumado com pão de centeio. A casa agora cheira a creme, açúcar derretido, peixe e gases.

Duas da tarde: Termino um artigo para um jornal na Inglaterra onde a véspera de Natal ainda é um dia normal de trabalho. Verifico meus e-mails e encontro um spam, me convidando para um workshop de um dia sobre "Como resistir às festas" e outro "Técnicas para suportar o estresse do Natal". Fico imaginando como é que eles sabem...

Quatro e meia da tarde: Fervo batatas. Ponho o pato no forno. Luto com seis panelas e um forno temperamental cheio de assadeiras enquanto suo só de camiseta e short apesar da neve do lado de fora. Concluo que as casas dinamarquesas talvez sejam aquecidas demais.

Cinco da tarde: Vou à missa na igreja local para vivenciar o serviço religioso "tradicional". Só que ele é longo demais, e todo em dinamarquês, e eu estou com um pato no forno. Percebo que não tinha me dado conta disso. Fico de olho no relógio enquanto as pessoas idosas ao meu redor, usando casacos de pele, começam a cochilar e roncar baixinho. O garotinho no banco da frente se vira, revira os olhos e finge que está se enforcando para demonstrar o seu tédio. E ele entende o que o padre está dizendo...

Sete da noite: Vou andando como uma pata para casa. Tento tirar a gordura da ave. Preparo molho com creme, gordura e maizena. Penso se alguma vez usei tanto creme, manteiga e açúcar antes. Concluo que não. Derreto mais açúcar ainda na frigideira, acrescento mais manteiga, faço uma careta quando coloco metade das batatas e as rolo de um lado para o outro até que pareçam maçãs em miniatura.

Oito da noite: Abro a tampa de um vidro de repolho vermelho comprado no supermercado (em dinamarquês, *rod kal*, que soa como "*roadkill*" em inglês, ou restos de um animal morto na estrada), despejo numa travessa de aparência rústica e jogo o vidro no lixo. Amasso o repolho para fingir que foi feito em casa. Levo todos os pratos para a mesa, peço a Lego Man para cortar o pato, desabo na cadeira. Esqueço as "bombinhas de Natal", uma tradição inglesa. Bombinhas são presentinhos em formato de bombom que as pessoas puxam e eles estouram, e dentro tem lembrancinhas e bilhetinhos, geralmente engraçados. Busco-as atrás do sofá, depois desejo não ter tido o trabalho. Elas não estouram, mas têm piadas dinamarquesas engraçadas do tipo: "Se você precisar fazer alguma coisa, faça direito porque o trabalho é o mesmo" e "Aquele que aprende a escutar, geralmente senta e fica pensando em outra coisa". Ah, rimos à beça!

Nove da noite: Canto e dança começam. Ninguém se machuca, mas o cão fica ensopado.

Deixem-me explicar. Meu comitê consultivo dinamarquês me assegurou de que para fazer as coisas direito nós temos também que decorar nosso pinheiro com a cores da bandeira dinamarquesa – vermelho e branco –, além de coisas da *natureza*, obrigatório, das luzes e de *velas de verdade*.

– Então, depois do jantar de Natal – disse Helena C. –, vocês todos dançam em volta da árvore, cantando.

– Espere um pouco – eu a interrompo. – Velas *de verdade*? Numa árvore *seca*? Em casas escandinavas, *cheias de madeira*?

– É.

– Vocês fazem isso com as crianças por perto?

– Principalmente quando elas estão por perto. Elas adoram.

– Crianças agitadas e fogo? O que poderia dar errado?

– É, entendo o que você está querendo dizer – diz Helena C. – Achei que todo mundo fazia isso até recebermos um australiano para passar o Natal conosco e ele falar sobre o risco de um incêndio.

– Certo.

– Mas nós fazemos tudo para garantir que não haja perigo.

– Como?

– Bem – diz ela –, sempre temos um balde grande de água para atirar na árvore caso aconteça alguma coisa.

Céus!

– E vocês têm luzinhas além de velas? Vocês não tropeçam no fio?

Ela olha para mim como se eu fosse uma imbecil sem coordenação motora.

– Nós simplesmente... passamos por cima do fio...

– Tudo bem, mas como vocês conseguem andar em volta da árvore? – pergunto, e explico que normalmente a nossa fica num canto da sala. – Assim você só tem que enfeitar um lado dela.

Helena C. me lança um olhar de censura:

– Nós costumamos enfeitar *toda a árvore* e então nós simplesmente colocamos a árvore em cima de um tapete e a puxamos para o meio da sala nesse dia, para cantar e dançar.

– Certo, então – respondo, e penso: *Posso fazer isso, não pode ser tão difícil assim.* – E o que vocês costumam cantar? – pergunto.

– Bem, há algumas canções dinamarquesas que todos nós sabemos e posso passar a letra para você – continua ela – e, em seguida, o meu tio sempre canta os dois primeiros versos de "Winter Wonderland".

– Só os dois primeiros?

– Sim. Ele não sabe o resto.

– Ah.

– Ele *podia* aprender. Dizemos isso a ele todo ano. Mas até agora, nada. – e ela sacode a cabeça como se o tio fosse uma enorme decepção como cantor. – Na verdade você e sua família podem cantar o que quiserem e depois dar as mãos e dançar em volta da árvore. Fácil!

Só que não é bem isso que acontece. Nosso grande pinheiro fica lindo com as luzinhas e as velas de verdade acesas. Mas nós somos apenas quatro pessoas e, portanto, é difícil estender os braços e dar as mãos em volta da árvore. As chamas ardem perigosamente perto das cortinas, do sofá e do macacão de Natal de acrílico de Lego Man, e nossos hóspedes tropeçam duas vezes no fio das luzinhas. E nenhum de nós se lembra de canções natalinas inteiras e depois de tropeçar pela terceira vez caímos sentados no sofá, rindo histericamente, liberando todo o estresse acumulado durante esse período. Ao ouvir todo aquele barulho, o cão sai correndo do seu posto de sentinela ao lado da porta da frente para ver qual o motivo de tanta comoção. Em câmera lenta, ele corre da árvore para mim e para Lego Man, vendo se está tudo bem, antes de avistar o horrendo balde preto a postos, para o caso de incêndio. *Isso*, avalia ele, *é novo*. *Isso*, suspeita ele, *pode ser perigoso*. Com um salto determinado, ele se lança sobre o objeto estranho, pousando as patas da frente no lado do balde para olhar melhor para dentro... e derrama o conteúdo sobre si mesmo, o chão de madeira e o "tapete da árvore" comprado especialmente para a ocasião. Meu primeiro Natal dinamarquês termina com um pano de chão na mão.

E então... a calma se instala. As lojas estão todas fechadas como já havíamos sido avisados que estariam, e as ruas, vazias. Os dinamarqueses, ao que parece, ficam mesmo em casa com suas famílias. Durante *uma semana*. Então nós fazemos o mesmo. Nós lemos livros, descansamos, tomamos xícaras de chá e vemos a neve cair do lado de fora do aconchego do sofá. E então, quando a neve finalmente se acomoda, saímos para dar um passeio. E tudo está calmo e branco. É algo mágico, tenho que admitir.

O retiro forçado significa que podemos conversar direito sobre tudo, desde filmes favoritos até política externa. Fico sabendo que o meu sogro, se deixarem, come um pote de mel *a cada dois dias* e que uma vez construiu uma jaula de madeira para si mesmo e ficou lá dentro durante doze horas no shopping MetroCentre, em Newcastle, para protestar contra prisioneiros políticos para a Anistia Internacional. Descubro que minha sogra uma vez criou um parque de patinação inundando um estacionamento durante uma geada muito forte. Passo a conhecer meus sogros muito melhor nesses sete (*sete!*) dias do que durante todos esses anos em que Lego Man e eu estamos juntos. É como o vínculo que se forma num campo de treinamento de recrutas. Não surpreende que as famílias dinamarquesas sejam tão unidas. Elas não têm muita escolha quando chega o Natal.

Correu tudo bem. Melhor do que eu tinha esperado. Mas estou feliz de ter a casa de novo para nós dois no fim da semana. Como ainda não há nada acontecendo nos arredores de No Meio do Nada, cuidamos da casa. Lavo tudo que vejo e Lego Man demonstra todos os seus poderes de viking montando sozinho um berço Ikea. Penduramos uma ilustração do alfabeto dinamarquês, completo, com as três letras extras e uns rabiscos suspeitos, no nosso segundo quarto. Minha escrivaninha é levada para o corredor e toda a parafernália do bebê é levada para o quarto.

No dia 31 de dezembro, o país finalmente desperta do seu sono gelado. Os rituais de Ano-Novo na Dinamarca começam às seis da tarde com o discurso do monarca – uma tradição que começou em 1942 durante a ocupação alemã, quando o rei pediu a unidade nacional. Estamos comemorando o ano que passou e dando boas-vindas ao que chega na casa de Viking, e me ofereço para ajudá-lo a cozinhar. Ele me fala sobre alguns costumes dinamarqueses enquanto mexo com cuidado um caldeirão de mingau verde que ele me assegura ser uma "tradicional couve cozida". É, ele me diz, servida com batatas (naturalmente) e lombo de porco curado na véspera do Ano-novo. Sim, os dinamarqueses estão firmemente de volta ao lombo de porco depois de um breve intervalo de pato no Natal.

Nós conversamos e, de vez em quando, mexemos alguma coisa, ou sacudimos uma frigideira, com o discurso da rainha como pano de fundo. Digo a ele que estou surpresa com o carinho que os dinamarqueses parecem ter pela sua rainha, e Viking revela que ele também é um grande fã dela.

– Margrethe tem altos índices de aprovação, apesar da maioria das pessoas daqui provavelmente não se considerar monarquista – me diz ele.

De fato, a monarquia dinamarquesa é a mais popular da Europa, e uma pesquisa de opinião pública feita no jornal *Politiken* revelou que 77% dos dinamarqueses estão felizes com a rainha.

– Nós não achamos que a realeza *em geral* seja ótima – esclarece Viking –, nós simplesmente gostamos da nossa – conclui, e pergunto a ele por que ele acha que isso acontece. – Este é um país tão pequeno que a maioria das pessoas já a viu pessoalmente ou até a conheceu em algum momento. E ela é uma mulher simpática e normal. Ela fede, mas é encantadora.

– Como?

– Quer dizer, a cigarros. Ela fuma sem parar, mas nós não nos importamos com isso. Porque isso a faz parecer imperfeita, como qualquer um de nós.

Então é isso. Elizabeth, da próxima vez que você sentir um *annus horribilis* chegando, acenda um cigarro.

No discurso deste ano, até onde posso entender, Margrethe diz a todo mundo para continuar a ser tolerante, mas tentar ser um pouco mais gentil uns com os outros.

– É isso mesmo? – pergunto a Viking, insegura da minha habilidade como tradutora e não tão rápida com o aplicativo de tradução do Google quanto eu costumava ser por causa dos meus dedos gordos de nove meses de gravidez.

– Você entendeu bem – me diz Viking. – *Margrethe* – estou adorando o modo como ele insiste em se referir a ela pelo nome de batismo, como se ela fosse uma velha amiga da família –, *Margrethe* geralmente nos diz que estamos indo bem, mas que poderíamos todos nos esforçar mais.

Depois disso, autoridades discutem possíveis mensagens ocultas no que ela disse durante os próximos cinquenta minutos antes de concluir que a mensagem dela foi realmente: "Continuem a ser gentis." É tudo muito civilizado. Menos refinadas, descubro, são as outras tradições de Ano-Novo dinamarquesas.

– Costumávamos explodir as caixas de correio uns dos outros e atirar pratos na porta da frente dos amigos à meia-noite para dar boas-vindas ao Ano-Novo – me diz Viking. Lego Man, que acabou de investir numa caixa nova de correio de design escandinavo, fica horrorizado ao ouvir isso. – Mas quase ninguém mais faz isso – me tranquiliza Viking. – Embora seja uma pena em relação aos pratos – acrescenta ele, nostalgicamente. – Você podia saber o quanto era popular pelo número de pratos quebrados que tinha na porta da sua casa no dia seguinte – suspira ele, melancolicamente.

Agora, ele diz, as comemorações tendem a se restringir a "pular do sofá à meia-noite, ir lá fora ver os fogos, depois assistir a um filme em preto e branco de uma velha senhora sendo servida por seu mordomo". A parte do sofá simboliza pular para dentro do ano que entra. Os fogos são apenas como diversão. E a velha senhora?

– É, ninguém sabe por que nós fazemos essa parte. Mas é uma *tradição*.

– Claro que é.

Depois que os convidados chegam, comemos e mudo de ideia a respeito da couve cozida. Depois fazemos a contagem regressiva (em dinamarquês) até o segundo em que o relógio digital de Viking marca meia-noite, tentando ignorar os gritos e comemorações das pessoas nos outros apartamentos com relógios adiantados.

– *Ti! Ni! Otte! Syv! Seks! Fem! Fire! Tre! To...* – contamos, até: – *Godt Nytår*! (Feliz Ano Novo!)

Há abraços e beijos e *skal*, e então todos começam a saltar dos móveis. Impossibilitada de cumprir esse ritual, sou encarregada das fotografias – enquanto o resto dos convidados sobe no sofá de Viking. Na contagem de três, todos pulam.

– *Aaaaaaaaahhhhhhhh*!

Eles dão um berro bem alto quando pulam e eu tiro a foto, capturando para todo o sempre o fim do nosso ano vivendo como os dinamarqueses. Viking, com os braços erguidos em comemoração, está lançando um grito de guerra em pleno ar. Outros convidados parecem igualmente animados, com pernas e braços para o ar, e Lego Man, me divirto em ver, está sorrindo com uma expressão de pura alegria enquanto dá um longo pulo na direção do ano seguinte. Ele parece feliz. E relaxado, e confiante, e bonito.

O momento ficou congelado – a imagem digital codificada numa série de zeros e uns, registrando eletronicamente o segundo antes que os pés com meias escorregassem no assoalho de madeira, resultando em farpas, traseiros roxos e uma suspeita de tornozelo torcido que a moça provavelmente não vai sentir até a manhã seguinte, quando a bebedeira passar.

Analiso a imagem com carinho enquanto curativos, analgésicos e mais *schnapps* são trazidos pelo nosso anfitrião para tratar dos variadas dores dos seus convidados.

Não vai ser assim no ano que vem, não posso deixar de pensar. Para começar, nós seremos três, e quem sabe onde estaremos nessa altura. Mas, no momento presente, é bom estar aqui.

Depois que os machucados resultantes dos saltos foram tratados, descemos a escada do apartamento de tijolos vermelhos de Viking e vamos para a rua, junto com todos os outros moradores da Grande Cidade. Algumas pessoas estão usando chapéus engraçados e fico sabendo que essa é outra *tradição* dinamarquesa de Ano-Novo. Olhando em volta, vejo um chapéu de duende, um chapéu pizza e um boné *pølser*. *Uau*, penso, *os dinamarqueses gostam tanto de comida que a utilizam como tema*... Há também diversos óculos engraçados, que variam desde Dame Edna Everage até Elton John quando era jovem e até óculos de proteção.

– Esses óculos engraçados são outra tradição dinamarquesa de Ano-novo? – pergunto a Viking.

– Não, são para proteger os olhos dos fogos.

Ah.

– Nós devíamos estar usando também? – pergunto, preocupada, mas Viking faz um "pfff" para dizer que estou me preocupando à toa. Como cresci com campanhas anuais de segurança pública alertando sobre os perigos da reversão de um rojão aceso, é com certo alarme que eu assisto ao espetáculo pirotécnico em exibição na rua principal da Grande Cidade. Fico ainda um pouco perturbada ao notar que muitos adolescentes e até crianças menores estão soltando rojões também.

– Isso é permitido? – não posso deixar de perguntar.

Viking me diz que embora você tenha que ter mais de 18 anos para comprar o que ele descreve como sendo "fogos mais potentes" (tipo, além de uma certa quantidade de pólvora...), as crianças dinamarquesas podem comprar "fogos mais simples" e começam a fazer isso desde pequenas.

– Eu tinha menos de 10 anos quando comecei a soltar rojões – me diz Viking com naturalidade, enquanto um rojão passa zunindo por nós. Velas romanas começam a estourar à esquerda, luzes brancas sobem ligeiras e explodem à nossa direita, e uma chuva de luzes verdes se espalha no céu, lançando fragmentos até a padaria. Mais alguns rojões explodem e finalmente uma cascata dourada começa a se derramar não exatamente do céu, mas de uma calha acima da loja de brinquedos e a espalhar generosamente seu conteúdo cerca de seis metros acima das nossas cabeças. Bolas de fogo sobem e depois descem, iluminando a noite e mostrando a silhueta da virilidade do cavalo pornô e dos gatos com seios em sua fonte.

Ah, Dinamarca, como passei a amar você, penso, usando Lego Man como escudo.

Voltando para dentro de casa, comemos a sobremesa – um *tradicional* bolo de marzipã – acompanhado de champanhe, e nosso grupo faz um brinde ao ano que entra.

– *Skal!*

Quando saímos, duas horas depois, está começando a nevar. Passamos por casas iluminadas com velas acesas e respiramos uma combinação de pólvora e *glogg* (quentão) que sai de todas as janelas. Estou me sentindo incrivelmente festiva agora – mais do que jamais me senti na vida.

No dia de Ano-novo, o meu primeiro sem ressaca nos últimos vinte anos, pelos meus cálculos (*Querido fígado, me desculpe. Prometo me comportar melhor. Com carinho, a partir de agora pelo menos...*), assistimos ao discurso de Ano-Novo da primeira-ministra. Tenho sempre que me lembrar de que a primeira-ministra é Helle Thorning-Schmidt, e não a atriz que faz esse papel numa das minhas séries de tevê dinamarquesas preferidas. Helle começa fazendo coro com o discurso da rainha, dizendo que janeiro é uma oportunidade de um novo começo. Estou bem ciente das mudanças que o novo ano irá trazer para a nossa casa, e o pequeno lutador de *jiu-jitsu* na minha barriga (80% de chance) está fazendo uma demonstração de todos os seus golpes esta noite. Vamos para a cama e Lego Man adormece imediatamente, mas não consigo pegar no sono. Dormir de barriga para cima está fora de cogitação, porque júnior esmaga todos os meus órgãos vitais. Dormir de barriga para baixo não dá, porque agora dou a impressão de ter assaltado uma loja de almofadas. Então me deito de lado e depois fico imaginando o que fazer com os braços. Tento desde uma pose tipo Michael Jackson em *Thriller* até esticar os braços para frente como se fosse o koala peludo que era a ponteira de um lápis que eu tinha aos 8 anos. Mas não adianta. Então me levando e ando um pouco pela casa.

O céu está maravilhosamente claro e as estrelas estão brilhando de um jeito que nunca vi antes. Enormes redemoinhos de luz pontilhada competem com pontos maiores e mais brilhantes num céu repleto e cintilante. Como não há nenhuma luz prejudicando a visão, o céu parece maior, e mais alto. Enquanto olho, vejo uma estrela cadente, embora isso possa ser apenas a visão embaçada que minha parteira me avisou que era mais um alegre efeito da gravidez (alguém também disse varizes?). Paro de olhar para o céu noturno mas vejo que ainda não consigo enxergar direito. Há dois de tudo, inclusive da árvore de Natal, o que é engraçado, e uma pilha de pratos sujos para serem lavados (menos engraçado). Eu me sinto tonta, então, como se meu corpo inteiro estivesse se mexendo e arfando, sinto uma sensação esquisita, como se tudo dentro de mim estivesse querendo fugir. Dói. Muito. Mas então passa. *Estranho*, penso, e vou até a geladeira para bisbilhotar lá dentro. *Se estiver em dúvida, coma alguma coisa.* Mas então acontece de novo. E de novo. Dou uma olhada para o relógio na parede da cozinha, e fico vendo o ponteiro se mover por alguns minutos, até ter certeza. *Droga*, penso. E então: *Isso é verdade.*

Devagar, me apoiando nas paredes, vou até o quarto para dizer a Lego Man o que está acontecendo e comunicar a ele que nosso desejo de Natal está se realizando, um pouco mais cedo do que o esperado.

O que aprendi neste mês:

1. Os dinamarqueses são grandes fãs de alcaçuz, músicas natalinas, *Top Gun* e *schnapps*.
2. Até Salman Rushdie aproveitou as vantagens de viver como os dinamarqueses.
3. Você pode equilibrar o consumismo do Natal com líquen e cogumelos.
4. Ser obrigado a passar um tempo com a família pode ser *algo bom*.
5. Cantar é *sempre algo excelente* na Dinamarca.
6. A vida está prestes a mudar imensamente.

EPÍLOGO

Made in Dinamarca

Após dezoito horas de uma dor psicodélica, muito suor e diversos *snegles*, uma criatura pegajosa, contorcendo-se, é colocada sobre o meu peito por um segundo e, em seguida, retirada para receber cuidados especiais. Alterno momentos de consciência e inconsciência por algum tempo (minutos? horas? dias?), até que finalmente estou numa cadeira de rodas sendo empurrada na direção de uma incubadora de plástico que se parece muito com uma caixa de armazenamento.

– Seu filho – me diz uma enfermeira.

Da cadeira onde estou, tudo o que posso ver é uma cara amassada com tubos saindo dela e um enorme gorro de lã. Uma lâmpada de aquecimento está sobre ele, nu, exceto pelo gorro e uma fralda. Sinto gosto de sal na boca e percebo que estou chorando.

– Ele está bem?

– Ele vai ficar muito bem – me diz a enfermeira enquanto um médico começa a remover os tubos e examiná-lo. – Ele vai poder ir para o seu quarto amanhã.

Eu sinto uma onda de alívio.

– Então ele está bem?

– Ele está mais do que bem – me informa o médico, tirando o gorro de lã teatralmente e revelando um cabelinho vermelho espetado para cima: – Ele é um viking!

Isso é uma surpresa. Nem Lego Man nem eu temos parentes de cabelos vermelhos, e começo a pensar rapidamente para ver se impliquei com ruivos no passado (Katie Brooking, do primário, não me lembro direito, mas se impliquei com você, desculpe). Sabe-se lá por quê, nosso filho faz parte do 1% da população mundial que tem cabelo ruivo. Essa raridade aparentemente atraiu um fluxo constante de visitantes desde que ele está aqui, porque a maioria dos bebês na Dinamarca é louro ou careca. Lego Man, que tem transitado entre as enfermarias de pós-parto e neonatal, checando se ambos ainda estamos respirando, e desenvolveu uma dependência em café açucarado hospitalar, ainda está em choque. Enfermeiras, médicos, e parteiras o têm cumprimentado por seu filho, "um viking de verdade".

Assim que a criatura de borracha é colocada nos meus braços, há uma explosão de amor por ele em meu peito e eu nunca mais quero largá-lo. Ficamos no hospital por uma semana, e então me consideram bem o suficiente para ir para casa e ainda mais visitantes vêm de longe (ou, pelo menos, da outra extremidade do hospital) para ver a famosa criança viking. Eles vêm trazendo oferendas de uvas, babadores macios e roupinhas de tricô, inclusive um gorro que a parteira-chefe tricotou durante o parto. É, é isso mesmo: meu trabalho de parto foi tão longo que a mulher encarregada teve tempo de produzir uma roupa. Ela poderia muito bem ter tosquiado a ovelha também.

Nós nos esforçamos para saber como chamar o recém-chegado. Todo nome que estava na nossa lista de "nomes possíveis" agora parece insuficientemente forte para o poder do miniTitã que criamos. Então ele é chamado carinhosamente de "Pequeno Ruivo".

– Não de "Macaco" ou de "Anus?" – pergunta Lego Man.

– Não – digo a ele com firmeza.

Quando tenho alta do hospital, nos oferecem a oportunidade de ficar mais uma semana no anexo Hotel Cegonha, todos juntos, para pais de primeira viagem que querem facilitar a transição entre "Merda, agora temos um bebê!" para "Merda, agora temos que levar um bebê para casa!". Aqui, as enfermeiras estão perto dia e noite para nos aconselhar como cuidar daquela coisinha cor-de--rosa, saída das suas entranhas, que grita sem parar.

– Você não teria nada *disso* na Inglaterra – diz Lego Man, folheando o folheto com fotos dos quartos atraentes do hotel ao lado, que poderiam ser nossos por apenas 300 coroas (ou 55 dólares) por noite. Concordo que é tentador, mas depois de uma semana longe e com o cão morrendo de saudades num acampamento de férias canino (canil), decidimos ir para casa. Estamos ambos assustados, sentindo que não somos suficientemente adultos para lidar com isso, e imaginando como é que o pessoal do hospital pode ter consentido em nos dar a custódia de um *ser humano* de verdade. (Eu: "Eu não consigo nem manter as nossas plantas vivas!" Lego Man: "Nós temos plantas em casa?")

Mas vamos conseguir. Vamos para casa.

De volta a No Meio do Nada, logo recebemos a visita de Vizinha Simpática, que tinha recebido a mensagem apavorada que Lego Man enviou na semana anterior para o nosso grupo: "Somos pais." Ela deixou uma cegonha de madeira do lado de fora da nossa casa, como é costume na Dinamarca, para que todos fiquem sabendo que há um bebê novo na cidade e para encorajar a carteira e os entregadores a pegar leve por um tempo. Ela deixou também um pacote de fraldas de pano e um bilhete dizendo: "Porque ouvi dizer que eles vomitam muito.☺"

Fico comovida. Os Senhores Barbados, que ignoraram a minha existência desde a chegada do inverno, quando todos entraram em estado de hibernação, deixaram um babador com um trator bordado dentro da nossa caixa de correio. As colegas do coro deixaram um elefante de brinquedo e um cartão assinado por todas. Mãe Americana passa lá em casa com duas bacias de comida cuidadosamente embalada para estocar nosso freezer. Helena C. e Viking trazem bolo e um conjunto de louça para crianças de design dinamarquês, incrivelmente lindo. Caio em prantos. Ou, pelo menos, mais lágrimas se juntam às que agora moram permanentemente nos meus olhos. Além de ganhar um filho e um trabalho de costura bastante extenso ao redor do meu "órgão feminino", aparentemente desenvolvi uma incontinência emocional, embora isso possa ser apenas consequência da privação de sono. Meus braços e pernas pulsam de cansaço, mas ainda me levanto para olhar para o meu filho e dizer a ele que o amo dez vezes por hora antes de cutucar Lego Man e dizer: "Olha o que nós fizemos!"

Embora morta de cansaço, me sinto energizada. É como se eu estivesse em carne viva (não exatamente *assim*, embora também, PSC, *exatamente* assim), como se tudo *importasse* mais agora. O mundo parece saturado de significado e meu filho é um quadro em branco, uma pequena vida que nunca comeu porcaria nem assistiu a programas sensacionalistas, nem sofreu nenhuma decepção.

– Ter um filho é como ter seu coração do lado de fora do peito – me diz Mãe Americana, e ela tem razão. Quero protegê-lo e fazer com que tudo seja cheio de luz e alegria para ele. O simples fato de ter uma pessoinha perto de mim faz com que eu decida me esforçar ao máximo para tornar o mundo *melhor*. E nesse aspecto, a Dinamarca de repente faz sentido. Como seu mundialmente famoso equilíbrio entre vida pessoal e trabalho, e seu foco nas crianças e na educação, e os passos gigantescos que deu em termos de igualdade de gênero, a Dinamarca é o melhor lugar para estarmos agora.

Depois de duas semanas de licença-paternidade, Lego Man volta ao trabalho e toma as providências necessárias para tirar *dez semanas* de folga para cuidar do seu bebê. Ele tem um emprego fantástico numa das empresas mais lucrativas do país, mas um pai tirar uma licença, totalmente remunerada, para cuidar do seu filho é considerado algo importante e que deve ser incentivado. Lego Man aprende a dar banho no filho e colocá-lo para dormir, e também aprende que você pode achar que vai enlouquecer às duas da manhã de uma terça-feira quando tudo o que você quer é uma hora de sono ininterrupto e talvez um banho. Ele compreende que cuidar de uma criança 24 horas por dia pode ser imensamente gratificante, mas também é implacavelmente duro. Ele sabe que, em alguns dias, você só precisa que alguém volte para casa e diga: "Você está fazendo um ótimo trabalho. Trouxe um *snegle*."

Quando chegar a hora, Pequeno Ruivo poderá começar numa *vuggestue* ou *dagplejer* com outras crianças de menos de 3 anos, onde irá brincar e criar e aprender, com 75% dos custos pagos pelo Estado. Isso significa que tanto Lego Man quanto eu vamos poder continuar nossas carreiras com muito mais facilidade do que seria possível em países onde creche é sinônimo de ir à falência.

O psicólogo americano Abraham Maslow disse que havia cinco níveis de hierarquia em termos de necessidades humanas, cada um dos quais precisava ser satisfeito antes de você poder se preocupar com outras coisas e alcançar o objetivo sagrado da "realização pessoal". Essas necessidades começavam com as "fisiológicas" (o básico: comida, água, sono etc.), seguidas pela necessidade "de segurança" (proteção do corpo, saúde e do emprego). Ambas precisavam estar preenchidas antes de você passar para a terceira, "de pertencimento" (amizade e intimidade sexual), depois a quarta, "de estima" (confiança e respeito) e, finalmente, a de realização pessoal (moralidade, criatividade e solução de problemas).

Os dinamarqueses têm suas necessidades fisiológicas e de segurança garantidas pelo Estado, o que permite que eles sigam adiante e para cima com mais facilidade. Eles passam dez anos na escola com as mesmas pessoas, o que permite que desenvolvam grandes amizades, e são bem-informados e encorajados a se dar bem em termos de sexo. Com as escolas focando na criatividade e alimentando futuros talentos profissionais, muitos dinamarqueses estão se preparando para alcançar o topo da pirâmide. Ao invés disso, alguns países desenvolvidos não passaram do segundo nível de satisfação das necessidades "de segurança" – não têm um sistema de saúde pública nem estabilidade no emprego (olá, Estados Unidos).

Pensando assim, não surpreende que os dinamarqueses sejam tão felizes. Eles têm uma qualidade de vida espantosa. Sim, a vida aqui é cara. Mas é a Dinamarca, vale a pena. Não me importo de pagar mais por um café aqui porque sei que isso significa que a pessoa que está me servindo a) não me odeia e b) não tem uma vida horrível. Todo mundo recebe um salário decente, todo mundo é protegido, e todo mundo paga seus impostos, assim como eu pago os meus. E se nós todos temos menos dinheiro para comprar mais *coisas* das quais não precisamos mesmo, bem, estou começando a achar que vale a pena.

– É como Buda nos ensina – pontifica Mãe Americana numa quinta-feira chuvosa.

– Buda? – *Meu Deus, eu amo os americanos*, penso. *Se não é Oprah, é Buda.*

– É. Ele nos ensina que os desejos são *intermináveis*. A satisfação de um apenas cria novos desejos, como uma célula se multiplicando.

Quero muito dar a ela uma cética visão britânica em resposta, mas contra a minha vontade concordo. Viver como os dinamarqueses me proporcionou uma visão de um modo de ser mais significativo. Uma compreensão de como a vida *deveria* ser ou, pelo menos, de como ela poderia ser. E gosto disso.

É claro que nada é perfeito. Sim, os invernos são horríveis e eu gostaria que a luz do dia na Dinamarca fosse melhor distribuída ao longo do ano, de modo que não morássemos nas sombras de Mordor no inverno e na terra do sol da meia-noite durante os três meses de verão. Mas as coisas são o que são e, apesar dos meus recém-descobertos poderes viking, não posso empurrar a Escandinávia para mais perto do equador (embora talvez eu tente de novo em breve). Aqui não é a Austrália, nem algum daqueles outros países de clima ligeiramente mais temperado, que também lutam pelo primeiro lugar em termos de qualidade de vida e felicidade em pesquisas mundiais.

Mas sempre tenho a impressão de que esses pretendentes não nórdicos ao trono estão roubando, de alguma forma, por viver em países com luz do sol o ano inteiro. É preciso força de caráter para sobreviver no topo como a nação mais feliz do mundo durante os seis meses de frio e escuridão todo ano. E a vida não pode ser sempre uma utopia ensolarada, no estilo unicórnios usando arco-íris para pular corda. Mas um ambiente constante, seguro, estimulante, no qual você possa confiar hoje, amanhã e daqui a um ano, é quase tão bom quanto. Ainda existem altos – os primeiros morangos do verão, Pequeno Ruivo aprendendo a sorrir, o dia em que eu posso tornar a beber (em ordem aleatória...). E, é claro, existem baixos. Mas para todos os dinamarqueses com quem falei ao longo de um ano, os baixos tendem a ser pessoais – inevitáveis verdades humanas. O resto? Bem, a Dinamarca se encarrega do resto.

Mas ainda há problemas. Trata-se de um país muito homogêneo e às vezes há diferenças entre a retórica de viver como os dinamarqueses e a realidade. Um pequeno setor da sociedade insiste em culpar os imigrantes por tudo, desde crimes até a falta de almôndegas. Mas não há nada de podre no país que não esteja afetando também os outros países, sem nenhuma das vantagens que a Dinamarca oferece. Os dinamarqueses estão enfrentando os mesmos problemas que o resto do mundo. Apesar das vitórias do Dansk Folkeparti, têm sido feitas tentativas de ajudar os dinamarqueses a entender as pessoas de outras culturas. Em 2014, o gabarito dos prédios de Copenhagen mudou para refletir as tentativas continuadas de aceitar e acolher a comunidade islâmica da cidade com a adição de uma torre de 20 metros como parte da maior mesquita da Escandinávia, o que combina características islâmicas tradicionais com alguns toques de design tipicamente escandinavos, num esforço para encorajar a integração. O lugar mudou mesmo durante o período em que estamos aqui, com Grande Cidade se tornando mais diversa etnicamente e com mais providências sendo tomadas para ajudar "forasteiros" como eu a se sentirem em casa. Os dinamarqueses querem ser considerados tolerantes, isso é importante para eles. Assim, a *maneira dinamarquesa de viver e fazer as coisas* está se adaptando lentamente para incorporar novas influências e chegadas.

Passado um ano, sinto como se entendesse melhor o que é viver como os dinamarqueses. Eles são um povo criterioso. Não têm a franca cordialidade dos europeus do sul ou dos americanos, nem a gentileza forçada dos britânicos. Os dinamarqueses são meio rudes e diretos, e confiantes e seguros de um jeito que nunca vi antes. É muito improvável que alguém lhe diga "Tenha um bom dia" na Dinamarca. Mas, se disserem, pode ter certeza de que é com toda a sinceridade. E se os seus vizinhos ignorarem você no inverno, não se ofenda: está escuro e frio, e eles só querem estar dentro de casa e ficar *hygge*.

Também aprendi melhor a língua, de modo que consigo entender um pouco mais do que acontece ao meu redor e converso de igual para igual com a sobrinha de Vizinha Simpática. A sobrinha da Vizinha Simpática tem só 2 anos, mas é dinamarquesa, então isso já é um progresso. Também sei pedir café, chá e quase qualquer doce que meu coração deseje numa padaria e ter 90% de certeza de que vou receber o que pedi. Tenho amigos aqui. Pessoas boas, generosas, fortes, confiáveis, hospitaleiras. Sempre fico comovida com a bondade, a consideração e a paciência delas quando lhes faço perguntas intermináveis sobre tudo que se refere à Dinamarca.

Depois que Lego Man e eu passamos do sufoco inicial de cuidar de um recém-nascido (a quem eu penso que estou querendo enganar? O sufoco continua. Qualquer erro de digitação aqui, é porque estou escrevendo e balançando um bebê de oito semanas no colo, enquanto ele vomita e faz cocô ao mesmo tempo, chutando de vez em quando alguns caracteres no teclado do laptop), nós vamos *sair*. É meu aniversário e fizemos uma reserva para o almoço. Isso exige um planejamento militar e cinco viagens até o carro para ter certeza de que todo o equipamento de que necessitamos para sobreviver fora de casa com um bebê foi embalado, checado e rechecado. Depois disso, percebo que ainda estou de pijama, então volto para dentro de casa e visto uma roupa que espero que esteja dizendo "Posso estar coberta de leite e dos fluidos corporais de um bebê, mas estou satisfeita com isso".

Nós vamos até a Grande Cidade, estacionamos o carro e depois passamos vários minutos dizendo um ao outro como armar o carrinho. Felizmente, o dia está agradável e o sol está ameaçando vir nos espiar por entre as nuvens, então, para variar, o tempo não está contra nós. Pequeno Ruivo não acorda quando o tiro da cadeirinha do carro e o coloco delicadamente no carrinho, cobrindo com um gorro aquela cabecinha de cabelos espantosamente vermelhos e enfiando luvinhas em suas mãozinhas antes de cobri-lo com cobertores. Quando nos dirigimos para o restaurante, sorrio carinhosamente para a fonte do cavalo pornô que já faz dois meses que não vejo e, então, avisto a mim mesma na vitrine da loja de brinquedos. Contemplo a mulher com o cachecol em volta do pescoço, óculos escuros para disfarçar as olheiras e um coque malfeito, para manter o cabelo longe das mãozinhas que gostam de agarrá-lo. Acho divertido notar que pareço muito dinamarquesa. E também pareço relaxada. Como o tipo de pessoa que sempre quis ser quando crescesse.

Tinha pensado que estava fazendo todas as coisas certas para conseguir isso na minha antiga vida – trabalhando muito para ter sucesso e tentando agradar a todo mundo. Mas eu nunca parecia ser bem-sucedida o bastante para que todo esse esforço valesse a pena. Eu me sentia cansada, com fome (às vezes literalmente) e efêmera, arrastada pelas correntes do que estava acontecendo ao meu redor. Mas agora eu me sinto protegida, segura e sólida. De um jeito bom, e apesar dos quilos extras da gravidez que ainda carrego. Estou contente e, sim, feliz. Eu me daria nota nove numa escala de zero a dez (ainda estou esperando para ser coroada rainha dos bichinhos das Sylvania Families).

Dou o braço a Lego Man enquanto ele empurra o carrinho pela pequena ladeira até o restaurante. Ele está me dizendo que já está comprando vários Lego Duplo para crianças pequenas para o nosso filho, assegurando-me que se trata de um "investimento". Digo a ele que posso ver os dedos dos meus pés de novo, em pé. Esse é o tipo de conversa que temos agora (já mencionei o problema da falta de sono?). Começo a pensar no que vou pedir e quase posso sentir as borbulhas do *prosecco* que prometi a mim mesma explodindo em minha língua.

– Então no ano que vem – diz Lego Man, e vejo que perdi alguma coisa depois da parte do Lego Duplo.

– O ano que vem? Bem...

É hora de decisão e Lego Man está olhando para mim esperançoso. Ele abriu o jogo meses atrás e sei que gostaria de ficar. Agora cabe a mim decidir. Olho em volta para o novo Quartier Latin da Grande Cidade onde reservamos lugar para almoçar hoje e vejo um supermercado asiático e uma *deli* italiana que não tinha visto antes. *Eu poderia viver num país com snegles, comida chinesa e um presunto de Parma decente?* É quase bom demais para ser verdade. O sol está brilhando agora e nosso filho está dormindo. Para uma mãe de primeira viagem, a vida não pode ser melhor do que isso.

– Acho que a Dinamarca não é tão ruim assim – digo.

Um sorriso começa a se formar lentamente no rosto barbado de Lego Man (ele está deixando a barba crescer durante a licença-paternidade, todo mundo precisa de um projeto), mas ele quer me ouvir dizer.

– Então você gostou deste ano vivendo como os dinamarqueses?

– Foi legal – admito.

– Só legal? – pergunta.

Encolho os ombros e ele faz uma cara desapontada.

– Para ter certeza, acho que precisamos de mais um ano...

Ele sorri radiante. Então trava o freio do carrinho do bebê como um pai responsável e me dá um abraço, e me aperta com força. Isso dói um pouco, mas digo a ele que aprecio o gesto.

Nós vamos ficar. O sonho nórdico pode ter seus defeitos, mas a Dinamarca ainda é o melhor lugar para nós, neste momento. E estou entusiasmada para ver o que os próximos doze meses nos reservam.

Chegamos ao restaurante e nos levam até nossa mesa. Ela é ao lado de uma janela que dá para um pátio coberto, e Pequeno Ruivo ainda está dormindo. Então deixamos o carrinho do lado de fora.

AS DEZ MELHORES DICAS PARA VIVER COMO OS DINAMARQUESES

Tudo bem, não posso arrastar todo mundo para a Dinamarca e nenhum de nós tem controle sobre nossa composição cromossômica (por enquanto). Mas há algumas coisas que os dinamarqueses fazem de um modo diferente que podem ser colocadas em prática, onde quer que você esteja.

1. Confie (mais)

Esse é o principal motivo da felicidade dos dinamarqueses, experimente. Você vai se sentir melhor e vai se poupar de um estresse desnecessário. Confiar nas pessoas ao seu redor pode fazer com que elas se comportem melhor, então isso se torna uma profecia autorrealizada.

2. Fique *hygge*

Lembre-se dos prazeres simples da vida – acenda uma vela, prepare um café para si mesmo, coma alguns doces. Está vendo? Você já está se sentindo melhor.

3. Use o seu corpo

Pedale, corra, pule, dance, faça sexo. Mexa todas as partes dele. Usar o seu corpo não só libera endorfinas, mas também deixa você mais atraente, no estilo dinamarquês.

4. Dê atenção à estética

Torne o seu ambiente o mais bonito possível. Os dinamarqueses fazem isso, e estimulam o respeito pelo design, pela arte e pelo lugar onde vivem. Você se lembra da síndrome da janela quebrada, em que o estado dos lugares que parecem abandonados pioram? O contrário também se aplica.

5. Direcione suas opções

Se morar em No Meio do Nada me ensinou alguma coisa, posso dizer que foi que diminuir as nossas opções pode tirar um pouco do estresse da vida moderna. Excesso de opções de coisas para fazer, de lugares para comer (há!) ou do que vestir (olá, meu armário de Londres) pode ser mais um peso do que uma vantagem. Os dinamarqueses se especializam em simplicidade sem estresse e liberdade sem fronteiras.

6. Tenha orgulho

Encontre algo em que você ou pessoas do lugar onde você vive sejam realmente bons e *admitam isso*. Comemorem o sucesso, desde o futebol até o campeonato de salto de pulgas (ou corrida de caranguejos). Agite bandeiras e cante sempre que houver oportunidade.

7. Valorize a família

Os feriados nacionais são oportunidades de estreitar laços na Dinamarca, e as famílias vêm em primeiro lugar em todos os aspectos da vida dinamarquesa. Manter contato com os parentes e cumprir certos rituais são coisas que podem fazer você se sentir mais feliz, então faça os dois. Sua família não coopera muito? Comece a sua própria família com os amigos ou então usando a dica nº 3 (a parte do sexo).

8. Respeite todos os tipos de trabalho

Lembre-se: não existe “trabalho de mulher” e “trabalho de homem”, apenas “trabalho”. Quem cuida é tão essencial quanto quem sustenta financeiramente e nenhum poderia sobreviver sem o outro. Os dois tipos de trabalho são duros, criativos e importantes, tudo ao mesmo tempo.

9. Brinque

Os dinamarqueses adoram fazer alguma atividade pura e simplesmente, e, na terra da Lego, brincar é considerado uma ocupação valiosa em qualquer idade. Então comece a montar, inventar, cozinhar e desenhar, até mesmo suas próprias caricaturas de pessoas famosas. Simplesmente faça alguma coisa e se dedique a isso sempre que possível (quanto mais bagunça, melhor).

10. Compartilhe

A vida é mais fácil assim, de verdade, e você será mais feliz também, de acordo com as pesquisas. Não pode influenciar a política governamental para conseguir um estado de bem-estar social como o dinamarquês? Leve parte do bolo que fez para o seu vizinho, ou convide alguém para a sua casa para ficar *hygge* e deixe fluir os sentimentos de amizade e carinho.

AGRADECIMENTOS

Sou imensamente grata a todos os especialistas que generosamente abriram espaço em sua agenda para falar com uma inglesa desconhecida. Ainda me sinto admirada, contente, inspirada e revigorada por todas as coisas que vocês me ensinaram.

Obrigada à minha agente, Anna Power, por ser uma super-heroína do mercado editorial e por todos os bolos e palavras de encorajamento. E à minha fabulosa editora, Kate Hewson, por sua competência, entusiasmo e histórias engraçadas de gatos. Um agradecimento especial a Andrew Furlow da Icon por tornar este livro um (belo) "objeto"; a Leena Normington e Stevie Finegan por seu entusiasmo por ele; assim como a Duncan Heath, Nira Begum, Michael Sells e Steve White por toda a ajuda que me deram.

Muito obrigada à nossa equipe dinamarquesa por seu apoio e bom senso – Equipe Vejle (Tara, Liberty, Henrik, Chesney, Fee, Kath, Hjarne, Christine, Fen, Jules, Ana, Matthew, Craig, o coro); Equipe Billund (Frauke, Stephen, Nichole, Jackie, Karina, Cindy) e Equipe Aarhus (Sophie, Mick, e a padaria & confeiteira Emmerys...).

Equipe inglesa, vocês foram brilhantes como sempre com as mensagens de "Você consegue, sim" e os pacotes de chocolate Cadbury (especialmente Chrissy, Emily, Sarah, Caroline, Lucy, Sally, Kate e a Gail Plait Gang).

Um obrigada enorme à minha família, em particular a Rita, John e Andrew por suas intrépidas expedições a No Meio do Nada. E à minha mãe, por simplesmente existir.

Nada disso teria sido possível, antes de mais nada, sem o cara louro e sério e o seu amor por Lego que nos levou para a Dinamarca. Obrigada por me obrigar a sair da minha zona de conforto sempre que necessário e um viva à licença-paternidade dinamarquesa, sem a qual o conteúdo deste livro teria permanecido anotações confusas de uma mãe de primeira viagem privada de sono.

Em www.leya.com.br você tem acesso a novidades e conteúdo exclusivo. Visite o site e faça seu cadastro!

A LeYa também está presente em:

facebook.com/leyabrasil

@leyabrasil

instagram.com/editoraleya

LeYa Brasil

ESTE LIVRO FOI COMPOSTO EM ITC CENTURY STD,
CORPO 11PT, PARA A EDITORA LEYA.